六ヵ国語会話1

POCKET INTERPRETER

日本語	●JAPANESE
英　語	●ENGLISH
フランス語	●FRANÇAIS
ドイツ語	●DEUTSCH
イタリア語	●ITALIANO
スペイン語	●ESPAÑOL

㊧日本交〔通公社〕

KT-378-814

POCKET INTERPRETER

1

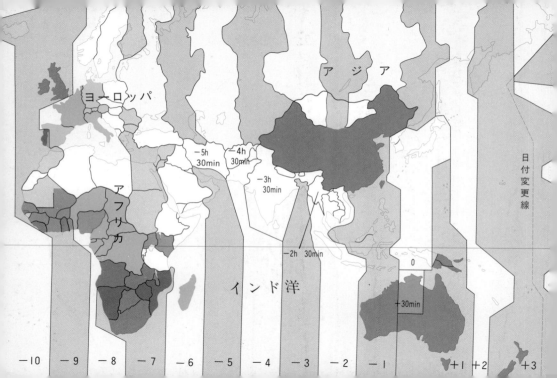

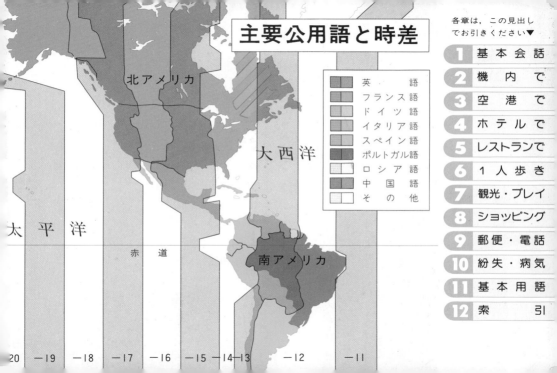

主要公用語と時差

北アメリカ

大西洋

太平洋

赤道

南アメリカ

	英　　　　　語
	フランス語
	ド　イ　ツ　語
	イタリア語
	スペイン語
	ポルトガル語
	ロ　シ　ア　語
	中　国　語
	そ　の　他

−20　−19　−18　−17　−16　−15−14−13　−12　−11

はじめに

世界中どこでも，国内旅行をする程の気軽さで海外旅行に出かける時代です。決まりきった日常生活を離れて，未知の人に会い，未知の風景や文化に接する海外旅行は，本当に楽しいものです。

海外旅行をするにあたって，唯一の気がかりはことばのことでしょう。ヨーロッパにしても，アメリカ，東南アジアにしても，それぞれの国にそれぞれのことばがあります。その片言でも話せたら，旅は一層楽しいものになるはずです。

本書は，交通公社の長年にわたる旅行会社としての知識と経験を充分に生かして，海外旅行中のいろいろな場面を想定し，その時々で必要となる会話や単語を精選して即席に役立つよう工夫した旅行会話集です。皆さんのポケット通訳としてご活用下さい。

目次
CONTENTS

本書の使い方

1. 日本語，英語，フランス語，ドイツ語，イタリア語，スペイン語の順で配列してあります。

2. ふりがなをはっきりと発音して下さい。太文字の部分は，特に強く発音して下さい。2～3度くり返しても相手に通じないときは，皆さんの言いたい日本語に相当する外国語を指さして，相手に示しましょう。

3. 相手の言うことがわからないときは，相手の言いたいことばを本書の中から探して，指さしてもらいます。

4. 〔 〕内のことばは，その前のことば（外国語ではイタリック体）と言い換えて，2通りの言い方ができます。

（例・英語）
水〔コーラ〕を下さい
Water [Coke], please.
ウォーター　［コウク］　プリーズ

水を下さい
Water, plese.
ウォーター　プリーズ

コーラを下さい
Coke, please.
コウク　プリーズ

5. （ ）内のことばは，省略しても通じるものです。ただし，一般的に，略さない方がていねいな言い方になります。

（例：フランス語）
ありがとう
Merci (beaucoup).
メルスィ　（ボークー）

Merci. または **Merci beaucoup.**
メルスィ　　　　　メルスィ　ボークー

6. ～の部分には，適当なことばを挿入して下さい。

7. フランス語，ドイツ語，イタリア語，スペイン語には，すべての名詞に男性形と女性形があり，その区別を表すために，本書の単語だけ集めたページではいちいち定冠詞（仏語の場合 **le** と **la**）をつけて

あります。状況によって不定冠詞を使うこともありますので，慣れないうちは，冠詞ぬきで使った方がよいでしょう。

ただし，人間や動物に関してはおおむね自然の性と一致しますので，場合に応じて言い分ける必要があります。

（例：ドイツ語）

学生
der Student ／ die Studentin
デア シュトゥデント ／ ディ シュトゥデンティン

男性の学生　　　女学生
der Student　　 die Studentin
デア シュトゥデント　ディ シュトゥデンティン

8．表紙の次のページに各章がすぐに引ける見出しがついています。また，右ページの右上には章ごとにマークがついていますから，そのページがどの章であるか，ひと目でわかります。

9．各ページの下段には，その内容と関連する部分の参照ページが入っています。たとえば，"機内で"の"水 [コーラ] を下さい"ということばの下には " ☞ 飲み物 P.136" となっていますから，それ以外の飲み物を頼みたいときは，136ページを見ればいいわけです。

10．最初の章（ P. 10～23 ）には基本会話編として，旅行者が特に頻繁に必要とする表現，または緊急性の高い表現を集めてありますので，この章によくなじんでおくと便利です。

11．P.336～339には，各国語の解説がついています。ひと通り目を通しておけば，一層理解が深まります。

12．巻末には，索引がついています。特定のことばだけをすぐに知りたいときにご利用ください。

外国語を話すときは

外国語は、耳慣れないと、なかなか聞きとり難いもの。しかし、生返事をすると、思わぬ誤解を生じかねません。わからなければ、何度聞き直しても、決して失礼にはなりません。

ことばが通じないときは、身ぶり・手ぶりも意志を伝えるよい手段になります。ただし、人さし指で人を指さすと失礼になります。この点だけは要注意。

返事をしなければならないが、ことばが出てこないような場合には、じっと黙っているより、日本語でもいいから何か言った方がよいのです。相手は、その語調からこちらの意志を理解してくれることもあります。

逆に、日本語だからといって、相手の悪口を言ったりすると、わかってしまうこともあります。

どこの国へ行っても、最低限「どうぞ」（英語の場合 please）と、「ありがとう」（英語の場合 thank you）だけは覚えておくと便利。何かして欲しいとき、ものをたずねるとき「プリーズ」、そして、してもらったあと「サンキュー」と言えば、同じ人間同志、わかってもらえることが多いものですし、対話もスムーズになります。

"おはよう"、"こんにちは"などの簡単なあいさつも、覚えておいて何気なく使うと、思いがけず得をすることがあります。外国人が片言でも自国語を話すのは、どの国の人でもうれしく思うものです。

外国人と会話するときは、特に次の点に気をつける必要があります。

- 「はい」と「いいえ」をはっきりさせること。あいまいな態度は誤解のもととなる。
- 何事にもレディファースト。男女間の握手も、女性が手をさし出したときだけ。

♣ **出発前の準備**は，できるだけ入念にしておくこと。出国してから気づいても遅い。

♣ **旅行かばん**は，なるべく大きめで，キャスターのついたスーツケースと，肩からかけられる機内持ち込み用のオーバーナイト・バッグに絞りたい。そして，住所氏名を書いた札を必ず両方に付けておくこと。

♣ **訪問する国**のことを，ガイドブックや政府観光局で調べておくとよい。気候によって身仕度が異なるし，電圧の違いでせっかく持っていったドライヤーが使えなかったりもする。また，その季節ならではの郷土料理やユニークな催し物を，知らずに通過してしまうことにもなりかねない。

♣ **服装**は，レストラン・ナイトクラブ用のフォーマルなものが1着あれば，普通の市内観光にはカジュアルなものでよい。着替え類は厳選して，荷物を少なくするよう心がける。洗濯はホテルのランドリー・サービスを上手に使い，下着類は自分で洗い，バスルームに干しておくと一晩で乾く。

♣ **治療中の病気**があれば，出発前に治しておくこと。P.281を参照。

♣ **貴重品類**は絶対スーツケースに入れてはならない。パスポートは常に携行するようにし，現金類は分散しておくこと。

♣ **おもな携行品**は次の通り。

● スーツ，ドレス
● ワイシャツ，ブラウス
● ズボン
● タウンウエア
● コート（防水）
● 肌着類
● ハンカチ，靴下，ストッキング
● パジャマ，スリッパ
● 洗面具，化粧品
● 洗濯用品，ビニール袋
● 裁ほうセット，筆記用具
● カメラ，フィルム
● 財布（現金，旅行小切手）
● パスポート，航空券類，旅券用写真予備
● その他（常備薬，帽子，水着など）

トラベル・メモ

日本語 JAPANESE	英 語 ENGLISH	フランス語 FRANÇAIS
基本会話 *Kihon Kaiwa*	BASIC CONVERSATION ベイスィック カンヴァセイシュン	CONVERSATION コンヴェルサシオン ELEMENTAIRE エレマンテール
❶ はい／いいえ *Hai. Iie.*	Yes. ／ No. イエス ノウ	Oui. ／ Non. ウィ ノン
❷ どうぞ(お願いします) *Dōzo.*	Please ! プリーズ	S'il vous plaît. スィル ヴー プレ
❸ ありがとう *Arigatō.*	Thank you (very much). サンキュー (ヴェリー マッチ)	Merci (beaucoup). メルスィ (ボーク)
❹ どういたしまして *Dō itashimashite.*	You're welcome. ユア ウェルカム	Je vous en prie. ジュ ヴー ザン プリ
❺ ちょっと失礼します *Chotto shitsurei shimasu.*	Excuse me a moment. エクスキューズ ミー ア モウメント	Pardon. パルドン
❻ 失礼しました *Shitsurei shimashita.*	Excuse me. エクスキューズ ミー	Excusez-moi. エクスキュゼ モワ
❼ いいんですよ *Iin desu yo.*	That's all right. ザッツ オール ライト	ça ne fait rien. サ ヌ フェ リアン
❽ 私の名前は～です *Watashi no namae wa ~ desu.*	My name is ~. マイ ネイム イズ	Je m'appelle ~. ジュ マペル ～
❾ あなたのお名前は *Anata no onamae wa ?*	May I have your name ? メイ アイ ハヴ ユア ネイム	Comment vous appelez-vous ? コマン ヴー ザプレ ヴー

10

ドイツ語 DEUTSCH	イタリア語 ITALIANO	スペイン語 ESPAÑOL
ALLGEMEINES アルゲマイネス	**CONVERSAZIONE DI BASE** コンヴェルサツィオーネ ディ バーゼ	**CONVERSACIONES BÁSICAS** コンベルサシオーネス バーシカス
Ja. / Nein. ヤー ナイン	**Sì. / No.** シー ノー	**Sí. / No.** シー ノー
Bitte! ビッテ	**Per favore.** ペル ファヴォーレ	**Por favor.** ポール ファボール
Danke (schön). ダンケ (シェーン)	**Grazie.** グラーツィエ	**Muchas gracias.** ムーチャス グラッシアス
Bitte schön. ビッテ シェーン	**Prego.** プレーゴ	**De nada.** デ ナーダ
Entschuldigen Sie mich bitte! エントシュルディゲン スィー ミヒ ビッテ	**Mi scusi, un po'.** ミ スクージ ウン ポ	**Perdón.** ペルドン
Entschuldigen Sie! エントシュルディゲン スィー	**Mi scusi.** ミ スクージ	**Discúlpeme.** ディスクールペメ
Gut! / Schon gut! グート ショーン グート	**Fa niente.** ファ ニエンテ	**Está bien.** エスター ビエン
Ich heiße ~. イヒ ハイセ ~	**Mi chiamo ~.** ミ キアーモ ~	**Me llamo ~.** メ ジャーモ ~
Wie heißen Sie? ヴィー ハイセン スィー	**Come si chiama?** コメ シ キアーマ	**¿Cómo se llama usted?** コーモ セ ジャーマ ウステー

日本語 JAPANESE	英 語 ENGLISH	フランス語 FRANÇAIS
❿日本語のわかる人はいますか *Nihongo no wakaru hito wa imasu ka?*	Can someone here speak Japanese? キャン サムワン ヒア スピーク チャパニーズ	Y-a-t-il quelqu'un qui parle japonais? ヤ ティル ケルカン キ パルル ジャポネ
⓫おっしゃることがわかりません *Ossharu koto ga wakarimasen.*	I don't understand. アイ ドゥント アンダスタンド	Je ne comprends pas (ce que vous dites). ジュヌ コンプラン パ（スク ヴーディット）
⓬もっとゆっくり言って下さい *Motto yukkuri itte kudasai.*	Please speak more slowly. プリーズ スピーク モー スロウリー	Parlez plus lentement, s'il vous plaît. パルレ プリュ ラントマン スィル ヴープレ
⓭もう一度言って下さい *Mō ichido itte kudasai.*	Pardon me? パードゥン ミー	Pardon? Répétez, s'il vous plaît. パルドン レペテ スィル ヴー プレ
⓮ちょっと待って下さい *Chotto matte kudasai.*	Just a moment, please. チャスト ア モウメント プリーズ	Un moment s'il vous plaît. アン モマン スィル ヴー プレ
⓯ここに書いて下さい *Koko ni kaite kudasai.*	Please write it here. プリーズ ライト イット ヒア	Pouvez-vous l'écrire ici? プーヴェ ヴー レクリール イスィ
⓰これは何の意味ですか *Kore wa nan no imi desu ka?*	What does this mean? ホアット ダズ ズィス ミーン	Qu'est ce-que ça veut dire? ケ スク サ ヴー ディール

ドイツ語 DEUTSCH	イタリア語 ITALIANO	スペイン語 ESPAÑOL
Spricht hier jemand Japanisch ? シュプリヒト ヒーア イェーマント ヤパーニッシュ	**Qualcuno capisce il giappo-nese ?** クワルクーノ カピッシェ イル ジャッポ ネーゼ？	**¿Hay alguien que hable japonés ?** アイ アルギエン ケ アブレ ハポ ネース
Ich verstehe Sie nicht. イヒ フェルシュテーエ ズィー ニヒト	**Non capisco cosa dice.** ノン カピスコ コーザ ディーチェ	**No entiendo.** ノー エンティエンド
Sprechen Sie bitte noch lang-samer. シュプレヒェン ズィー ビッテ ノホ ラング ザーマー	**Parli più lentamente.** パルリ ピュ レンタメンテ	**Hable más despacio, por favor.** アブレ マス デスパーシオ ポール ファボール
Sagen Sie bitte noch einmal. ザーゲン ズィー ビッテ ノホ アインマール	**Prego ? / Può ripetere ?** プレーゴ プオ リペーテレ	**Otra vez, por favor.** オートゥラ ベス ポール ファボール
Einen Moment bitte ! アイネン モメント ビッテ	**Un momento.** ウン モメント	**Espere un momento.** エスペーレ ウン モメント
Bitte, schreiben Sie das hier einmal auf. ビッテ シュライベン ズィー ダス ヒーア アインマール アウフ	**Può scrivere qui ?** プオ スクリーヴェレ クイ	**Escriba aquí, por favor.** エスクリーバ アキィ ポール ファボール
Was bedeutet das ? ヴァス ベドイテット ダス	**Che vuol dire ?** ケ ヴォル ディーレ	**¿Qué significa esto ?** ケ シグニフィーカ エスト

13

基本会話

⑰これは何ですか
Kore wa nan desu ka?
What's this?
ホワッツ ズイス
Qu'est-ce que c'est ?
ケ ス ク セ

⑱水を下さい
Mizu o kudasai.
Water, please.
ウォーター プリーズ
Un verre d'eau, s'il vous plaît.
アン ヴェール ドー スィル ヴー プレ

⑲少し
sukoshi
a little
ア リトル
un peu
アン プー

⑳たくさん
takusan
many / much
メニー マッチ
beaucoup
ボークー

㉑トイレはどこですか
Toire wa doko desu ka?
Where is the restroom ?
ホェア イズ ザ レストルーム
Où sont les toilettes ?
ウー ソン レ トワレット

㉒私は道に迷っています
Watashi wa michi ni mayotte imasu.
I'm lost.
アイム ロスト
Je me suis perdu.
ジュ ム スイ ペルデュ

㉓医師〔警官〕を呼んで下さい
Ishi 〔keikan〕 o yonde kudasai.
Call a doctor [a policeman].
コール ア ダクター 〔ア ポリースマン〕
Appelez le médecin, [l'agent de police] s'il vous plaît.
アプレ ル メドサン 〔ラジャン ドゥ ポリス〕 スィル ヴー プレ

㉔急いで下さい
Isoide kudasai.
Please hurry.
プリーズ ハリー
Dépêchez-vous, s'il vous plaît.
デペシェ ヴー スィル ヴー プレ

㉕～を欲しい
~ o hoshii.
I want ~.
アイ ウォント ～
Je voudrais ~.
ジュ ヴードレ ～

㉖いくらですか
Ikura desu ka?
How much is it ?
ハウ マッチ イズ イット
Combien ?
コンビァン

14 ⚲飲み物 P.136　道を尋ねる P.144　病気 P.286　紛失・盗難 P.282

ドイツ語 DEUTSCH	イタリア語 ITALIANO	スペイン語 ESPAÑOL
Was ist das? ヴァス イスト ダス	Che cosa è? ケ コーザ エ	¿Qué es esto? ケー エス エスト
Wasser bitte. ヴァッサー ビッテ	Mi da un bicchiere d'acqua? ミ ダ ウン ビッキエーレ ダックア	Agua, por favor. アグア ポール ファボール
ein wenig アイン ヴェーニッヒ	un poco ウン ポーコ	un poco ウン ポコ
viele / viel フィーレ フィール	tanto タント	mucho ムーチョ
Wo ist die Toilette? ヴォー イスト ディ トアレッテ	Dov'è il gabinetto? ドヴェ イル ガビネット	¿Dónde está el servicio ドンデ エスター エル セルビシオ [el baño]? [エル バーニョ]
Ich habe den Weg verloren. イヒ ハーベ デン ヴェーク フェアローレン	Ho perduto la strada. オ ペルドゥート ラ ストゥラーダ	Estoy perdido. エストイ ペルディード
Rufen Sie einen Arzt [den ルーフェン スィー アイネン アルツト [デン Polizisten] bitte. ポリツィステン] ビッテ	Mi chiama un dottore [un ミ キアーマ ウン ドットーレ [ウン poliziotto]? ポリツィオット]	Llame al médico [al policía], ジャーメ アル メーディコ [アル ポリシーア] por favor. ポール ファボール
Schnell bitte! シュネル ビッテ	Presto, per favore. プレスト ペル ファヴォーレ	De prisa, por favor. デ プリーサ ポール ファボール
Ich möchte ~. イヒ メヒテ ~	Vorrei ~. ヴォレイ ~	Quiero tomar [comprar] ~. キエロ トマール [コンプラール] ~
Wie teuer ist das? ヴィー トイアー イスト ダス	Quanto costa? クアント コスタ	¿Cuánto cuesta? クアント クエスタ

☞ 品選び（ショッピング）P.224

15

基本会話

日本語 JAPANESE	英 語 ENGLISH	フランス語 FRANÇAIS
㉗ ～がありますか *～ ga arimasu ka?*	*Is* [Are] there ～? イズ［アー］ ゼァ ～	Y-a-t-il ～? ヤ ティル～
㉘ ～を失くしました *～ o nakushimashita.*	I lost ～. アイ ロスト～	J'ai perdu ～. ジェ ペルデュ ～
㉙ ～を探しています *～ o sagashite imasu.*	I'm looking for ～. アイム ルッキング フォー～	Je cherche ～. ジュ シェルシュ ～
㉚ 誰に聞けばいいのですか *Dare ni kikeba iinodesu ka?*	Whom should I ask? フーム シュッド アイ アスク	A qui puis-je m'adresser? ア キ ピュイ ジュ マドレッセ
㉛ けっこうです（同意） *Kekkō desu.*	All right. オール ライト	D'accord.／ Entendu. ダコール アンタンデュ
㉜ わかりました（了解） *Wakarimashita.*	I see. アイ スィー	Je comprends. ジュ コンプラン
質問の仕方 *Shitsumon No Shikata*	HOW TO ASK ハウ トゥ アスク	COMMENT POSER コマン ポゼ UNE QUESTION ユヌ ケスティオン
❶ 誰 *Dare?*	Who? フー	Qui? キ
❷ どこ *Doko?*	Where? ホェア	Où? ウー
❸ 何 *Nani?*	What? ホァット	*Que*? ［Quel?, Quelle?］ ク ［ケル ケル］

16　☞ 品選び（ショッピング）P.224　　紛失・盗難 P.282

ドイツ語 DEUTSCH	イタリア語 ITALIANO	スペイン語 ESPAÑOL
Gibt es ~ ? / Haben Sie ~ ? ギープト エス~ ハーベン ズィー~	**C'è ~ ?** チェ ~	**¿Hay ~ ?** アイ ~
Ich habe ~ verloren. イヒ ハーベ ~ フェアローレン	**Ho perduto ~.** オ ペルドゥート ~	**He perdido ~.** エ ペルディード ~
Ich suche ~. イヒ ズーヘ ~	**Sto cercando ~.** スト チェルカンド ~	**Estoy buscando ~.** エストイ ブスカンド ~
Wen soll ich fragen ? ヴェン ゾル イヒ フラーゲン	**A chi posso chiedere ?** ア キ ポッソ キエーデレ	**¿A quién puedo preguntar ?** ア キエン プエド プレグンタール
In Ordnung. / Alles klar. イン オルドヌング アレス クラール	**D'accordo.** ダッコルド	**Estoy de acuerdo.** エストイ デ アクエルド
Ich verstehe. / Gut. イヒ フェアシュテーエ グート	**Ho capito.** オ カピート	**Entendido.** エンテンディード
FRAGEWÖRTER フラーゲヴェルター	**COME DOMANDARE** コメ ドマンダーレ	**CÓMO PREGUNTAR** コーモ プレグンタール
Wer ? ヴェア	**Chi ?** キ	**¿Quién ?** キエン
Wo ? ヴォー	**Dove ?** ドーヴェ	**¿Dónde ?** ドンデ
Was ? ヴァス	**Che (cosa) ?** ケ (コーサ)	**¿Qué (cosa) ?** ケー (コサ)

17

日本語 JAPANESE	英 語 ENGLISH	フランス語 FRANÇAIS
❹いつ *Itsu?*	**When?** ホエン	**Quand?** カン
❺なぜ *Naze?*	**Why?** ホワイ	**Pourquoi?** プールコワ
❻何時に *Nanji ni?*	**What time?** ホアット タイム	**A quelle heure?** ア ケル ルール
❼どういうふうに *Dōyū fū ni?*	**How?** ハウ	**Comment?** コマン
❽いくら *Ikura?*	**How much?** ハウ マッチ	**Combien?** コンビアン
❾どのくらい（時間，長さ） *Donokurai?*	**How long?** ハウ ロング	**Combien de temps ～?** コンビアン ドゥ タン ～
❿どのくらい（数） *Donokurai?*	**How many?** ハウ メニー	**Combien de ～?** コンビアン ドゥ ～
⓫どのくらい（量） *Donokurai?*	**How much?** ハウ マッチ	**Combien de ～?** コンビアン ドゥ ～
⓬どのくらい（距離） *Donokurai?*	**How far?** ハウ ファー	**A quelle distance ～?** ア ケル ディスタンス ～
⓭どちら（選択） *Dochira?*	**Which?** ホイッチ	*Lequel?* [Laquelle?, Lesquels?] ルケル ［ラケル レケル］

ドイツ語 DEUTSCH	イタリア語 ITALIANO	スペイン語 ESPAÑOL
Wann ? ヴァン	**Quando ?** クアンド	**¿Cuándo ?** クアンド
Warum ? ヴァルーム	**Perchè ?** ペルケ	**¿Por qué ?** ポール ケー
Um wieviel Uhr ? ウム ヴィーフィール ウーア	**A che ora ?** ア ケ オーラ	**¿A qué hora ?** ア ケー オーラ
Wie ? ヴィー	**Come ?** コーメ	**¿De qué manera ?** デ ケー マネーラ
Wie viel ? ヴィー フィール	**Quanto ?** クアント	**¿Cuánto ?** クアント
Wie *lange* [lang] ? ヴィー ランゲ [ラング]	**Quanto *tempo* [lungo] ?** クアント テンポ [ルンゴ]	**¿Cuánto tiempo ?** クアント ティエンポ
Wie viele ? ヴィー フィーレ	**Quanti ?** クアンティ	**¿Qué cantidad ?** ケー カンティダー
Wie viel ? ヴィー フィール	**Quanto ?** クアント	**¿Qué cantidad ?** ケー カンティダー
Wie weit ? ヴィー ヴァイト	**Quanto (lontano) ?** クアント (ロンターノ)	**¿Qué distancia ?** ケー ディスタンシア
Welche ? ヴェルヒェ	**Quale ?** クアーレ	**¿Cuál ?** クアル

日本語 JAPANESE	英 語 ENGLISH	フランス語 FRANÇAIS
あいさつ *Aisatsu*	**GREETINGS** グリーティングス	**SALUTATION** サリュタシオン
❶おはよう *Ohayō.*	**Good morning.** グッド モーニング	**Bonjour.** ボンジュール
❷こんにちは *Konnichiwa.*	**Good afternoon.** グッド アフタヌーン	**Bonjour.** ボンジュール
❸こんばんは *Konbanwa.*	**Good evening.** グッド イーヴニング	**Bonsoir.** ボンソワール
❹おやすみなさい *Oyasuminasai.*	**Good night.** グッド ナイト	***Bonne nuit*** [Bonsoir]. ボンヌ ニュイ [ボンソワール]
❺さようなら *Sayōnara.*	**Good-bye.** グッド バイ	**Au revoir.** オー ルヴォワール
❻～さん（男性） *～ san*	**Mr. ～.** ミスター ～	**Monsieur ～.** ムッシュー ～
❼～さん（既婚女性） *～ san*	**Mrs. ～.** ミセス ～	**Madame ～.** マダム ～
❽～さん（未婚女性） *～ san*	**Miss ～.** ミス ～	**Mademoiselle ～.** マドモワゼル ～
❾はじめまして *Hajimemashite.*	**How do you do?** ハウ ドゥ ユー ドゥー	**Enchanté.** アンシャンテ
❿ごきげんいかがですか *Gokigen ikagadesu ka?*	**How are you?** ハウ アー ユー	**Comment allez-vous?** コマン タレ ヴー

20

ドイツ語 DEUTSCH	イタリア語 ITALIANO	スペイン語 ESPAÑOL
GRUßFORMELN グルスフォルメルン	**SALUTARE** サルターレ	**SALUDO** サルード
Guten Morgen. グーテン モルゲン	**Buon giorno.** ブオン ジョルノ	**Buenos días.** ブエノス ディーアス
Guten Tag. グーテン ターク	**Buon giorno.** ブオン ジョルノ	**Buenas tardes.** ブエナス タルデス
Guten Abend. グーテン アーベント	**Buona sera.** ブオナ セーラ	**Buenas noches.** ブエナス ノーチェス
Gute Nacht. グーテ ナハト	**Buona notte.** ブオナ ノッテ	**Buenas noches.** ブエナス ノーチェス
Auf Wiedersehen ! アウフ ヴィーダーゼーエン	**Arrivederci.** アリベデルチ	**Adiós.** アディオース
Herr ~. ヘル ~	**Signor ~.** シニョール ~	**Señor ~.** セニョール ~
Frau ~. フラウ ~	**Signora ~.** シニョーラ ~	**Señora ~.** セニョーラ ~
Fräulein ~. フロイライン ~	**Signorina ~.** シニョリーナ ~	**Señorita ~.** セニョリータ ~
Ich freue mich, Sie kennenzu- イヒ フロイエ ミヒ ズィー ケンネンツー **lernen.** レルネン	**Piacere.** ピアチェーレ	**Mucho gusto.** ムーチョ グスト
Wie geht es Ihnen ? ヴィー ゲート エス イーネン	**Come sta ?** コメ スタ	**¿Cómo está usted ?** コーモ エスター ウステー

21

日本語 JAPANESE	英 語 ENGLISH	フランス語 FRANÇAIS
⓫お会いできてうれしい *Oai dekite ureshii.*	**Nice to meet you.** ナイス トゥ ミーチュー	**Je suis très *heureux* [heureuse]** ジュ スイ トレ ズールー [ズールーズ] **de vous voir.** ドゥ ヴー ヴォワール
⓬お先にどうぞ *Osaki ni dōzo.*	**After you.** アフター ユー	**Après vous.** アプレ ヴー
⓭おめでとう *Omedetō.*	**Congratulations.** カングラチュレイシュンズ	**Toutes mes félicitations!** トゥット メ フェリシタシオン
⓮乾杯 *Kanpai.*	**Cheers!** チーアズ	**A votre santé!** ア ヴォートル サンテ
⓯いいお天気ですね *Ii otenki desu ne?*	**Lovely weather, isn't it?** ラヴリー ウェザー イズント イット	**Il fait beau.** イル フェ ボー
⓰暑い〔寒い〕ですね *Atsui [Samui] desu ne.*	**It's *hot* [cold], isn't it?** イッツ ハット [コウルド] イズント イット	**Il fait *chaud* [froid].** イル フェ ショー [フロワ]
⓱失礼します、もしもし *Shitsurei shimasu. Moshi moshi.*	**Excuse me.** エクスキューズ ミー	***Excusez-moi* [Pardon], (Mons-** エクスキュゼ モワ [パルドン] (ムッシュー) **ieur) 〜.** 〜
⓲よいご旅行を *Yoi goryokō o.*	**Have a good trip!** ハヴ ア グッド トリップ	**Bon voyage!** ボン ヴォワイヤージュ
⓳また会いましょう *Mata aimashō.*	**Let's meet again!** レッツ ミート アゲン	**A bientôt!** ア ビアントー

22

ドイツ語 DEUTSCH	イタリア語 ITALIANO	スペイン語 ESPAÑOL
Ich freue mich, Sie zu sehen. イヒ フロイエ ミヒ スィーツー ゼーエン	**Sono lieto di vederla.** ソーノ リエート ディ ヴェデルラ	**Me alegro de verle.** メ アレグロ デ ベールレ
Bitte nach Ihnen ! ビッテ ナッハ イーネン	**Dopo di Lei.** ドーポ ディ レイ	**Usted primero.** ウステー プリメーロ
Ich gratuliere. イヒ グラトゥリーレ	**Auguri.** アウグーリ	**Felicitaciones. / Enhorabuena.** フェリシタシオーネス　　エンノーラブエナ
Zum Wohl ! ツーム ヴォール	**Salute !** サルーテ	**¡ Salud !** サルー
Schönes Wetter, nicht wahr ? シェーネス ヴェッター ニヒト ヴァール	**Fa bel tempo, vero ?** ファ ベル テンポ ヴェーロ	**Hace buen tiempo, ¿no ?** アセ ブエン ティエンポ ノー
Es ist _warm_ [kalt], nicht wahr ? エス イスト ヴァルム [カルト] ニヒト ヴァール	**Fa _caldo_ [freddo], vero ?** ファ カルド [フレッド] ヴェーロ	**Hace _calor_ [frío] ¿no ?** アセ カロール [フリーオ] ノー
Entschuldigen Sie mich bitte. エントシュルディゲン スィー ミヒ ビッテ	**Mi scusi. Senta.** ミ スクージ センタ	**Perdón. Oiga usted.** ペルドン オイガ ウステー
Gute Reise ! グーテ ライゼ	**Buon viaggio !** ブオン ヴィアッジョ	**¡ Buen viaje !** ブエン ビアッヘ
Auf Wiedersehen ! アウフ ヴィダーゼーエン	**Ci vediamo !** チ ヴェディアーモ	**Nos veremos otra vez.** ノス ベレーモス オートゥラ ベス

♣機内の座席は，機首に向かって，左側から A，B，C，…，前から1，2，3，…の番号がついているのが普通。したがって，15Bの席は，第15列目の，機首に向かって左から2番目の席ということになる。席に着くときは，自分の座席番号をよく確認すること。

♣アメリカ，ヨーロッパ内に多い自由席の場合は，好きな席に座れる。タバコを吸う人は，喫煙席かどうかを確認したい。指定席の場合は，チェックインの際どちらか希望の席を係員に伝える。

♣席に着いたら，カバン，ウイスキーなど重い荷物は座席の下に，コート類など軽い物は頭上の棚の上に置く。

♣頭上の棚には，毛布，枕が用意されている。枕は，クッションの代用としても使える。

♣トイレは，使用中は OCCUPIED，空いているときは VACANT のサインが出る。中に入り，扉を閉めてロックすると室内の電燈がつく。

♣離着陸の前後や気象などの関係で動揺の激しいときには Fasten Seat Belt（ベルト着用）のサインが出る。このサインが消えるまでは席を離れてはいけない。

♣肘掛けには，音楽用のイヤホーン差し込み口，チャンネル，ボリューム，読書燈，スチュワーデス呼び出しボタンなども付いている。

♣飛行機に酔ったときはスチュワーデスにいえば薬をくれる。どうしても我慢できない時は前席の背のポケットに専用の袋があるから，それを使用する。

♣機内で売る酒・タバコ・香水は無税。原則としてどの国の通貨ででも買える。

♣ファースト・クラスは機内で酒類が無料サービスされる。エコノミー・クラスは有料だが値段は格安である。アルコールを含まない軽飲料はすべて無料。空中では酒の酔いが早くまわるから，酒量は加減した方がよい。

♣到着前に，入国に際して必要な書類が配られる。記入要領がわからないときは，スチュワーデスに聞くとよい。

トラベル・メモ

日本語 JAPANESE	英 語 ENGLISH	フランス語 FRANÇAIS
機内で *Kinai de*	**ON THE PLANE** アン ザ プレイン	**DANS L'AVION** ダン ラヴィオン
❶この座席番号はどの辺ですか *Kono zaseki bangō wa donohen desu ka?*	**Where is this seat?** ホェア イズ ズィス スィート	**Où se trouve la place portant** ウ ス トゥルーヴ ラ プラス ポルタン **ce numéro?** ス ニュメロ
❷この席に座っていいですか *Kono seki ni suwatte iidesu ka?*	**May I sit here?** メイ アイ スィット ヒア	**Puis-je prendre cette place?** ピュイ ジュ プランドル セット プラス
❸タバコをすってもいいですか *Tabako o suttemo iidesu ka?*	**May I smoke?** メイ アイ スモウク	**Puis-je fumer?** ピュイ ジュ フュメ
❹シートを倒してもいいですか *Shīto o taoshitemo iidesu ka?*	**May I recline my seat?** メイ アイ リクライン マイ スィート	**Puis-je incliner mon siège** ピュイ ジュ アンクリネ モン スィエージュ **en arrière?** アン ナリエール
❺ちょっと通して下さい *Chotto tōshite kudasai.*	**May I get through?** メイ アイ ゲット スルー	**Pardon. (Je voudrais passer,** パルドン (ジュ ヴードゥレ パッセ **s'il vous plaît.)** スィル ヴー プレ)
❻水〔コーラ〕を下さい *Mizu〔kōra〕o kudasai.*	***Water* [Coke], please.** ウォーター 〔コウク〕 プリーズ	***Un verre d'eau* [un coca] s'il** アン ヴェール ドー 〔アン コカ〕 スィル **vous plaît.** ヴー プレ

ドイツ語 DEUTSCH	イタリア語 ITALIANO	スペイン語 ESPAÑOL
IM FLUGZEUG イム フルークツオイク	**IN AEREO** イン アエーレオ	**EN EL AVIÓN** エン ネル アビオン
Wo ist dieser Sitz ? ヴォー イスト ディーザー ズィッツ	**Dove si trova questo numero** トヴェ シ トゥローヴァ クエスト ヌーメロ **(del posto) ?** （デル ポスト）	**¿ Dónde está este asiento ?** ドンデ エスター エステ アシエント
Darf ich hier sitzen ? ダルフ 化 ヒーア ズィッツェン	**Posso prendere questo posto ?** ポッソ プレンデレ クエスト ポスト	**¿ Puedo sentarme en este** プエド センタールメ エン ネステ **asiento ?** アシエント
Darf ich rauchen ? ダルフ 化 ラウヘン	**Posso fumare ?** ポッソ フマーレ	**¿ Puedo fumar ?** プエド フマール
Darf ich meinen Sitz zurück- ダルフ 化 マイネン ズィッツ ツーリュック **stellen ?** シュテレン	**Posso abbassarlo ?** ポッソ アッバッサルロ	**¿ Puedo reclinar el asiento ?** プエド レクリナール エル アシエント
Darf ich bitte einmal durch ? ダルフ 化 ビッテ アインマール ドゥルヒ	**Permesso !** ペルメッソ	**Permítame pasar, por favor.** ペルミータメ パサール ポール ファボール
Wasser [Kola] **bitte.** ヴァッサー ［コーラ］ ビッテ	**Mi da** *un bicchiere d'acqua?* ミ ダ ウン ビッキエーレ ダックア **[di coca] ?** ［ディコーカ］	*Agua* [Coca-cola]**, por favor.** アグア ［コカ コーラ］ ポール ファボール

日本語 JAPANESE	英語 ENGLISH	フランス語 FRANÇAIS
❼気分が悪い。何か薬を下さい *Kibun ga warui. Nanika kusuri o kudasai.*	**I feel sick. Please give me** アイ フィール スィック プリーズ ギヴ ミー **some pills.** サム ピルズ	**J'ai mal au cœur. Donnez-moi** ジェ マル オークール ドネ モワ **des cachets, s'il vous plaît.** デ カシェ スィル ヴー プレ
❽今どの辺を飛んでいますか *Ima donohen o tonde imasu ka?*	**Where are we flying over** ホェア アー ウィー フライング オーヴァー **now?** ナウ	**Où volons-nous maintenant ?** ウ ヴォロン ヌ マントナン
❾日本語〔英語〕の新聞はあり *Nihongo [Eigo] no shinbun wa* **ますか** *arimasuka?*	**Do you have** *a Japanese* [an ドゥ ユー ハヴ ア チャパニーズ 〔アン **English**] **newspaper ?** イングリッシュ〕 ニュースペイパー	**Avez-vous un journal** *japonais* アヴェ ヴー アン ジュルナル ジャポネ [**anglais**]? 〔アングレ〕
❿この書類の書き方を教えて下 *Kono shorui no kakikata o oshiete* **さい** *kudasai.*	**Please show me how to fill in** プリーズ ショウ ミー ハウ トゥ フィル イン **this form.** ズィス フォーム	**Expliquez-moi comment remplir** エスプリケ モワ コマン ランプリール **ces formulaires, s'il vous plaît.** セ フォルミュレール スィル ヴー プレ
⓫免税品の機内販売をしてます *Menzeihin no kinai hanbai o shite* **か** *masu ka?*	**Do they sell tax-free goods on** ドゥ ゼイ セル タックス フリー グッズ アン **board ?** ボード	**Vendez-vous des articles détaxés** ヴァンデ ヴー デ ザルティクル デタクセ **à bord ?** ア ボール
⓬この空港で買物ができますか *Kono kūkō de kaimono ga* *dekimasu ka?*	**Can we do some shopping in** キャン ウィー ドゥー サム シャッピング イン **this airport?** ズィス エアポート	**Peut-on faire des achats dans** プートン フェール デ アシャ ダン **cet aéroport?** セット アエロポール

免税店 P.256   乗り継ぎ P.66

ドイツ語 DEUTSCH	イタリア語 ITALIANO	スペイン語 ESPAÑOL
Ich fühle mich nicht wohl. 化 フューレ ミヒ ニヒト ヴォール **Geben Sie mir bitte ein** ゲーベン スィー ミア ビッテ アイン **Medikament.** メディカメント	**Mi sento male. Mi da qualche** ミ セント マーレ ミ ダ クアルケ **pillola, per favore ?** ピッロラ ペル ファヴォーレ	**Me siento mal. Déme unas** メ シエント マル デーメ ウナス **pastillas.** パスティージャス
Was überfliegen wir jetzt ヴァス ユーバーフリーゲン ヴィーア イェッツト **gerade?** グラーデ	**Dove stiamo voland adesso?** ドヴェ スティアーモ ヴォランド アデッソ	**¿Por dónde estamos volando** ポール ドンデ エスタモス ボランド **ahora?** アオラ
Haben Sie eine *japanische* ハーベン スィー アイネ ヤパーニッシェ **[englishe] Zeitung ?** [エングリシェ] ツァイトゥング	**Avete un giornale *giapponese*** アヴェーテ ウン ジョルナーレ ジャッポネーゼ **[inglese] ?** [イングレーゼ]	**¿Tiene Ud. un periódico** ティエネ ウステッ ウン ペリオディコ **en *japonés* [inglés] ?** エン ハポネス [イングレス]
Sagen Sie mir bitte, wie ich ザーゲン スィー ミア ビッテ ヴィー イヒ **dieses Formular ausfüllen soll.** ディーゼス フォーミュラール アウスフュレン ゾル	**Può dirmi come riempire** プオ ディルミ コメ リエンピーレ **questa formula ?** クエスタ フォルムラ	**Enséñeme cómo llenar este** エンセーニェメ コーモ ジェナール エステ **formulario.** フォルムラーリオ
Verkauft man im Flugzeug フェアカウフト マン イム フルークツォイク **zollfreie Ware ?** ツォルフライエ ヴァーレ	**Si vendono a bordo le merci** シ ヴェンドノ ア ボルド レ メルチ **esenti da tassa ?** エゼンティ ダ タッサ	**¿Se venden artículos libres de** セ ベンデン アルティークロス リブレス デ **impuestos en el avión ?** インプエストス エン ネル アビオン
Kann man in diesem Flug- カン マン イン ディーゼム フルーク **hafen etwas kaufen ?** ハーフェン エトヴァス カウフェン	**Si può fare le spese a questo** シ プオ ファーレ レ スペーゼ ア クエスト **aeroporto ?** アエロポルト	**Puedo hacer compras en este** プエド アセール コンプラス エン ネステ **aeropuerto ?** アエロプエルト

日本語 JAPANESE	英 語 ENGLISH	フランス語 FRANÇAIS
⓭この空港にはどのくらい止っ *Kono kūkō niwa donokurai tomatte* **ていますか** *imasu ka?*	**How long will we stop here ?** ハウ ロング ウィル ウィー スタップ ヒア	**Combien de temps nous arrêtons-** コンビアン ドゥ タン ヌ ザレトン **nous à cet aéroport ?** ヌ ア セット アエロポール
⓮禁煙 *Kin'en*	**NO SMOKING** ノウ スモウキング	**DÉFENSE DE FUMER** デファンス ドゥ フュメ
⓯ベルト着用 *beruto chakuyō*	**FASTEN SEAT BELT** ファースン スィート ベルト	**ATTACHEZ VOS CEINTURES** アタシェ ヴォ サンテュール
⓰時差 *jisa*	**time difference** タイム ディフランス	**le décalage horaire** ル デカラージュ オレール
⓱現地時間 *genchi jikan*	**local time** ロウカル タイム	**l'heure locale** ルール ロカル
⓲非常口 *hijō guchi*	**emergency exit** イマーチェンスィー エグズィット	**la sortie de secours** ラ ソルティ ドゥ スクール
⓳救命胴衣 *kyūmei dōi*	**life vest** ライフ ヴェスト	**le gilet de sauvetage** ル ジレ ドゥ ソーヴタージュ
⓴酸素マスク *sanso masuku*	**oxygen mask** アクスィチェン マスク	**le masque à oxygène** ル マスク ア オクジェーヌ
㉑毛布 *mōfu*	**blanket** ブランケット	**la couverture** ラ クーヴェルテュール
㉒枕 *makura*	**pillow** ピロウ	**l'oreiller** ロレイエ
㉓イヤホーン *iyahōn*	**earphones** イアフォンズ	**les écouteurs** レ ゼクトゥール

ドイツ語 DEUTSCH	イタリア語 ITALIANO	スペイン語 ESPAÑOL
Wie lange bleiben wir hier ? ヴィー ランゲ ブライベン ヴィーア ヒーア	Quanto tempo si ferma a questo aeroporto ? クアント テンポ シ フェルマ ア クエスト アエロポルト	¿Cuánto tiempo para en este aeropuerto ? クアント ティエンポ パーラ エン ネステ アエロプエルト
NICHT RAUCHEN ニヒト ラウヘン	VIETATO FUMARE ヴィエタート フマーレ	SE PROHIBE FUMAR セ プロイーベ フマール
BITTE ANSCHNALLEN ビッテ アンシュナレン	ALLACIATE LE CINTURE DI SICUREZZA アッラチャーテ レ チントゥーレ ディ シクレッツァ	ABRÓCHENSE EL CINTURÓN DE SEGURIDAD アブローチェンセ エル シントゥロン デ セグリダー
der Zeitunterschied デア ツァイトウンターシート	i fusi orari イ フージ オラーリ	la diferencia de horas ラ ディフェレンシア デ オーラス
die Ortszeit ディ オルツツァイト	l'ora locale ローラ ロカーレ	la hora local ラ オーラ ロカール
der Notausgang デア ノートアウスガング	l'uscita d'emergenza ルシータ デメルジェンツァ	la salida de emergencia ラ サリーダ デ エメルヘンシア
die Schwimmweste ディ シュヴィムヴェステ	la giacca di salvataggio ラ ジャッカ ディ サルヴァタッジョ	el chaleco salvavidas エル チャレコ サルバビダス
die Sauerstoffmaske ディ ザウアーシュトッフマスケ	il respiratore ad'ossigeno イル レスピラトーレ アドッシージェノ	la mascarilla de oxígeno ラ マスカリージャ デ オキシーヘノ
die Decke ディ デッケ	la coperta ラ コペルタ	la manta ラ マンタ
das Kissen ダス キッセン	il cuscino イル クシーノ	la almohada ラ アルモアーダ
der Kopfhörer デア コップヘーラー	la cuffia ラ クッフィア	el auricular エル アウリクラール

31

機内で

日本語 JAPANESE	英 語 ENGLISH	フランス語 FRANÇAIS
㉔雑誌 *zasshi*	magazine マガズィーン	la revue illustrée ラ レヴュ イリュストレ
㉕嘔吐袋 *outo bukuro*	air-sickness bag エア スィックネス バッグ	le sac hygiénique ル サック イジエニック
㉖通過パス *tsūka pasu*	transit pass トランズィット パス	la carte de transit ラ カルト ドゥ トランジット
㉗乱気流 *ran kiryū*	turbulence タービュレンス	la perturbation atmosphérique ラ ペルテュルバシオン アトモスフェリック
㉘呼び出しボタン *yobidashi botan*	call button コール バトゥン	le bouton de sonnette ル ブートン ドゥ ソネット
㉙読書灯 *dokusho tō*	reading light リーディング ライト	la lampe individuelle ラ ランプ アンディヴィデュエル
㉚機長 *kichō*	captain キャプテン	le capitaine ル カピテーヌ
㉛事務長(パーサー) *jimuchō(pāsā)*	purser パーサー	le commissaire de bord ル コミセール ドゥ ボール
㉜スチュワード *suchuwādo*	steward ステューアド	le steward ル ステュワール
㉝スチュワーデス *suchuwādesu*	stewardess ステューアデス	l'hôtesse de l'air ロテス ドゥ レール
㉞トイレ *toire*	lavatory ラヴァタリー	les toilettes レ トワレット
㉟空き *aki*	VACANT ヴェイクント	LIBRE リーブル
㊱使用中 *shiyōchū*	OCCUPIED アキュパイド	OCCUPÉ オキュペ

32

ドイツ語 DEUTSCH	イタリア語 ITALIANO	スペイン語 ESPAÑOL
die Zeitschrift ディ ツァイトシュリフト	la rivista ラ リヴィスタ	la revista ラ レビスタ
die Spucktüte ディ シュプックテューテ	il sacco igienico イル サッコ イジェーニコ	la bolsa para el mareo ラ ボルサ パラ エル マレオ
die Transitkarte ディ トランスィットカルテ	il permesso di transito イル ペルメッソ ディ トランジト	el pase de tránsito エル パッセ デ トランジト
das Luftloch ダス ルフトロッホ	il vuoto d'aria イル ヴォート ダーリア	la turbulencia del aire ラ トゥルブレンシア デル アイレ
der Rufknopf デア ルーフクノップフ	chiamata assistente キアマータ アッシステンテ	el botón de llamada エル ボトン デ ジャマーダ
die Leselampe ディ レーゼランペ	luce ルーチェ	la luz para lectura ラ ルス パラ レクトゥーラ
der Kapitän デア カピテーン	il capitano イル カピターノ	el capitán エル カピタン
der Flugkapitän デア フルークカピテーン	il commissario di bordo イル コンミッサーリオ ディボルド	el sobrecargo エル ソブレカルゴ
der Steward デア シュトゥワート	lo steward ロ ステュアード	el camarero エル カマレーロ
die Stewardess ディ シュトゥワデス	l'assistente di volo ラッシステンテ ディ ヴォーロ	la azafata ラ アサファタ
die Toilette ディ トアレッテ	il gabinetto イル ガビネット	el servicio／el baño エル セルビシオ　エル バーニョ
FREI フライ	LIBERO リーベロ	LIBRE リブレ
BESETZT ベゼッツト	OCCUPATO オックパート	OCUPADO オクパード

♣ **空港**での入国手続きは，検疫，入国審査，税関の順で行なわれる。

♣ **検疫**は，検疫官に予防接種証明書を示すだけで終る。検疫は省略される場合が多い。

♣ **入国審査**は，旅券・査証が有効かどうかを検査する。入国目的，滞在日数，所持金を尋ねられることもある。

♣ **税関**は，一般に欧州各国は検査が簡単で，口頭申告だけで済む場合が多い。ソ連や米国の場合は，税関申告書を提出する。

♣ **国**によって，検疫の必要な所，税関で厳しくチェックされる所もあるので，出発前に調べておくこと。

♣ **持ち込むと課税される品物**があるときは，税関の倉庫に預かってもらい，出国の際受け取れば課税されない。これを〝ボンド扱い〟という。必ず預り証をもらい，出国のとき空港の航空会社カウンターでボンド荷物があることを申し出る。

♣ **両替**は，ホテルの両替所，銀行などでもできるが，個人旅行者はすぐ現金が必要になるので，空港にある銀行で両替しておくとよい。

♣ **両替**は，一度に必要以上多額に替えないこと。使い残しが多いと，再交換のとき，再度手数料を取られる上，コインは両替できない。

♣ **空港から市内**へ行くには，一般に空港バスを使うと安上り。

♣ **タクシー**は，人数がまとまれば，空港バスより安上りの場合もある。ただし，場所により荷物の割増料や往復の運賃をとる所もある。

♣ **出国のとき**は，少なくとも出発の2時間前には空港に到着したい。出発前の荷物整理については，P.301を参照。

♣ **空港**では，航空会社カウンターで航空券を呈示し，搭乗券を受け取る。次に荷物を預け，手荷物引換証をもらう。その際個数の確認を忘れないこと。

♣ **出国手続き**は，通常出国審査のみ。あとは免税店で買物をし，空港待合室で搭乗開始のアナウンスを待てばよい。搭乗する際にはボディー・チェックを受ける。

トラベル・メモ

日本語 JAPANESE	英 語 ENGLISH	フランス語 FRANÇAIS
到 着 *Tōchaku*	**ARRIVAL** アライヴル	**ARRIVÉE** アリヴェ
入国審査 *Nyūkoku Shinsa*	**IMMIGRATION** / イミグレイシュン **PASSPORT CONTROL** パスポート　　カントロウル	**FORMALITÉS D'ENTRÉE** フォルマリテ　　　　ダントレ
❶観光〔商用〕客です *Kankō [Syōyō] kyaku desu.*	**I'm *a tourist* [on business].** アイム ア トゥアリスト［アン ビジネス］	**Je suis *touriste* [en voyage** ジュ スイ ツーリスト ［アン ヴォワイヤージュ **d'affaires].** ダフェール]
❷～日間，滞在の予定です *～ nichikan taizai no yotei desu.*	**I plan to stay ～ days.** アイ プラン トゥ ステイ ～ デイズ	**J'ai l'intention de rester pour ～** ジェ ランタンシオン ドゥ レステ ナール ～ **jours.** ジュール
❸～ホテルに泊まります *～ hoteru ni tomarimasu.*	**I'll stay at ～ hotel.** アイル ステイ アット ～ ホテル	**Je vais séjourner à l'Hotel ～.** ジュ ヴェ セジュルネ ア ロテル ～
❹初めて〔2回目〕の訪問です *Hajimete [Nikaime] no hōmon desu.*	**This is my *first* [second]** スィス イズ マイ ファースト ［セカンド］ **visit.** ヴィスィット	**C'est ma *première* [deuxième]** セ マ プルミエール ［ドゥージエーム］ **visite.** ヴィジット
❺居住者 *kyojūsha*	**residents** レスィデンツ	**résidents** レジダン
❻非居住者 *hi kyojūsha*	**non-residents** ナン レスィデンツ	**non-résidents** ノン レジダン

ドイツ語 DEUTSCH	イタリア語 ITALIANO	スペイン語 ESPAÑOL
ANKUNFT アンクンフト	**ARRIVO** アリーヴォ	**LLEGADA** ジェガーダ
EINREISE アインライゼ	**IMMIGRAZIONE** インミグラツィオーネ	**INMIGRACIÓN** インミグラシオン
Ich bin *Tourist* [Geschäfts- イヒ ビン トゥーリスト [ゲシェフツ mann]. マン]	Sono *turista* [un viaggiatore ソーノ トゥリスタ [ウン ヴィアッジャトーレ degli affari]. デッリ アッファーリ]	Soy *turista* [viajero de ソイ トゥリスタ [ビアヘーロ デ negocios]. ネゴシオス]
Ich möchte für ~ Tage イヒ メヒテ フューア ~ ターゲ bleiben. ブライベン	Conto di stare per ~ giorni. コント ディスターレ ペル ~ ジョルニ	Voy a quedarme aqui ~ días. ボイ ア ケダールメ アキィ ~ ディーアス
Ich wohne im Hotel ~. イヒ ヴォーネ イム ホテル ~	Mi tratterrò a l'Hotel ~. ミ トゥラッテッロ ア ロテル ~	Voy a alojarme en el Hotel ~. ボイ ア アロハールメ エン エル オテル ~
Ich bin zum *ersten* [zweiten] イヒ ビン ツーム エアステン [ツヴァイテン] Mal hier. マル ヒーア	È la mia *prima* [seconda] エ ラ ミア プリーマ [セコンダ] visita. ヴィジタ	Es la *primera* [segunda] visita. エス ラ プリメーラ [セグンダ] ビシータ
der Bewohner デア ベヴォーナー der Nichtbewohner デア ニヒトベヴォーナー	il residente イル レジデンテ il non-residente イル ノン レジデンテ	el residente / la residente エル レシデンテ ラ レシデンテ el no residente エル ノー レシデンテ

日本語 JAPANESE	英語 ENGLISH	フランス語 FRANÇAIS
❼外国人 *gaikokujin*	**aliens** エイリャンズ	**les étrangers** レ ゼトランジェ
❽入国カード *nyūkoku kādo*	**disembarkation card** ディセンバケイシュン カード	**la carte de débarquement** ラ カルト ドゥ デバルクマン
❾出国カード *shukkoku kādo*	**embarkation card** エンバケイシュン カード	**la carte d'embarquement** ラ カルト ダンバルクマン
❿旅券 *ryoken*	**passport** パスポート	**le passeport** ル パスポール
⓫査証 *sashō*	**visa** ヴィーザ	**le visa** ル ビザ
⓬姓 *sei*	**last name / family name** ラスト ネイム　ファムリー ネイム	**le nom de famille** ル ノン ドゥ ファミーユ
⓭名前 *namae*	**first name / given name** ファースト ネイム　ギヴン ネイム	**le prénom** ル プレノン
⓮国籍 *kokuseki*	**nationality** ナシュナラティー	**la nationalité** ラ ナショナリテ
⓯生年月日 *seinen gappi*	**date of birth** デイト アヴバース	**la date de naissance** ラ ダート ドゥ ネサンス
⓰性別 *seibetsu*	**sex** セックス	**le sexe** ル セックス
⓱男 ／女 *otoko onna*	**man／woman** マン　ウォーマン	**l'homme／la femme** ロム　　ラ ファム
⓲年齢 *nenrei*	**age** エイチ	**l'âge** ラージュ
⓳職業 *shokugyō*	**occupation** アキュペイシュン	**la profession** ラ プロフェシオン

ドイツ語 DEUTSCH	イタリア語 ITALIANO	スペイン語 ESPAÑOL
der Ausländer デア アウスレンダー	lo straniero / la straniera ロ ストラニエーロ　ラ ストゥラニエーラ	el extranjero / la extranjera エル エストゥランヘーロ　ラ エストゥランヘーラ
die Einreiseerlaubnis ディ アインライゼエアラウプニス	la carta di sbarco ラ カルタ ディ ズバルコ	la tarjeta de desembarque ラ タルヘータ デ デセンバルケ
die Ausreiseerlaubnis ディ アウスライゼエアラウプニス	la carta d'imbarco ラ カルタ ディンバルコ	la tarjeta de embarque ラ タルヘータ デ エンバルケ
der Reisepaß デア ライゼパス	il passapòrto イル パッサポルト	el pasaporte エル パサポルテ
das Visum ダス ヴィズム	il visto イル ヴィスト	el visado エル ビサード
der Familienname デア ファミーリエンナーメ	il cognome イル コニョーメ	el apellido エル アペジード
der Vorname デア フォアナーメ	il nome イル ノーメ	el nombre エル ノンブレ
die Staatsangehörigkeit ディ シュターツアンゲヘーリヒカイト	la nazionalità ラ ナツィオナリタ	la nacionalidad ラ ナシオナリダー
das Geburtsdatum ダス ゲブルツダートゥム	la data di nascita ラ ダータ ディ ナシタ	la fecha de nacimiento ラ フェーチャ デ ナシミエント
das Geschlecht ダス ゲシュレヒト	il sesso イル セッソ	el sexo エル セクソ
der Mann / die Frau デア マン　ディ フラウ	il maschio / la femmina イル マスキオ　ラ フェンミナ	el hombre / la mujer エル オンブレ　ラ ムヘール
das Alter ダス アルター	l'età レタ	la edad ラ エダー
der Beruf デア ベルーフ	il mestiere イル メスティエーレ	la ocupación ラ オクパシオン

39

日本語 JAPANESE	英 語 ENGLISH	フランス語 FRANÇAIS
⑳住所 *jūsho*	**address** アドレス	**l'adresse** ラドレス
㉑本籍 *honseki*	**permanent address** パーマナント　アドレス	**le domicile** ル　ドミシル
㉒既婚 *kikon*	**married** マリッド	**marié ／ mariée** マリエ　／　マリエ
㉓独身 *dokushin*	**single** スィングル	**célibataire** セリバテール
㉔旅券番号 *ryoken bangō*	**passport number** パスポート　ナンバー	**le numéro de passeport** ル　ニュメロ　ドゥ　パスポール
㉕発給機関 *hakkyū kikan*	**issuing authority** イシュイング　オーソラティー	**l'autorité émettrice** ロートリテ　エメットリス
㉖連絡先 *renrakusaki*	**address in (England)** アドレス　イン（イングランド）	**l'adresse en (France)** ラドレス　アン（フランス）
㉗出発地 *shuppatsuchi*	**port of departure** ポート　アヴ　ディパーチャー	**le lieu de départ** ル．リュー　ドゥ　デパール
㉘旅行目的 *ryokō mokuteki*	**purpose of visit** パーパス　アヴ　ヴィズィット	**le but de visite** ル　ビュ　ドゥ　ヴィジット
㉙予定滞在期間 *yotei taizaikikan*	**intended length of stay** インテンデッド　レングス　アヴ　ステイ	**la durée de séjour** ラ　デュレ　ドゥ　セジュール
㉚目的地 *mokutekichi*	**destination** デスティネイシュン	**la destination** ラ　デスティナシオン
㉛検疫 *ken'eki*	**quarantine** クウォランティーン	**la quarantaine** ラ　カランテーヌ

ドイツ語 DEUTSCH	イタリア語 ITALIANO	スペイン語 ESPAÑOL
der Wohnsitz デア ヴォーンズィッツ	**l'indirizzo** リンディリッツォ	**la dirección** ラ ディレクシオン
der ständige Wohnsitz デア シュテンディゲ ヴォーンズィッツ	**l'indirizzo permanente** リンディリッツォ ペルマネンテ	**el domicilio permanente** エル ドミシリオ ペルマネンテ
verheiratet フェルハイラーテット	**sposato / sposata** スポザート スポザータ	**casado / casada** カサード カサーダ
ledig レディヒ	**celibe / nubile** チェリベ ヌービレ	**soltero / soltera** ソルテーロ ソルテーラ
die Paßnummer ディ パスヌマー	**il numero del passaporto** イル ヌーメロ デル パッサポルト	**el número del pasaporte** エル ヌメロ デル パサポルテ
die ausstellende Behörde ディ アウシュテレンデ ベヘールデ	**rilasciato da ~** リラッシャート ダ ～	**las autoridades emisoras** ラス アウトリダーデス エミソーラス
die Adresse in (Deutschland) ディ アドレッセ イン (ドイチュラント)	**l'indirizzo in (Italia)** リンディリッツォ イン (イタリア)	**la dirección en (España)** ラ ディレクシオン エン (エスパーニャ)
der Ort der Abreise デア オルト デア アブライゼ	**il luogo di partenza** イル ルオーゴ ディ パルテンツァ	**el lugar de partida** エル ルガール デ パルティーダ
der Zweck der Reise デア ツヴェック デア ライゼ	**lo scopo della visita** ロ スコーポ デッラ ヴィジタ	**el objeto de la visita** エル オブヘート デ ラ ビシータ
die beabsichtigte Aufenthalts- ディ ベアブズィヒティヒテ アウフェントハルツ **dauer** ダウアー	**la durata del soggiorno** ラ ドゥラータ デル ソッジョルノ	**la duración prevista de la** ラ ドゥラシオン プレビスタ デ ラ **permanencia** ペルマネンシア
das Ziel / das Reiseziel ダス ツィール ダス ライゼツィール	**la destinazione** ラ デスティナツィオーネ	**el destino** エル デスティノ
die Quarantäne ディ カランテーネ	**la quarantena** ラ クアランテーナ	**la inspección de sanidad** ラ インスペクシオン デ サニダー

41

日本語 JAPANESE	英 語 ENGLISH	フランス語 FRANÇAIS
㉜予防接種証明書 *yobōsesshu shōmeisho*	health card ヘルス　カード	le certificat de vaccination ル セルティフィカ ドゥ ヴァクシナシオン
㉝植物検査 *shokubutsu kensa*	inspection of plants インスペクシュン アヴ プランツ	le contrôle des végétaux ル コントロール デ ヴェジェトー
荷物引取り *Nimotsu Hikitori*	**BAGGAGE CLAIM** バゲッチ　　クレイム	**LIVRAISON DES BAGAGES** リブレゾン　デ　バガージュ
❶手荷物はどこで受け取りますか *Tenimotsu wa doko de uketorimasu ka?*	Where can l get my baggage? ホエア　キャナイ ゲット マイ バゲッチ	Où puis-je récupérer mes ウー ピュイ ジュ レキュペレ メ bagages? バガージュ
❷私の荷物が見つからない *Watashi no nimotsu ga mitsukaranai.*	I can't find my baggage. アイ キャント ファインド マイ バゲッチ	Je n'arrive pas à trouver mes ジュ ナリーヴ パ ア トルーヴェ メ bagages. バガージュ
❸手荷物引換証はこれです *Tenimotsu hikikaeshō wa kore desu.*	Here is my claim tag. ヒア イズ マイ クレイム タッグ	Voici mon bulletin de bagages. ヴォワスィ モン ビュルタン ドゥ バガージュ
❹（JAL）(52)便で着きました *(Jaru)(gojūni) bin de tsukimashita.*	I arrived on (JAL) flight No. アイ アライヴト アン (チャル) フライト ナンバー (52) （フィフティートゥー）	Je suis arrivé par le vol Nº ジュ スイ ザリヴェ パール ル ヴォル ニュメロ (52) de la (JAL). （サンカントドゥ） ドゥ ラ （ジャル）

42

ドイツ語 DEUTSCH	イタリア語 ITALIANO	スペイン語 ESPAÑOL
das Impfzeugnis ダス インプフツォイクニス	il certificato di vaccinazione イル チェルティフィカート ディ ヴァッチナツィオーネ	el certificado de vacuna エル セルティフィカード デ バクーナ
die Pflanzenkontrolle ディ プフランツェンコントロレ	l'ispezione delle piante リスペツィオーネ デッレ ピアンテ	la inspección de plantas ラ インスペクシオン デ プランタス
GEPÄCKAUSGABE ゲペックアウスガーベ	**RECLAMO BAGAGLI** レクラーモ バガッリ	**RECOGER EL EQUIPAJE** レコヘール エル エキパッヘ
Wo kann ich mein Gepäck ヴォー カン イヒ マイン ゲペック abholen. アップホーレン	Dove si ritirano i bagagli? ドーヴェ シ リティーラノ イ バガッリ	¿Donde puedo recoger mi ドンデ プエド レコヘール ミ equipaje? エキパッヘ
Ich kann meinen Koffer イヒ カン マイネン コファー nicht finden. ニヒト フィンデン	Non trovo i miei bagagli. ノン トローヴォ イ ミエイ バガッリ	No puedo encontrar mi ノー プエド エンコントゥラール ミ equipaje. エキパッヘ
Hier ist mein Gepäckschein. ヒーア イスト マイン ゲペックシャイン	Ecco l'etichetta. エッコ レティケッタ	Aquí está el talón de equipaje. アキィ エスター エル タロン デ エキパッヘ
Ich bin mit (JAL) Flug Nr. イヒ ビン ミット (ヤル) フルーク ヌマー **(52)** angekommen. (ツヴァイウントフュンフツィヒ) アンゲコメン	Sono arrivato con il volo ソーノ アリヴァート コン イル ヴォーロ **(JAL) (52)** (ジャル) (チンクァンタドゥーエ)	He llegado por el vuelo No. エ ジェガード ポール エル ブエロ ヌーメロ **(52)** de (JAL). (シンクエンタイドス) デ (ジャル)

43

日本語 JAPANESE	英　語 ENGLISH	フランス語 FRANÇAIS
税　関 *Zeikan*	CUSTOMS カスタムズ	BUREAU DE DOUANE ビューロー　ドゥ　ドゥアーヌ
❶申告するものはありません *Shinkoku suru mono wa arimasen.*	I have nothing to declare. アイ ハヴ ナスィング トゥ ディクレア	Je n'ai rien à déclarer. ジュ ネ リヤン ナ デクラレ
❷全部身のまわり品です *Zenbu minomawarihin desu.*	These are all my personal effects. ズィーズ アー オール マイ パースヌル イフェクツ	Tout cela est pour mon usage personnel. トゥ スラ エ プール モン ユザージュ ペルソネル
❸これは友人へのみやげ品です *Kore wa yūjin e no miyagehin desu.*	This is a gift for a friend. ズィス イズ ア ギフト フォー ア フレンド	C'est un cadeau pour *un ami* セ タン カドー プール アン ナミ [*une amie*]. [ユン ナミ]
❹日本では(2000)円くらいしま *Nihon dewa (nisen) en kurai* す *shimasu.*	It costs about (2000) yen in Japan. イット コスツ アバウト (トゥーサウズンド) イェン イン チャパン	Cela coûte environ (2000) yens au Japon. スラ クート アンビロン (ドゥーミル) エン オー ジャポン
❺これは日本に持ち帰るみやげ *Kore wa nihon ni mochikaeru* 品です *miyagehin desu.*	This is a souvenir I'm taking to Japan. ズィス イズ ア スーヴァニア アイム テイキング トゥ チャパン	C'est un souvenir que je rapporte au Japon. セ タン スーウニール ク ジュ ラポルト オー ジャポン
❻ウイスキーを(2)本持ってい *Uisuki o (ni) hon motte imasu.* ます	I have (2) bottles of whisky. アイ ハヴ (トゥー) バトルズ アヴ ウイスキー	J'ai (2) bouteilles de whiskey. ジェ (ドゥー) ブーテイユ ドゥ ウイスキー

44

ドイツ語 DEUTSCH	イタリア語 ITALIANO	スペイン語 ESPAÑOL
ZOLLAMT ツォルアムト	**DOGANA** ドガーナ	**ADUANA** アドゥアーナ
Ich habe nichts zu deklarieren. イヒ ハーベ ニヒツ ツー デクラリーレン	**Non ho niente da dichiarare.** ノ ノ ニエンテ ダ ディキアラーレ	**No tengo nada que declarar.** ノー テンゴ ナーダ ケ デクララール
Das ist alles für meinen ダス イスト アレス フューア マイネン **persönlichen Bedarf.** ペルゼーンリヒェン ベダルフ	**Tutti sono i miei effetti** トゥッティ ソーノ イ ミエイ エッフェッティ **personali.** ペルソナーリ	**Estos son mis efectos** エストス ソン ミス エフェクトス **personales.** ペルソナーレス
Das ist ein Geschenk für ダス イスト アイン ゲシェンク フューア **meinen Freund.** マイネン フロイント	**Questo è il regalo per un** クエスト エ イル レガーロ ペル ウン **amico mio.** アミーコ ミオ	**Esto es un regalo para** *un* エスト エス ウン レガーロ パラ ウン *amigo* **[una amiga].** アミーゴ ［ウナ アミーガ］
Das kostet etwa (2000) ダス コステット エトヴァ （ツヴァイタウゼント） **Yen in Japan.** イェン イン ヤーパン	**Costa circa (2000) yen in** コスタ チルカ （ドゥーエミーラ） イェン イン **Giappone.** ジャッポーネ	**Esto cuesta más o menos** エスト クエスタ マス オ メノス **(2000) yenes en Japón.** （ドスミル）ジェネス エン ハポン
Das ist ein Andenken, das ich ダス イストアイン アンデンケン ダス イヒ **nach Japan mitnehmen möchte.** ナッハ ヤーパン ミットネーメン メヒテ	**Questo è un regalo da portare** クエスト エ ウン レガーロ ダ ポルターレ **in Giappone.** イン ジャッポーネ	**Esto es un recuerdo que** エスト エス ウン レクエルド ケ **llevo a Japón.** ジェーボ ア ハポン
Ich habe (2) Flaschen Whisky. イヒ ハーベ （ツヴァイ）フラッシェン ウイスキー	**Ho (2) bottiglie di whisky.** オ （ドゥーエ）ボッティッリエ ディ ウイスキー	**Tengo (2) botellas de whisky.** テンゴ （ドス）ボテージャス デ ウイスキィ

45

日本語 JAPANESE	英語 ENGLISH	フランス語 FRANÇAIS
❼この荷物はボンド扱いにして *Kono nimotsu wa bondo atsukai ni* 下さい *shite kudasai.*	**Please keep this baggage in** ブリーズ キープ ズィス バゲッヂ イン **bond.** バンド	**Gardez ces bagages en consigne,** ガルデ セ バガージュ アン コンスィーニュ **s'il vous plaît.** スィル ヴー プレ
❽その預り証を下さい *Sono azukarishō o kudasai.*	**May I have a receipt ?** メイ アイ ハウ ア リスィート	**Je voudrais avoir le billet de** ジュ ヴードレ アヴォワール ル ビエ ドゥ **consigne.** コンスィーニュ
❾このカメラは私が使っている *Kono kamera wa watashi ga tsukatte* **ものです** *irumono desu.*	**These cameras are for my** ズィーズ キャムラズ アー フォー マイ **personal use.** パースヌル ユース	**Ces appareil photographiques** セ アパレイユ フォトグラフィック **sont pour mon propre usage.** ソン プール モン プロプル ユザージュ
❿関税 *kanzei*	**customs duty** カスタムズ デューティー	**les droits de douane** レ ドロワ ドゥ ドゥアーヌ
⓫税関申告書 *zeikan shinkokusho*	**customs declaration form** カスタムズ デクラレイシュン フォーム	**la formule de déclaration doua-** ラ フォルミュル ドゥ デクララシオン ドゥア **nière.** ニエール
⓬通貨申告 *tsūka shinkoku*	**currency declaration** カレンスィー デクラレイシュン	**la déclaration des monnaies** ラ デクララシオン デ モネ
⓭現金 *genkin*	**cash** キャッシュ	**l'argent liquide** ラルジャン リキード
⓮旅行小切手 *ryokō kogitte*	**traveler's check** トラヴラース チェック	**les chèques de voyage** レ シェック ドゥ ヴォワイヤージュ
⓯免税品 *menzeihin*	**tax-free article** タックスフリー アーティクル	**l'article détaxé** ラルティクル デタクセ

ドイツ語 DEUTSCH	イタリア語 ITALIANO	スペイン語 ESPAÑOL
Bitte, bewahren Sie dieses ビッテ　ベヴァーレン　ズィー　ディーゼス **Gepäck hier im Zoll auf.** ゲペック　ヒーア　イム　ツォル　アウフ	**Per favore, metta questo** ペル　ファヴォーレ　メッタ　クエスト **bagalio in deposito doganale.** バガッリオ　イン　デポジト　ドガーレ	**Haga el favor de guardar** アーガ　エル　ファボール　デ　グァルダール **este equipaje en depósito.** エステ　エキパヘ　エン　デポシト
Könnte ich eine Quittung ケンテ　化　アイネ　クヴィットゥング **dafür haben?** ダフュア　ハーベン	**Mi da una ricevuta per quello?** ミ　ダ　ウナ　リチェヴータ　ペル　クエッロ	**¿Podría obtener un recibo** ポドリーア　オプテネール　ウン　レシーボ **de esto?** デ　エスト
Diese Kameras sind für ディーゼ　カメラス　ズィント　フューア **meinen persönlichen Gebrauch.** マイネン　ペルゼーンリッヒェン　ゲブラウフ	**Queste macchine fotografiche** クエステ　マッキネ　フォトグラーフィケ **sono per mio uso personale.** ソーノ　ペル　ミオ　ウージ　ペルソナーレ	**Estas cámaras son para mi** エスタス　カマラス　ソン　パラ　ミ **uso personal.** ウーソ　ペルソナール
der Zoll デア　ツォル	**i diritti di dogana** イ　ディリッティ　ディ　ドガーナ	**los derechos de aduana** ロス　デレチョス　デ　アドゥアーナ
die Zollerklärung ディ　ツォルエアクレールング	**il modulo della dichiarazione** イル　モドゥロ　デッラ　ディキアラツィオーネ **doganale** ドガーレ	**el formulario para declaración** エル　フォルムラリオ　パラ　デクララシオン **de aduanas** デ　アドゥアナス
die Devisenerklärung ディ　デヴィゼンエアクレールング	**la dichiarazione di valuta** ラ　ディキアラツィオーネ　ディ　ヴァルータ	**la declaración de moneda** ラ　デクララシオン　デ　モネーダ
das Bargeld ダス　バーゲルト	**il denaro contante** イル　デナーロ　コンタンテ	**el efectivo** エル　エフェクティーボ
die Reisescheck ディ　ライゼシェック	**il cheque di viaggio** イル　シェックエ　ディ　ヴィアッジョ	**el cheque viajero** エル　チェケ　ビアヘーロ
der zollfreie Artikel デア　ツォルフライエ　アルティケル	**l'articolo esente da tassa** ラルティーコロ　エゼンテ　ダ　タッサ	**los artículos sin impuesto** ロス　アルティクロス　シン　インプエスト

47

日本語 JAPANESE	英 語 ENGLISH	フランス語 FRANÇAIS
⓰ 酒 *sake*	liquor リカー	l'alcool ラルコール
⓱ 香水 *kōsui*	perfume パーフューム	le parfum ル パルファン
⓲ 宝石 *hōseki*	jewelry チューアルリー	les bijoux レ ビジュー
⓳ うめぼし *umeboshi*	pickled plums ピクルド プラムズ	la prune salée ラ プリュヌ サレ
⓴ せんべい *senbei*	rice crackers ライス クラッカーズ	le biscuit japonais ル ビスキュイ ジャポネ
㉑ のり *nori*	dried seaweed ドライド スィーウィード	l'algue sèchée ラルグ セッシェ
㉒ インスタント・ラーメン *insutanto rāmen*	instant noodles インスタント ヌードゥルス	les nouilles instantanées レ ヌイユ アンスタンタネ
㉓ インスタント味噌汁 *insutanto misoshiru*	instant soybean soup インスタント ソイビーン スープ	la soupe de soja instantanée ラ スープ ドゥ ソージャ アンスタンタネ
㉔ 胃腸薬 *ichōyaku*	stomach medicine スタマック メディスン	le médicament pour l'estomac ル メディカマン プール レストマ et les intestins エ レ ザンテスタン

ドイツ語 DEUTSCH	イタリア語 ITALIANO	スペイン語 ESPAÑOL
die Spirituosen ディ シュピリトゥオーゼン	**il liquore** イル リクォーレ	**el licor** エル リコール
das Parfüm ダス パフューム	**il profumo** イル プロフーモ	**el perfume** エル ペルフーメ
die Juwelen / der Schmuck ディ ユヴェーレン デア シュムック	**i gioielli** イジョイエッリ	**las joyas** ラス ホージャス
die in Salz eingemachte Pflaume ディ イン ザルツ アイングマハテ プフラウメ	**la prugna seccata** ラ プルーニャ セッカータ	**las ciruelas secas bañadas en sal** ラス シルエラス ヤカス バニャーダス エン サル
der japanische Keks aus Reis デア ヤパーニッシェ ケークス アウス ライス	**i biscotti di riso** イ ビスコッティ ディ リーゾ	**la galleta japonesa** ラ ガジェータ ハポネーサ
der getrocknete Seetang デア ゲトロックネッテ ゼータング	**l'alghemarina seccata** ラルゲマリーナ セッカータ	**el alga marina seca** エル アルガ マリーナ セカ
Instant-Nudeln インスタント ヌーデルン	**la pasta in zuppa istantanea** ラ パスタ イン ズッパ イスタンターネア	**los fideos chinos instantáneos** ロス フィデーオス チーノス インスタンターネオス
Instant-Sojabohnensuppe インスタント ゾーヤボーネンズッペ	**la minestra giapponese istantamente pronta** ラ ミネストラ ジャポネーゼ イスタンタメンテ プロンタ	**la sopa de soja fermentada instantánea** ラ ソパ デ ソハ フェルメンターダ インスタンターネア
die Medizin für Magen und Darm ディ メディツィーン フューア マーゲン ウント ダルム	**le pillole contro mal di stomaco** レ ピッロレ コントロ マル ディ ストマコ	**la medicina para el estómago** ラ メディシーナ パラ エル エストーマゴ

日本語 JAPANESE	英 語 ENGLISH	フランス語 FRANÇAIS
㉕持ち込み禁止品 *mochikomi kinshihin*	**prohibited articles** プロヒビテッド　アーティクルズ	**les articles prohibés à** レ　ザルティクル　プロイベ　ア **l'importation** ランポルタシオン
両　替 *Ryōgae*	**EXCHANGE** エクスチェインジ	**CHANGE** シャンジュ
❶両替所はどこですか *Ryōgaejo wa doko desu ka?*	**Where can I change money?** ホェア　キャナイ　チェインジ　マニー	**Où y-a-t-il un bureau de** ウ　ヤ　ティル　アン　ビュロー　ドゥ **change?** シャンジュ
❷銀行は何時までやっていますか *Ginkō wa nanji made yatte imasu ka?*	**How late is the bank open?** ハウ　レイト　イズ　ザ　バンク　オウプン	**Jusqu'à quelle heure les banques** ジュスカ　ケ　ルール　レ　バンク **sont-elles ouvertes?** ソン　テル　ウーヴェルト
❸(100ドル)両替して下さい *(Hyaku doru) ryōgae shite kudasai.*	**I'd like to change (100** アイド　ライク　トゥ　チェインヂ　（ワンハンドレッド **dollars).** ダラーズ)	**Pouvez-vous me changer ces** プヴェ　ヴー　ム　シャンジェ　セ **(100 dollars)?** （サン　ドラー）
❹この旅行小切手を現金にして *Kono ryokō kogitte o genkin ni* 下さい *shite kudasai.*	**I'd like to cash this traveler's** アイド　ライク　トゥ　キャッシュ　ズィス　トラヴラーズ **check.** チェック	**Voulez-vous m'encaisser ce** ヴーレ　ヴー　マンケーセ　ス **chèque de voyage?** シェーク　ドゥ　ヴォワイヤージュ

50

ドイツ語 DEUTSCH	イタリア語 ITALIANO	スペイン語 ESPAÑOL
die verbotenen *Artikel* ディ フェアボーテネン アルティケル [Waren] [ヴァーレン]	l'articolo vietato importare ラルティーコロ ヴィエタート インポルターレ	los artículos prohibidos de ロス アルティークロス プロイビードス デ llevar a bordo ジェバール ア ボルド
GELDWECHSELN ゲルトヴェクセルン	**CAMBIO** カンビオ	**CAMBIO** カンビオ
Wo kann ich Geld wechseln? ヴォー カン イヒ ゲルト ヴェクセルン	Dove posso cambiare del ドヴェ ポッソ カンビアーレ デル denaro? デナーロ	¿Dónde puedo cambiar la ドンデ プエド カンビアール ラ moneda? モネーダ
Wie lange ist die Bank offen? ヴィー ランゲ イスト ディ バンク オッフェン	Fino a che ora è aperta la フィーノ ア ケ オラ エ アペルタ ラ banca? バンカ	¿Hasta qué hora está abierto アスタ ケ オラ エスタ アビエルト el banco? エル バンコ
Bitte, wechseln Sie mir ビッテ ヴェクセルン ズィー ミーア (100 Dollar). (アインフンデルト ドラー)	Mi cambi (100 dollari), per ミ カンビ (チェント ドッラリ) ペル favore. ファヴォーレ	Por favor, cambie (100 dólares). ポール ファボール カンビエ (シェン ドーラレス)
Ich möchte diesen Reisescheck イヒ メヒテ ディーゼン ライゼシェック einlösen. アインレーゼン	Mi può cambiare questi ミ プオ カンビアーレ クエスティ travelers cheques in lire? トラヴェラーズ シェックエ イン リーレ	Por favor, cambie este cheque ポール ファボール カンビエ エステ チェケ viajero en efectivo. ビアヘーロ エン エフェクティーボ

日本語 JAPANESE	英　語 ENGLISH	フランス語 FRANÇAIS
❺小銭も混ぜて下さい *Kozeni mo mazete kudasai.*	I'd like some small change. アイド ライク サム スモール チェインヂ	Je voudrais avoir de la petite ジュ ウードレ アヴォワール ドゥ ラ プティット monnaie. モネー
❻この国のコインを全種類いれ *Kono kuni no koin o zenshurui irete* て下さい *kudasai.*	I'd like coins of all sizes, アイド ライク コインズ アヴ オール サイズィズ please. プリーズ	Je voudrais avoir toutes les ジュ ウードレ アヴォワール トゥト レ pièces de ce pays. ピエース ドゥ ス ペイ
❼ドルに交換して下さい *Doru ni kōkan shite kudasai.*	Change this to dollars, please. チェインヂ ズィス トゥ ダラーズ プリーズ	Voulez-vous changer en dollars. ヴーレ ヴー シャンジェ アン ドラー
❽公認両替商 *kōnin ryōkae shō*	authorized moneychanger オーサライズド マニーチェインチャー	le bureau de change autorisé ル ビュロー ドゥ シャンジュ オートリゼ
❾外貨交換証明書 *gaika kōkan shōmeisho*	certificate for the exchange サティフィケット フォー ズィ エクスチェインヂ of foreign currency アヴ フォーレン カーランスィー	le certificat de change ル セルティフィカ ドゥ シャンジュ
❿署名 *shomei*	signature スィグネチャー	la signature ラ シニャテュール
⓫紙幣 *shihei*	bill ビル	le billet de banque ル ビエ ドゥ バンク

52

ドイツ語 DEUTSCH	イタリア語 ITALIANO	スペイン語 ESPAÑOL
Bitte geben Sie mir auch ビッテ ゲーベン スィー ミーア アウホ **etwas Kleingeld.** エトヴァス クラインゲルト	**Vorrei anche degli spiccioli.** ヴォレイ アンケ デッリ スピッチョリ	**Quisiera también monedas** キシエラ タンビエン モネダス **pequeñas.** ペケーニャス
Ich hätte gern von jeder イヒ ヘッテ ゲルン フォン イェーダー **Münzsorte ein paar Stück.** ミュンツゾルテ アインパール シュトゥック	**Mi da tutte le specie di** ミ ダ トゥッテ レ スペーチェ ディ **moneta di questo paese ?** モネータ ディ クエスト パエーゼ	**Por favor, déme toda clase** ポール ファボール デーメ トーダ クラセ **de moneda metálica de este** デ モネーダ メターリカ デ エステ **país.** パイース
Bitte, wechseln Sie dies in ビッテ ヴェクセルン スィー ディース イン **Dollar.** ドラー	**Me li cambi in dollari.** メ リ カンビ イン ドッラリ	**Por favor, cambie este en** ポール ファボール カンビエ エステ エン **dólares.** ドーラレス
der autorisierte Geldwechsler デア アウトリズィールテ ゲルトヴェクスラー **die Bescheinigung über den** ディ ベシャイニグング ユーバー デン **Wechsel von ausländischem Geld** ヴェクセル フォン アウスレンディッシェム ゲルト **die Unterschrift** ディ ウンターシュリフト	**il cambiavalute autorizzato** イル カンビアヴァルーテ アウトリッザート **il certificato per il cambio** イル チェルティフィカート ペル イル カンビオ **del denaro estero** デル デナーロ エステロ **la firma** ラ フィルマ	**la casa de cambio autorizada.** ラ カサ デ カンビオ アウトリサーダ **el certificado para cambio** エル セルティフィカード パラ カンビオ **de moneda extranjera** デ モネーダ エストランヘーラ **la firma** ラ フィルマ
die Banknote ディ バンクノーテ	**la banconota** ラ バンコノータ	**el billete** エル ビジェーテ

53

日本語 JAPANESE	英 語 ENGLISH	フランス語 FRANÇAIS
⑫硬貨 *kōka*	**coin** コイン	**des pièces** デ ピエース
⑬交換率 *kōkanritsu*	**exchange rate** エクスチェインヂ レイト	**le cours du change** ル クール デュ シャンジュ
案内所 *Annaijo*	**INFORMATION** インファメイシュン	**BUREAU DE** ビュロー　　ドゥ **RENSEIGNEMENTS** ランセニュマン
❶観光案内所はどこですか *Kankō annaijo wa doko desu ka?*	**Where is the tourist information** ホェア イズ ザ トゥアリスト インファメイシュン **office?** オフィス?	**Où est le bureau de renseigne-** ウー エ ル ビュロー ドゥ ランセニュ **ments?** マン
❷市内へ行く連絡バスはありま *Shinai e yuku renraku basu wa* すか *arimasu ka?*	**Is there a bus to the city?** イズ ゼア ア バス トゥ ザ スィティー	**Y-a-t-il un service *d'autocars*** ヤ ティル アン セルヴィス ドートカール **[de limousines] pour aller au** [ドゥ リムジーヌ] プール アレ オー **centre de la ville?** サントル ドゥ ラ ヴィル
❸バス〔タクシー〕の乗り場は *Basu [Takushī] no noriba wa doko* どこですか *desu ka?*	**Where can I catch *the bus*** ホェア キャナイ キャッチ ザ バス **[a taxi]?** [ア タクスィー]	***D'où l'autocar part-il* [Où est** ドゥー ロートカール パールティル [ウー エ **la station de taxi?]** ラ スタシオン ドゥ タクシー]

ドイツ語 DEUTSCH	イタリア語 ITALIANO	スペイン語 ESPAÑOL
die Münze ディ ミュンツェ	la moneta ラ モネータ	la moneda metálica ラ モネーダ メターリカ
der Wechselkurs デア ヴェクセルクルス	il cambio イル カンビオ	el tipo de cambio エル ティーポ デ カンビオ
VERKEHRSAMT フェアケールスアムト	**INFORMAZIONI** インフォルマツィオーニ	**INFORMACIÓN DE** インフォルマシオン デ **TURISMO** トゥリスモ
Wo ist das Fremden- ヴォー イスト ダス フレムデン verkehrsamt ? フェアケールスアムト	Dov'è l'ufficio di informazioni ドヴェ ルッフィーチョ ディ インフォルマツィオーニ turistiche ? トゥリスティケ	¿Dónde está la oficina de ドンデ エスタ ラ オフィシーナ デ información de turismo ? インフォルマシオン デ トゥリスモ
Gibt es einen Omnibus zur ギープト エス アイネン オムニブス ツーア Stadtmitte ? シュタットミッテ	C'è servizio di autobus fino チェ セルヴィーツィオ ディ アウトブス フィーノ al centro della città ? アル チェントロ デッラ チッタ	¿Hay servicio de autobús para アイ セルビシオ デ アウトブス パラ el centro de la ciudad ? エル セントゥロ デ ラ シウダー
Wo fährt *der Bus* [das Taxi] ヴォー フェールト デア ブス [ダス タクシー] ab ? アップ	Da dove parte *l'autobus* ダ ドーヴェ パルテ ラウトブス [il tassi] ? [イル タッシー]	¿Dónde está la parada de ドンデ エスター ラ パラーダ デ *autobús* [taxi] ? アウトブス [タクシー]

55

日本語 JAPANESE	英 語 ENGLISH	フランス語 FRANÇAIS
❹ここでホテル〔レンタカー〕の予約ができますか *Koko de hoteru [rentakā] no yoyaku ga dekimasu ka?*	Can I reserve a *hotel room* [rent-a-car] here? キャナイ リザーヴ ア ホテル ルーム [レンタ カー] ヒア	Pouvez-vous me faire une réservation *d'hôtel* [de voiture à louer]? プーヴェ ヴー ム フェール ユヌ レゼルヴァシオン ドテル [ドゥ ヴォワテュール ア ルエ]
❺市内のホテルを予約して下さい *Shinai no hoteru o yoyaku shite kudasai.*	I'd like to reserve a hotel room in the city. アイドライク トゥ リザーヴ ア ホテル ルーム インザ スィティー	Pouvez-vous me réserver une chambre dans un hôtel au centre de la ville? プーヴェ ヴー ム レゼルヴェ ユヌ シャンブル ダン ザン ノテル オー サントル ドゥ ラ ヴィル
空港から市内へ *Kūkō kara Shinai e*	**FROM THE AIRPORT** フラム ズィ エアポート **TO THE CITY** トゥ ザ スィティー	**DE L'AÉROPORT AU CENTRE** ドゥ ラエロポール オー サントル **DE LA VILLE** ドゥ ラ ヴィル
❶ポーターを呼んで下さい *Pōtā o yonde kudasai.*	Please get me a porter. プリーズ ゲット ミー ア ポーター	Appelez-moi un porteur, s'il vous plaît. アプレ モワ アン ポルトゥール スィル ヴープレ
❷この荷物をタクシー乗り場まで運んで下さい *Kono nimotsu o takushi noriba made hakonde kudasai.*	Please take this baggage to the taxi stand. プリーズ テイク ズィス バゲッチ トゥ ザ タクスィー スタンド	portez ces bagages á la station de taxi, s'il vous plaît. ポルテ セ バガージュ ア ラ スタシオン ドゥ タクシー スィル ヴー プレ

☞タクシー P.154

ドイツ語 DEUTSCH	イタリア語 ITALIANO	スペイン語 ESPAÑOL
Kann ich hier *ein Hotelzimmer* カン イヒ ヒーア アイン ホテルツィマー *bestellen* [ein Auto mieten] ? ベシュテレン [アイン アウトー ミーテン]	Si può fare la prenotazione シ プオ ファーレ ラ プレノタツィオーネ *d'albergo* [d'autonoleggio] qui ? ダルベルゴ [ダウトノレッジョ] クイ	¿Aquí se puede hacer la アキィ セ プエデ アセール ラ reservación *del hotel* [del レセルバシオン デル オテル [デル coche de alquiler] ? コーチェ デ アルキレール]
Bitte, buchen Sie für mich ビッテ ブーヘン ズィー フューア ミヒ ein Hotelzimmer in der Stadt. アイン ホテルツィマー イン デア シュタット	Mi può prenotare una camera ミ プオ プレノターレ ウーナ カメラ ad un albergo nel centro ? アドゥン アルベルゴ ネル チェントロ	Por favor, haga la reservación ポール ファボール アガ ラ レセルバシオン del hotel de la ciudad. デル オテル デ ラ シウダー
VOM FLUGHAFEN フォム フルークハーフェン **IN DIE STADT** イン ディ シュタット	**DALL'AEROPORTO AL** ダッラエロポルト アル **CENTRO CITTÀ** チェントロ チッタ	**DEL AEROPUERTO AL** デル アエロプエルト アル **CENTRO DE LA CIUDAD** セントゥロ デ ラ シウダー
Einen Gepäckträger bitte. アイネン ゲペックトレーガー ビッテ	Mi può chiamare un facchino ? ミ プオ キアマーレ ウン ファッキーノ	Por favor, llame al maletero. ポール ファボール ジャーメ アル マレテーロ
Bringen Sie bitte dieses ブリンゲン ズィー ビッテ ディーゼス Gepäck zum Taxi. ゲペック ツーム タクシー	Può portare questo bagaglio プオ ポルターレ クエスト バガッリオ al tassi ? アル タッシー	Por favor, lleve este equipaje ポール ファボール ジェーベ エステ エキパッヘ a la parada de taxi. ア ラ パラーダ デ タクシー

57

日本語 JAPANESE	英 語 ENGLISH	フランス語 FRANÇAIS
❸ ～ホテルへ行って下さい *~ hoteru e itte kudasai.*	To the ~ Hotel, please. トゥ ザ ～ ホテル プリーズ	Conduisez-moi à l'Hôtel ~. コンデュイゼ モワ ア ロテル ～
❹（住所書きを見せて）ここへ行 *Koko e* って下さい *itte kudasai.*	To this place, please. トゥ ズィス プレイス プリーズ	A cette adresse, s'il vous plaît. ア セット アドレス スィル ヴー プレ
❺このバスは～ホテルに止りま *Kono basu wa ~ hoteru ni tomari* すか *masu ka?*	Does this bus go to the ~ Hotel ? ダズ ズィス バス ゴウ トゥ ザ ～ ホテル	Cet autocar s'arrête-t-il à セット オートカール サレー ティル ア l'Hôtel ~? ロテル ～
❻切符はどこで買うのですか *Kippu wa doko de kau no desu ka?*	Where can I buy a ticket ? ホェア キャナイ バイ ア ティケット	Où dois-je acheter le billet ? ウ ドワ ジュ アシュテ ル ビエ
❼これが私の荷物です *Kore ga watashi no nimotsu desu.*	This is my baggage. ズィス イズ マイ バゲッチ	Ce sont mes bagages. ス ソン メ バガージュ
❽いくらですか？ *Ikura desu ka?*	How much is it ? ハウ マッチ イズィット	Combien ? コンビアン
❾ポーター *pota*	porter ポーター	le porteur ル ポルトゥール
❿運転手 *untenshu*	driver ドライヴァー	le chauffeur ル ショフール
⓫チップ *chippu*	tip ティップ	le pourboire ル プールボワール

58　☞ バス P.160　支払い P.230

ドイツ語 DEUTSCH	イタリア語 ITALIANO	スペイン語 ESPAÑOL
Bringen Sie mich bitte zum Hotel ~. ブリンゲン スィー ミヒ ビッテ ツーム ホテル ~	Mi porti all'Hotel ~. ミ ポルティ アッロテル ~	Al Hotel ~, por favor. アル オテル ~ ポール ファボール
Bringen Sie mich bitte zu dieser Adresse. ブリンゲン スィー ミヒ ビッテ ツー ディーザー アドレセ	Conducetemi a questo luogo. コンドゥチェーテミ ア クエスト ルオーゴ	A este lugar, por favor. ア エステ ルガール ポール ファボール
Fährt diser Bus zum Hotel ~? フェールト ディーザー ブス ツーム ホテル ~	Questo pullman si fermerà davanti all'Hotel ~? クエスト プルマン シ フェルメラ ダヴァンティ アッロテル ~	¿Este autobús para enfrente del hotel ~? エステ アウトブス パラ エンフレンテ デル オテル ~
Wo kann ich eine Fahrkarte kaufen? ヴォー カン イヒ アイネ ファーカルテ カウフェン?	Dove si compra il biglietto? ドヴェ スィ コンプラ イル ビリエット	¿Donde puedo comprar *billete* [boleto]? ドンデ プエド コンプラール ビジェーテ [ボレート]
Das ist mein Gepäck. ダス イスト マイン ゲペック	Ecco il mio bagaglio. エッコ イル ミオ バガッリオ	Este es mi equipaje. エステ エス ミ エキパッヘ
Wieviel bin ich schuldig? ヴィーフィール ビン イヒ シュルディヒ	Quanto? クアント	¿Cuánto tendré que pagar? クアント テンドゥレ ケ パガール
der Gepäckträger デア ゲペックトレーガー	il facchino イル ファッキーノ	el maletero エル マレテーロ
der Fahrer デア ファーラー	l'autista ラウティスタ	el chofer エル チョフェール
das Trinkgeld ダス トゥリンクゲルト	la mancia ラ マンチャ	la propina ラ プロピーナ

日本語 JAPANESE	英 語 ENGLISH	フランス語 FRANÇAIS
出　発 *Shuppatsu*	**DEPARTURE** ディパーチャー	**LE DÉPART** ル　デパール
❶（日本航空）のカウンターへこ *(Nihon kōkū) no kauntā e kono* の荷物を運んで下さい *nimotsu o hakonde kudasai.*	**Take this baggage to the (JAL)** テイク　ズィス　バゲッヂ　トゥ ザ　（ヂァル） **counter, please.** カウンター　　プリーズ	**Portez ces bagages au comptoir** ポルテ　セ　バガージュ　オー コントワール **de (la JAL), s'il vous plaît.** ドゥ（ラ ジャル）スィル ヴー プレ
❷〜航空のカウンターはどこで *〜 kōkū no kauntā wa doko desu* すか *ka？*	**Where is the 〜 Airlines count-** ホェア　イズ ザ　〜 エアラインズ　カウンター **er？**	**Où est le comptoir de la** ウ　エ　ル　コントワール　ドゥ ラ **compagnie aérienne 〜?** コンパニー　　アエリアンヌ　〜
❸禁煙〔喫煙〕席にして下さい *Kin'en〔Kitsuen〕seki ni shite* *kudasai.*	***Non-smoking*〔Smoking〕sec-** ナン スモウキング　〔スモウキング〕 セク **tion, please.** シュン　プリーズ	**Pouvez-vous me donner une place** プーヴェ　ヴー ム ドネ　ユヌ プラース ***non-fumeurs*〔fumeurs〕.** ノン　フュムール　〔フュムール〕
❹窓〔通路〕側の席にして下さ *Mado〔Tsūro〕gawa no seki ni* い *shite kudasai.*	***Window*〔Aisle〕seat, please.** ウィンドウ　〔アイル〕 スィート　プリーズ	**Pouvez-vous me donner une place** プーヴェ　ヴー ム ドネ　ユヌ プラース **côté *fenêtre*〔couloir〕.** コーテ フネートル　〔クーロワール〕
❺この便は予定通り出ますか *Kono bin wa yotei dōri demasu ka?*	**Will this flight leave on time？** ウィル ズィス フライト リーヴ アン タイム	**Ce vol part-il à l'heure prévue？** ス ヴォルパールティルア ルール　　プレヴュ

ドイツ語 DEUTSCH	イタリア語 ITALIANO	スペイン語 ESPAÑOL
ABFLUNG アップフルング	**PARTENZA** パルテンツァ	**PARTIDA** パルティーダ
Bitte, bringen Sie dieses ビッテ ブリンゲン ズィー ディーゼス Gepäck zum (JAL) Schalter. ゲペック ツーム （ヤル）シャルター	Può portare questi bagagli al プオ ポルターレ クエスティ バガッリ アル banco della (JAL)? バンコ デッラ （ジャル）	Por favor, lleve este equipaje ポール ファボール ジェベ エステ エキパッヘ al mostrador de (JAL). アル モストゥラドール デ （ジャル）
Wo ist der Schalter der ヴォー イスト デア シャルター デア Fluggesellschaft ~ ? フルークゲゼルシャフト ~	Dov'è il banco della ~ ? ドヴェ イル バンコ デッラ ~	¿Dónde está el mostrador de ドンデ エスター エル モストゥラドール デ la línea aérea ~ ? ラ リーネア アエーレア ~
Einen Nichtraucher- [Einen アイネン ニヒトラウハー [アイネン Raucher-] sitz bitte. ラウハー] スィッツ ビッテ	Mi mette nel settore *non* ミ メッテ ネル セットーレ ノン *fumatori* [fumatori]? フマトーリ [フマトーリ]	Por favor, el asiento para ポール ファボール エル アシエント パラ *no fumadores* [fumadores]. ノー フマドーレス [フマドーレス]
Einen Platz *am Fenster* [am アイネン プラッツ アム フェンスター [アム Gang], bitte. ガング] ビッテ	Un posto vicino *alla finestrina* ウン ポスト ヴィチーノ アッラ フィネストゥリーナ [al passaggio] per favore. [アル パッサッジョ] ペル ファヴォーレ	Por favor, *a la ventanilla* ポール ファボール ア ラ ベンタニージャ [al pasillo]. [アル パシージョ]
Geht der Flug planmäßig ab ? ゲート デア フルーク プランメースィヒ アップ	Questo volo partirà in orario ? クエスト ヴォーロ パルティラ イン オラーリオ	¿Saldrá este vuelo a la hora サルドラ エステ ブエロ ア ラ オラ exacta ? エクサクタ

61

日本語 JAPANESE	英 語 ENGLISH	フランス語 FRANÇAIS
❻どのくらい遅れますか *Dono kurai okuremasu ka?*	How long will it be delayed? ハウ ロング ウィル イット ビー ディレイド	De combien de temps le vol ドゥ コンビアン ドゥ タン ル ヴォル est-il retardé? エティル ルタルデ
❼搭乗開始は何時ですか *Tōjō kaishi wa nanji desu ka?*	When is boarding time? ホェン イズ ボーディング タイム	A quelle heure l'embarquement ア ケ ルール ランバルクマン commence-t-il? コマンス ティル
❽他の航空会社の便を調べて下 *Hoka no kōkū gaisha no bin o* さい *shirabete kudasai.*	Please check other airlines. プリーズ チェック アザー エアラインズ	Pourriez-vous vous renseigner sur プーリエ ヴー ヴー ランセイニエ シュール les vols de départ d'autres com- レ ヴォル ドゥ デパール ドートル コン pagnies? パニー
❾この予約を取消して下さい *Kono yoyaku o torikeshite kudasai.*	Cancel this reservation, please. キャンスル ズィス レザヴェイシュン プリーズ	Voulez-vous annuler ma réserva- ヴーレ ヴー アニュレ マ レゼルヴァ tion? シオン
❿これから間に合う～行きの便 *Korekara maniau ~ iki no bin o* を予約して下さい *yoyaku shite kudasai.*	Reserve the next flight I can リザーヴ ザ ネクスト フライト アイ キャン catch to ~, please. キャッチ トゥ～ プリーズ	Pouvez-vous me faire une réser- プーヴェ ヴー ム フェール ユヌ レゼル vation sur le prochain vol à ヴァシオン シュ ルル プロシャン ヴォル ア destination de ~? デスティナシオン ドゥ～

ドイツ語 DEUTSCH	イタリア語 ITALIANO	スペイン語 ESPAÑOL
Wieviel Verspätung hat der ヴィーフィール フェアシュペートゥング ハット デア **Flug?** フルーク	**Quanto tempo ritarderà?** クアント テンポ リタルデラ	**¿Cuánto tiempo tiene de** クアント ティエンポ ティエネ デ **retraso?** レトゥラーソ
Wann können wir einsteigen? ヴァン ケネン ヴィーア アインシュタイゲン	**A che ora imbarchiamo?** ア ケ オーラ インバルキアーモ	**¿A qué hora empieza el** ア ケッ オーラ エンピエサ エル **embarque?** エンバルケ
Bitte fragen Sie bei anderen ビッテ フラーゲン スィー バイ アンデレン **Fluggesellschaften nach.** フルークゲゼルシャフテン ナッハ	**Può verificare i voli delle** プオ ヴェリフィカーレ イ ヴォーリ デッル **altre compagnie?** アルトゥレ コンパニーエ	**Hágame el favor de ver los** アーガメ エル ファボール デ ベール ロス **vuelos de salida de otras líneas.** ブエロス デ サリーダ デ オートラス リネアス
Ich möchte diese Reservierung イヒ メヒテ ディーゼ レザヴィールング **abstellen.** アップシュテレン	**Può annullare questa** プオ アンヌッラーレ クエスタ **prenotazione?** プレノタツィオーネ	**Por favor, anule la reservación** ポール ファボール アヌーレ ラ レセルバシオン **de este vuelo.** デ エステ ブエロ
Ich möchte den nächstmöglichen イヒ メヒテ デン ネキストメークリヒェン **Flug nach ~ buchen.** フルーク ナッハ ~ ブーヘン	**Può prenotarmi il volo che** プオ プレノタルミ イル ヴォーロ ケ **sta partendo per ~?** スタ パルテンド ペル ~	**Por favor, haga la reservación** ポール ファボール アガ ラ レセルバシオン **del vuelo para ~ que puedo** デル ブエロ パラ ~ ケ プエド **tomar desde ahora.** トマール デスデ アオーラ

63

日本語 JAPANESE	英 語 ENGLISH	フランス語 FRANÇAIS
⓫荷物は全部で(3)個です *Nimotsu wa zenbu de (san) ko desu.*	I have (3) pieces of baggage. アイ ハヴ （スリー）ピースィズ アヴ バゲッジ	J'ai (3) bagages en tout. ジェ （トロワ）バガージュ アン トゥー
⓬超過料金はいくらですか *Chōkaryōkin wa ikura desu ka?*	How much is the excess baggage charge? ハウ マッチ イズズィ エクセス バゲッチ チャーチ	Quel est le tarif pour les bagages en excédent? ケ レ ル タリフ プール レ バガージュ アン ネクセダン
⓭別送手荷物にして下さい *Bessōtenimotsu ni shite kudasai.*	Please send this as unaccompanied baggage. プリーズ センド ズィス アズ アンアカンパニード バゲッチ	Envoyez ceci en bagages non-accompagnés, s'il vous plaît. アンボワイエ ススィ アン バガージュ ノン ナコンパニェ スィル ヴー プレ
⓮ゲート番号を教えて下さい *Gēto bangō o oshiete kudasai.*	What gate number? ホアット ゲイト ナンバー	Quel est le numéro de porte? ケ レ ル ニュメロ ドゥ ポルト
⓯(6)番ゲートはどこですか *(Roku) ban gēto wa doko desu ka?*	Where is Gate (6)? ホエア イズ ゲイト （スィックス）	Où est la porte (6)? ウー エ ラ ポルト （シス）
出国手続き *Shukkoku Tetsuzuki*	EMBARKATION PROCEDURE エンバケイシュン プロスィーチャー	FORMALITÉS DE DÉPART フォルマリテ ドゥ デパール
❶飛行機の予約を再確認したい *Hikōki no yoyaku o saikakunin shitai.*	I'd like to reconfirm a reservation. アイド ライク トゥ リカンファーム ア レザ ヴェイシュン	C'est pour confirmer ma réservation. セ プール コンフィルメ マ レゼル ヴァシオン

ドイツ語 DEUTSCH	イタリア語 ITALIANO	スペイン語 ESPAÑOL
Ich habe insgesamt (3) Gepäck. イヒ ハーベ インスゲザムト （ドライ） ゲペック	**Ho (3) bagagli in tutto.** オ （トゥレ）バガッリ イン トゥット	**Son (3) bultos en total.** ソン （トゥレス）ブルトス エン トタール
Wie viel muß ich für das Übergewicht bezahlen? ヴィー フィール ムス イヒ フューア ダス ユーバーゲヴィヒト ベツァーレン	**Quale è la tariffa dell'eccesso di bagaglio?** クアーレ エ ラ タリッファ デッレッチェッソ ディ バガッリオ	**¿Cuál es la tarifa de exceso de equipaje?** クアール エス ラ タリファ デ エクセッソ デ エキパッヘ
Schicken Sie das bitte als unbegleitetes Gepäck. シッケン ズィー ダス ビッテ アルス ウンベグライテテス ゲペック	**Lo spedisca come bagaglio non-accompagnato.** ロ スペディスカ コメ バガッリオ ノン アッコンパニャート	**Por favor, envíe este equipaje por separado.** ポール ファボール エンビーエ エステ エキパッヘ ポール セパラード
Würden Sie mir bitte die Flugsteignummer sagen? ヴュルデン ズィー ミア ビッテ ディ フルークシュタイクヌマー ザーゲン	**Qual'è il numero dell'uscita.** クアーレ イル ヌーメロ デッルシータ	**Enséñeme el número de la puerta.** エンセーニェメ エル ヌーメロ デ ラ プエルタ
Wo ist Flugsteig (6)? ヴォー イスト フルークシュタイク （ゼックス）	**Dov'è l'uscita numero (6)?** ドヴェ ルシータ ヌーメロ （セイ）	**¿Dónde está la puerta No. (6)?** ドンデ エスター ラ プエルタ ヌーメロ （セイス）
AUSREISEVERFAHREN アウスライゼフェアファーレン	**FORMALITÀ D'IMBARCO** フォルマリタ ディンバルコ	**TRÁMITE DE EMBARQUE** トゥラーミテ デ エンバルケ
Ich möchte meinen Flug bestätigen. イヒ メヒテ マイネン フルーク ベシュテーティゲン	**Vorrei riconfermare la mia prenotazione.** ヴォレイ リコンフェルマーレ ラ ミア プレノタツィオーネ	**Deseo reconfirmar la reservación del vuelo.** デセオ レコンフィルマール ラ レセルバシオン デル ブエロ

65

空港で（出発）

❷（6月10日）の（JAL30便）で
(Roku gatsu tō ka) no (jaru sanjū bin) desu.

(JAL flight No. 30) on (June 10th).
ジャル フライト ナンバー サーティー アン ジューン テンス

C'est sur (le vol 30 de la JAL) (le 10 Juin)
セ シュール（ル ヴォル トラント ドゥ ラ ジャル）（ル ディ ジュアン）

❸（東京）までエコノミークラスに2名です
(Tōkyō) made ekonomi kurasu ni 2 mei desu.

Two economy class tickets for (Tokyo).
トゥー イカナミー クラス ティケッツ フォー（トーキョー）

Ce sont deux places de classe touriste pour (Tokyo).
ス ソン ドゥー プラース ドゥ クラス トゥーリスト プール（トーキョー）

❹名前は～です
Namae wa ～ desu.

The name is ～.
ザ ネイム イズ～

Le nom de passagers est ～.
ル ノン ドゥ パッサジェ エ ～

❺予約を変更したい
Yoyaku o henkō shitai.

I want to change my reservation.
アイ ウォント トゥ チェインヂ マイ レザヴェイシュン

Je voudrais changer ma réservation.
ジュ ヴードレ シャンジェ マ レゼルヴァシオン

❻フィルムを入れたままで感光しませんか
Firumu o ireta mamade kankō shimasen ka ?

Won't it expose the film inside ?
ウォント イット エクスポウズ ザ フィルム インサイド

Il y a une pellicule dans l'appareil. Ne sera-t-elle pas impressionnée ?
イリ ア ユヌ ペリキュル ダン ラパレイユ ヌ スラ テル パ アンプレシオネ

乗り継ぎ *Noritsugi*	CONNECTING FLIGHT カネクティング フライト	CHANGEMENT シャンジュマン

❶私は～へ行く乗り継ぎ客です
Watashi wa ～ e iku noritsugi kyaku desu.

I'm in transit to ～.
アイム イン トランスィット トゥ～

Je suis en transit pour ～.
ジュ スイ アン トランスィット プール ～

66

ドイツ語 DEUTSCH	イタリア語 ITALIANO	スペイン語 ESPAÑOL
(JAL Flugnr. 30) am （ヤル　フルークヌマー　ドライスィッヒ）アム 10. Juni). （ツェーンテ　ユーニ）	(Il volo JAL numero 30) （イル　ヴォーロ　ジャル　ヌーメロ　トゥレンタ） del (10 giugno). デル（ディエーチ　ジューニョ）	Es (el vuelo No. 30 エス　（エル　ブエロ　ヌーメロ　トゥレインタ de JAL), del (10 de junio). デ　ジャル）　デル（ディエス　デ　フーニオ）
Zwei Karten der Touristen- ツヴァイ　カルテン　デア　トゥーリステン klasse nach (Tokio). クラッセ　ナッハ　（トーキョー）	Due sulla classe economica ドゥーエ　スッラ　クラッセ　エコノミカ per (Tokio). ベル　（トーキョー）	Son dos personas en la ソン　ドス　ペルソーナス　エン　ラ Clase Económica hasta (Tokio). クラセ　エコノミカ　アスタ　（トーキョー）
Der Name ist ～. デア　ナーメ　イスト　～	Il mio nome è ～. イル　ミオ　ノーメ　エ　～	Mi nombre es ～. ミ　ノンブレ　エス～
Ich möchte umbuchen. イヒ　メヒテ　ウムブーヘン	Vorrei cambiare la mia ヴォレイ　カンビアーレ　ラ　ミア prenotazione. プレノタツィオーネ	Deseo cambiar la reservación. デオ　カンビアール　ラ　レセルバシオン
Wird die Lichtempfindlichkeit ヴィルト　ディ　リヒトエンプフィントゥリヒカイト des Films nicht beeinträchtigt ? デス　フィルムス ニヒト　ベアイントゥレヒティヒト	Ma questo controllo non マ　クエスト　コントゥロッロ　ノン guasta la pellicola dentro ? グアスタ　ラ　ペッリーコラ　デントロ	¿No se expone la película ノー　セ　エスポネ　ラ　ペリークラ cargada ? カルガーダ
ANSCHLUßFLUG アンシュルスフルーク	CAMBIO DEL VOLO カンビオ　デル　ヴォーロ	TRASBORDO トゥラスボルド
Ich bin ein Transit- イヒ　ビン　アイン　トランジット passagier nach ～. パサジーア　ナッハ　～	Sono passeggero in coincidenza ソーノ　パッセッジェーロ　イン　コインチデンツァ per ～. ベル　～	Soy viajero para ～ por el ソイ　ビアヘーロ　パラ　～　ポール　エル vuelo de conexión. ブエロ　デ　コネシオン

67

日本語 JAPANESE	英 語 ENGLISH	フランス語 FRANÇAIS
❷〜航空の〜便に乗ります *〜 kōkū no 〜 bin ni norimasu.*	I'm on 〜 Airlines flight 〜. アイム アン 〜 エアラインズ フライト 〜	Je vais prendre le vol 〜 de la ジュ ヴェ プランドル ル ヴォル〜 ドゥ ラ compagnie aérienne 〜. コンパニー アエリアンヌ 〜
❸搭乗手続きはどこでするので *Tōjō tetsuzuki wa doko de suruno* すか *desu ka?*	Where do I check in? ホェア ドゥー アイ チェック イン	Où dois-je faire le nécessaire pour ウー ドワ ジュフェール ル ネセール プール l'embarquement? ランバルクマン
❹予約は（東京）で確認してあ *Yoyaku wa (Tōkyō) de kakunin shite* ります *arimasu.*	The reservation was confirmed ザ レザヴェイシュン ワズ カンファームド in (Tokyo). イン（トーキョー）	J'ai confirmé ma réservation à ジェ コンフィルメ マ レゼルヴァシオン ア (Tokyo). （トーキョー）
❺手荷物預り所はどこですか *Tenimotsu azukarijo wa doko desu* *ka?*	Where can I check my bags? ホェア キャナイ チェック マイ バッグズ	Où se trouve la consigne? ウー ス トゥルーブ ラ コンスィーニュ
❻乗機地 *jōkichi*	port of embarkation ポート アヴ エンバケイシュン	le lieu d'embarquement ル リュー ダンバルクマン
❼飛行機 *hikōki*	airplane エアプレイン	l'avion ラヴィオン
❽航空会社 *kōkūgaisha*	airline company エアライン カンパニー	la compagnie aérienne ラ コンパニー アエリアンヌ
❾市内ターミナル *shinai tāminaru*	city terminal スィティー ターミナル	l'aérogare de la ville ラエロガール ドゥ ラ ヴィル
❿国際線 *kokusaisen*	international service インタナシュヌル サーヴィス	les lignes internationales レ リーニュ アンテルナシオナル

ドイツ語 DEUTSCH	イタリア語 ITALIANO	スペイン語 ESPAÑOL
Ich fliege mit ～ 化 フリーゲ ミット Fluggesellschaft Flugnr. ～. フルークゲゼルシャフト フルークヌマー ～	Prenderó il volo ～ della ～. プレンデロ イル ヴォーロ ～ デッラ ～	Tomaré el vuelo No. ～ de トマレ エル ブエロ ヌーメロ ～ デ la línea aérea ～. ラ リーネア アエーレア ～
Wohin muß ich mich wenden, ヴォーヒン ムス 化 ミヒ ヴェンデン um an Bord gehen zu können? ウム アン ボード ゲーエン ツー ケネン	Dove si fanno operazioni ドヴェ シ ファンノ オペラツィオーニ d'imbarco? ディンバルコ	¿Dónde puedo tomar trámite ドンデ プエド トマール トゥラーミテ de embarque? デ エンバルケ
Ich habe meine Reservierung 化 ハーベ マイネ レザヴィールング schon in (Tokio) bestätigt. ショーン イン（トーキョー）ベシュテーティヒト	La prenotazione è confermata ラ プレノタツィオーネ エ コンフェルマータ in (Tokio). イン（トーキョー）	La reservación está confirmada ラ レセルバシオン エスター コンフィルマーダ en (Tokio). エン（トーキョー）
Wo kann ich mein Gepäck ヴォー カン 化 マイン ゲペック zur Aufbewahrung abgeben? ツーア アウフベヴァールング アップゲーベン	Dov'è il deposito bagagli? ドヴェ イル デポジト バガッリ	¿Dónde está la consigna? ドンデ エスター ラ コンシグナ
Ort der Abreise オルト デア アップライゼ	il porto d'imbarco イル ポルト ディンバルコ	el puerto de embarque エル プエルト デ エンバルケ
das Flugzeug ダス フルークツォイク	l'aereo ラエーレオ	el avión エル アビオン
die Fluggesellschaft ディ フルークゲゼルシャフト	la compagnia aerea ラ コンパニーア アエーレア	la compañía de líneas aéreas ラ コンパニーア デ リネアス アエレアス
das Stadtbüro ダス シュタットビューロ	air terminal in città エア テルミナル イン チッタ	la terminal en la ciudad ラ テルミナール エン ラ シウダー
der internationale Dienst デア インターナツィオナーレ ディーンスト	il servizio internazionale イル セルヴィーツィオ インテルナツィオナーレ	el vuelo internacional エル ブエロ インテルナシオナル

日本語 JAPANESE	英 語 ENGLISH	フランス語 FRANÇAIS
⓫国内線 *kokunaisen*	domestic service ドメスティック サーヴィス	les lignes domestiques レ リーニュ ドメスティック
⓬待合室 *machiaishitsu*	waiting room ウェイティング ルーム	la salle d'attente ラ サル ダタント
⓭定期〔臨時〕便 *teiki〔rinji〕bin*	*regular* [extra] flight レギュラー 〔エクストラ〕フライト	le vol *régulier* [supplémentaire] ル ヴォル レギュリエ 〔スュプルマンテール〕
⓮案内所 *annaijo*	information インファメイシュン	le bureau de renseignements ル ビュロー ドゥ ランセイニュマン
⓯時刻表 *jikokuhyō*	timetable タイムテイブル	l'horaire ロレール
⓰飛行番号 *hikō bangō*	flight number フライト ナンバー	le numéro de vol ル ニュメロ ドゥ ヴォル
⓱座席番号 *zaseki bangō*	seat number スィートナンバー	le numéro de siège ル ニュメロ ドゥ シエージュ
⓲自由席 *jiyūseki*	free seating フリー スィーティング	la place non-réservée ラ プラース ノン レゼルヴェ
⓳航空券 *kōkūken*	(airline) ticket （エアライン）ティケット	le billet d'avion ル ビエ ダヴィオン
⓴運賃 *unchin*	fare フェア	le tarif ル タリフ
㉑ファースト・クラス *fāsuto kurasu*	first class ファースト クラス	la première classe ラ プルミエール クラス

ドイツ語 DEUTSCH	イタリア語 ITALIANO	スペイン語 ESPAÑOL
der lokale Dienst デア ロカーレ ディーンスト	il servizio nazionale イル セルヴィーツィオ ナツィオナーレ	el vuelo doméstico エル ブエロ ドメスティコ
der Wartesaal デア ヴァルテザール	la sala d'attesa ラ サーラ ダッテーザ	la sala de espera ラ サーラ デ エスペーラ
der *reguläre Flug* [sonderflug] デア レグレーレ フルーク [ゾンダーフルーク]	il volo *normale* [speciale] イル ヴォーロ ノルマーレ [スペチャーレ]	el vuelo *regular* [extra-ordinario]. エル ブエロ レグラール [エストゥラオルディナーリオ]
das Auskunftsbüro ダス アウスクンフツビュロー	l'ufficio informazioni ルッフィーチョ インフォルマツィオーニ	la oficina de información ラ オフィシーナ デ・インフォルマシオン
der Fahrplan デア ファールプラン	l'orario ロラーリオ	el horario エル オラリオ
die Flugnummer ディ フルークヌマー	il numero del volo イル ヌーメロ デル ヴォーロ	el número del vuelo エル ヌーメロ デル ブエロ
die Platznummer ディ プラッツヌマー	il numero del sedile イル ヌーメロ デル セディーレ	el número del asiento エル ヌーメロ デル アシエント
sich den Platz selbst wählen können スィヒ デン プラッツ ゼルプスト ヴェーレン ケネン	i posti non prenotati イ ポスティ ノン プレノターティ	el asiento libre エル アシエント リブレ
der Flugschein デア フルークシャイン	il biglietto d'aereo イル ビリエット ダエーレオ	*el billete* [el boleto] de avión エル ビジェーテ [エル ボレート] デ アビオン
der Fahrpreis デア ファールプライス	la tariffa ラ タリッファ	el pasaje エル パサッヘ
die erste Klasse ディ エアステ クラッセ	la prima classe ラ プリーマ クラッセ	la primera clase ラ プリメーラ クラセ

71

日本語 JAPANESE	英 語 ENGLISH	フランス語 FRANÇAIS
㉒エコノミー・クラス *ekonomī kurasu*	economy class イカノミー クラス	la classe économique ラ クラス エコノミック
㉓手荷物 *tenimotsu*	baggage バゲッヂ	le bagage à main ル バガージュ ア マン
㉔機内持込み荷物 *kinai mochikomi nimotsu*	carry-on baggage キャリー アン バゲッヂ	le bagage à main ル バガージュ ア マン
㉕スーツケース *sūtsukēsu*	suitcase スートケイス	la valise ラ ヴァリーズ
㉖手荷物引換証 *tenimotsu hikikaeshō*	claim tag クレイム タッグ	le bulletin de bagages ル ビュルタン ドゥ バガージュ
㉗搭乗券 *tōjōken*	boarding pass ボーディング パス	la carte d'embarquement ラ カルト ダンバルクマン
㉘空港税 *kūkōzei*	airport tax エアポート タックス	la taxe d'aéroport ラ タックス ダエロポール
㉙免税店 *menzeiten*	duty-free shop デューティフリー シャップ	la boutique hors taxe ラ ブーティック オール タックス
㉚みやげ品購入免税票 *miyagehin kōnyū menzeihyō*	tax-exempt form タックスエグゼンプト フォーム	le formulaire d'exemption de taxe ル フォルミュレール デグザンプシオン ドゥ タックス
㉛トイレ *toire*	restroom レストルーム	les toilettes レ トワレット

72

ドイツ語 DEUTSCH	イタリア語 ITALIANO	スペイン語 ESPAÑOL
die Touristenklasse ディ トゥーリステンクラッセ	la classe economica ラ クラッセ エコノーミカ	la clase económica ラ クラセ エコノミカ
das Gepäck ダス ゲペック	il bagaglio a mano イル バガッリオ ア マーノ	el equipaje エル エキパッヘ
das Handgepäck ダス ハントゲペック	i bagagli da portare in cabina イ バガッリ ダ ポルターレ イン カビーナ	el equipaje de mano エル エキパッヘ デ マーノ
der Koffer デア コッファー	la valigia ラ ヴァリージャ	la maleta ラ マレタ
der Gepäckschein デア ゲペックシャイン	l'etichetta del bagaglio レティケッタ デル バガッリオ	el talón de equipaje エル タロン デ エキパッヘ
die Einsteigkarte ディ アインシュタイクカルテ	la carta d'imbarco ラ カルタ ディンバルコ	la tarjeta de embarque ラ タルヘータ デ エンバルケ
die Flughafensteuer ディ フルークハーフェンシュトイアー	la tassa aeroportuale ラ タッサ アエロポルトゥアーレ	las tasas de aeropuerto ラス タサス デ アエロプエルト
der zollfreie Laden デア ツォルフライエ ラーデン	il negozio esente da tassa イル ネゴーツィオ エセンテ ダ タッサ	la tienda libre de impuestos ラ ティエンダ リブレ デ インプエストス
das Zollbefreiungsformular ダス ツォルベフライウングスフォルムラール	il modulo per l'esenzione di tasse イル モドゥロ ペル レゼンツィオーネ ディ タッセ	la hoja de exención de impuestos ラ オッハ デ エセンシオン デ インプエストス
die Toilette ディ トアレッテ	la toilette ラ トイレッテ	el servicio / el baño エル セルビシオ エル バーニョ

主要航空会社略称

A A	American Airlines アメリカン航空	K L	KLM Royal Dutch Airlines KLMオランダ航空
A F	Air France エールフランス航空	L H	Lufthansa German Airlines ルフトハンザ・ドイツ航空
A I	Air India エアーインディア航空	M H	Malaysian Airline System マレーシア航空
A Y	Finnair フィンランド航空	M S	Egyptair エジプト航空
A Z	Alitalia アリタリア航空	N H	All Nippon Airways 全日本空輸
B A	British Airways 英国航空	N W	Northwest Airlines ノースウェスト航空
B R	British Caledonian Airways 英国カレドニアン航空	P K	Pakistan International Airlines パキスタン航空
C A	Civil Aviation Administration of China 中国民用航空総局	P R	Philippine Airlines フィリピン航空
		Q F	Qantas Airways カンタス航空
C I	China Airlines 中華航空	R G	Varig-Brazilian Airlines ヴァリグ・ブラジル航空
C O	Continental Airlines コンチネンタル航空	S K	Scandinavian Airlines スカンジナビア航空
C P	Canadian Airlines International カナディアン航空	S N	Sabena Belgia World Airlines サベナ・ベルギー航空
C X	Cathay Pacific Airways キャセイ・パシフィック航空	S Q	Singapore Airlines シンガポール航空
D L	Delta Air Lines デルタ航空	S R	Swissair スイス航空
E G	Japan Asia Airways 日本アジア航空	S U	Aeroflot Soviet Airlines アエロフロート・ソ連航空
G A	Garuda Indonesia ガルーダ・インドネシア航空	T E	Air New Zealand ニュージーランド航空
I A	Iraqi Airways イラク航空	T G	Thai Airways International タイ国際航空
I B	Iberia イベリア航空	U A	United Airlines ユナイテッド航空
I R	Iran Air イラン航空	U L	Air Lanka エアランカ航空
J L	Japan Air Lines 日本航空	U T	UTA French Airlines UTAフランス航空
K E	Korean Air 大韓航空		

主要都市略号

AMS - Amsterdam
ANC - Anchorage
ATH - Athens
BER - Berlin West
BEY - Beirut
BGW - Baghdad
BKK - Bangkok
BOM - Bombay
BRU - Brussels
BUE - Buenos Aires
CAI - Cairo
CCU - Calcutta
CHI - Chicago
CMB - Colombo
CPH - Copenhagen
DAL - Dallas
DEL - Delhi
DUS - Dusseldorf
FRA - Frankfurt
GUM - Guam
GVA - Geneva
HAM - Hamburg

HEL - Helsinki
HKG - Hong Kong
HNL - Honolulu
IAH - Houston
IST - Istanbul
JKT - Jakarta
KHI - Karachi
KUL - Kuala Lumpur
LAX - Los Angeles
LIM - Lima
LIS - Lisbon
LON - London
MAD - Madrid
MEX - Mexico City
MIL - Milan
MNL - Manila
MOW - Moscow
MUC - Munich
NYC - New York
OSA - Osaka
OSL - Oslo
PAR - Paris

PEK - Peking
PNH - Phnom-Penh
RGN - Rangoon
RIO - Rio de Janeiro
ROM - Rome
SCL - Santiago
SEA - Seattle
SEL - Seoul
SFO - San Francisco
SGN - Saigon
SIN - Singapore
STO - Stockholm
SYD - Sydney
THR - Tehran
TLV - Tel Aviv
TPE - Taipei
TYO - Tokyo
VIE - Vienna
WAS - Washington
YUL - Montreal
YVR - Vancouver
ZRH - Zurich

ホテルで

INFORMATION

♣**ホテルの料金**には，室料のみのヨーロピアン・プラン，朝食付きのコンチネンタル・プラン，3食付きのアメリカン・プランがある。

♣**部屋**は，1人用のシングルルーム，1人用ベッドが2つあるツインルーム，ダブルベッド付きのダブルルームがある。

♣**チェックイン**は，フロントで宿泊カードに記入し，部屋の鍵をもらう。料金，部屋の種類のほか，風呂の有無なども確認すること。旅券を預かるホテルもある。

♣**フロント**では，外出時の鍵の受け渡しのほか，手紙や伝言を受け取ったり，観光バスの予約や劇場の入場券の手配などもしてくれる。ただし後者の場合はチップが必要。

♣**部屋**には，ホテルのサービスを説明した案内書が置いてある。クリーニング，ルームサービス，電話のかけ方，モーニングコール，バー・美容院・理髪店の営業時間など，ホテルによってシステムが違うので，必ず目を通しておく。

♣**部屋**で風呂を使用するときは，まず栓をして

カーテンのすそをバスタブの内側に垂らしてから，湯を入れる。体は湯舟の中で洗う。バスタブの外で湯や水を使わないこと。洗い終ったら，湯を捨て，シャワーで石鹸を洗い流す。なお，浴室にヒモがついているのは，緊急のとき人を呼ぶためのものだからむやみに引っぱらない。

♣**浴室**についている小型の便器のようなものは，ビデという洗浄器なので排泄には用いない。

♣**部屋のドア**は，ほとんどが閉めると自動的にロックされる。部屋を出るときは，鍵を忘れないこと。

♣**廊下**は公道と同じ。寝まき姿，スリッパで歩くことは厳禁。

♣**貴重品**は，なるべくフロントのセィフティ・ボックスに預けるようにしたい。ただし出発の際返してもらうことを忘れないように。

♣**チェックアウト**は，鍵をフロントに返し，精算する。チェックアウト・タイムは普通正午だが，ホテルによって違うので要注意。

日本語 JAPANESE	英 語 ENGLISH	フランス語 FRANÇAIS
チェックイン *Chekku in*	CHECK-IN チェック イン	ENREGISTREMENT アンルジストルマン D'ARRIVÉE ダリヴェ
❶受付 *uketsuke*	registration レヂストレイシュン	la réception ラ レセプシオン
❷(東京)で予約しました。これ *(Tōkyō) de yoyaku shimashita.* が確認書です *Kore ga kakuninsho desu.*	I made a reservation in アイ メイド ア レザヴェイシュン イン (Tokyo). Here's my confirmation. (トーキョー) ヒアズ マイ カンファメイシュン	J'ai fait la réservation à (Tokyo). ジェ フェ ラ レゼルヴァシオン ア (トーキョー) Voici la fiche de confirmation. ヴォワスィラ フィッシュドゥ コンフィルマシオン
❸今晩から(3)泊します *Konban kara (san) paku shimasu.*	I'll stay (3) nights. アイルスティ (スリー) ナイツ	Je vais rester (3) nuits à partir ジュ ヴェ レステ (トロワ)ニュイ ア パルティール de ce soir. ドゥ ス ソワール
❹(予約なしで)空き部屋はあり *Akibeya wa* ますか *arimasu ka?*	Can I get a room for tonight? キャナイ ゲット ア ルーム フォートゥナイト	Avez-vous une chambre libre pour アヴェ ヴー ユヌ シャンブル リーブル プール ce soir? ス ソワール
❺ほかのホテルを紹介してくれ *Hoka no hoteru o shōkai shite* ませんか *kuremasen ka?*	Can you recommend another ho- キャニュー レコメンド アナザー ホ tel? テル	Pourriez-vous me recommander プーリエ ヴー ム ルコマンデ un autre hôtel? アン ノートル オテル

ドイツ語 DEUTSCH	イタリア語 ITALIANO	スペイン語 ESPAÑOL
ANMELDUNG アンメルドゥング	**SISTEMAZIONE** システマツィオーネ	**REGISTRARSE (EN HOTEL)** レヒストゥラールセ　（エン　オテル）
der Empfang デア エンプファング	**il ricevimento** イル リチェヴィメント	**recepción** レセプシオン
Ich habe es in (Tokyo) イヒ ハーベ エス イン (トーキョー) **reserviert. Hier ist die** レザヴィールト ヒーア イスト ディ **Bestätigung.** ベシュテーティグング	**Ho fatto la prenotazione in** オ ファット ラ プレノタツィオーネ イン **(Tokyo). Ecco la conferma.** (トーキョー) エッコ ラ コンフェルマ	**La reservación está hecha** ラ レセルバシオン エスター エチャ **en (Tokio). Esto es el com-** エン (トーキョー) エスト エス エル コン **probante.** プロバンテ
Ich möchte von heute an イヒ メヒテ フォン ホイテ アン **(3) Nächte bleiben.** (ドライ)ネヒテ ブライベン	**Per (3) notti da stasera.** ペル (トゥレ)ノッティ ダ スタセーラ	**Voy a hospedarme (3) noches.** ボイ ア オスペダールメ (トゥレス)ノーチェス
Können Sie mir ein Zimmer ケネン ズィー ミア アイン ツィマー **für diese Nacht geben?** フューア ディーゼ ナハト ゲーベン	**Mi da una camera per stanotte?** ミ ダ ウーナ カーメラ ペル スタノッテ	**¿Puedo hospedarme esta noche?** プエド オスペダールメ エスタ ノーチェ
Können Sie mir ein anderes ケネン ズィー ミア アイン アンデレス **Hotel empfehlen?** ホテル エンプフェーレン	**Può raccomandarmi un altro** プオ ラッコマンダルミ ウン アルトロ **albergo?** アルベルゴ	**¿Podría recomendarme otro** ポドゥリーア レコメンダールメ オートゥロ **hotel?** オテル

4

79

日本語 JAPANESE	英 語 ENGLISH	フランス語 FRANÇAIS
❻風呂〔シャワー〕付きの部屋にしたい *Furo〔Shawā〕tsuki no heya ni shitai.*	I'd like a room with *bath* [shower]. アイドライク アルーム ウィズ バス〔シャワー〕	Je désire une chambre avec *salle de bains* [douche]. ジュ デジール ユヌ シャンブル アヴェク サル ドゥ バン〔ドゥーシュ〕
❼1人部屋〔2人部屋〕にしたい *Hitori beya〔Futari beya〕ni shitai.*	I'd like a room for *one* [two]. アイドライク アルーム フォ ワン〔ツー〕	Je désire une chambre à *un lit* [deux lits]. ジュ デジール ユヌ シャンブル ア アン リ〔ドゥー リ〕
❽部屋代はいくらですか *Heyadai wa ikura desu ka?*	What is the rate? ホアット イズ ザ レイト	Quel est le prix de la chambre? ケ レ ル プリ ドゥ ラ シャンブル
❾税・サービス料こみですか *Zei・sābisuryō komi desu ka?*	Including tax and service? インクルーディング タックス アンド サーヴィス	La taxe et le service sont-ils compris? ラ タックス エ ル セルヴィス ソンティル コンプリ
❿料金は朝食付きですか *Ryōkin wa chōshoku tsuki desu ka?*	Is breakfast included? イズ ブレックファスト インクルーデッド	Le petit déjeuner est-il compris? ル プティ デジュネ エティル コンプリ
⓫前金はいりますか *Maekin wa irimasu ka?*	Do you need a deposit? ドゥ ユー ニード ア ディパズィット	Exigez-vous un acompte? エクジジェ ヴー アン ナコント

ドイツ語 DEUTSCH	イタリア語 ITALIANO	スペイン語 ESPAÑOL
Ich möchte ein Zimmer mit *Bad* [Dusche]. イヒ メヒテ アイン ツィマー ミット バート [ドゥッシェ]	Vorrei una camera con *bagno* [doccia]. ヴォレイ ウナ カーメラ コン バーニョ [ドッチャ]	Quiero una habitación con *baño* [ducha]. キエロ ウナ アビタシオン コン バーニョ [ドゥーチャ]
Ich möchte ein Zimmer mit *ein Bett* [zwei Betten] haben. イヒ メヒテ アイン ツィマー ミット アイン ベット [ツヴァイ ベッテン] ハーベン	Vorrei una camera a *singola* [due letti]. ヴォレイ ウナ カーメラ ア シンゴラ [ドゥーエ レッティ]	Quiero una habitación *sencilla* [con dos camas]. キエロ ウナ アビタシオン センシージャ [コン ドス カマス]
Wie teuer ist das Zimmer? ヴィー トイアー イスト ダス ツィマー	Quanto costa una camera? クアント コスタ ウナ カーメラ	¿Cuál es el precio de la habitación? クアル エス エル プレシオ デ ラ アビタシオン
Sind Steuer und Bedienung eingeschlossen? ズィント シュトイアー ウント ベディーヌング アイングシュロッセン	La tassa e il servizio compresi? ラ タッサ エ イル セルヴィーツィオ コンプレージ	¿Inclusive impuesto y servicio? インクルシーベ インプエスト イ セルビシオ
Ist das Frühstück in diesem Preis eingeschlossen? イスト ダス フリューシュテュック イン ディーゼム プライス アイングシュロッセン	La prima colazione è inclusa in questo prezzo? ラ プリマ コラツィオーネ エ インクルーサ イン クエスト プレッツォ	¿Está incluído el desayuno en este precio? エスタ インクルイード エル デサジューノ エン エステ プレシオ
Muß ich eine Anzahlung machen? ムス イヒ アイネ アンツァールング マッヘン	Richiedete un deposito? リキエデーテ ウン デポージト	¿Es necesario hacer algún depósito? エス ネセサリオ アセール アルグン デポシト

81

日本語 JAPANESE	英 語 ENGLISH	フランス語 FRANÇAIS
⓬もっと安い部屋はありませんか *Motto yasui heya wa arimasen ka?*	Is there anything cheaper? イズ ゼア エニスィング チーパー	Avez-vous une chambre moins アヴェ ヴー ユヌ シャンブル モワン chère? シェール
⓭静かな部屋を頼みます *Shizukana heya o tanomimasu.*	I'd like a quiet room. アイドライク ア クワイエット ルーム	Donnez-moi une chambre tran- ドネ モワ ユヌ シャンブル トラン quille. キル
⓮今すぐ部屋に入れますか *Ima sugu heya ni hairemasu ka?*	May I enter the room now? メイ アイエンター ザ ルーム ナウ	Puis-je entrer dans ma chambre ピュイ ジュアントレ ダン マ シャンブル maintenant? マントナン
⓯チェックアウト・タイムは何 *Chekku auto taimu wa nanji desu* 時ですか *ka?*	When is check-out time? ホェン イズ チェック アウト タイム	A quelle heure faut-il quitter la ア ケ ルール フォーティル キテ ラ chambre? シャンブル
⓰もう一泊したい *Mō ippaku shitai.*	I want to stay one day longer. アイ ウォントトゥ スティ ワン ディ ロンガー	Je désire séjourner un jour de plus. ジュ デジール セジュルネ アン ジュールドゥプリ
⓱1日早く発ちたい *Ichinichi hayaku tachitai.*	I want to leave one day earlier. アイ ウォントトゥ リーヴ ワン ディ アーリアー	Je désire partir un jour plus tôt. ジュ デジール パルティル アン ジュール プリュ トー

82

ドイツ語 DEUTSCH	イタリア語 ITALIANO	スペイン語 ESPAÑOL
Haben Sie etwas Billigeres? ハーベン スィー エトヴァス ビリゲレス	**Ne avete una più economica?** ネ アヴェーテ ウナ ピュ エコノミカ	**¿No hay otra habitación** ノ アイ オートゥラ アビタシオン **más barata?** マス バラタ
Geben Sie mir bitte ein ゲーベン スィー ミア ビッテ アイン **ruhiges Zimmer.** ルーイゲス ツィマー	**Mi da una camera tranquilla?** ミ ダ ウナ カーメラ トランクィッラ	**Déme una habitación tranquila.** デーメ ウナ アビタシオン トランキィラ
Kann ich gleich ins Zimmer? カン イヒ グライヒ インス ツィマー	**Posso usare la camera subito?** ポッソ ウザーレ ラ カーメラ スービト	**¿Puedo entrar ahora mismo** プエド エントゥラール アオーラ ミスモ **en la habitación?** エン ラ アビタシオン
Um wieviel Uhr muß man ウム ヴィフィール ウーア ムス マン **das Hotel verlassen?** ダス ホテル フェアラッセン	**A che ora devo lasciare la** ア ケ オーラ デーヴォ ラシャーレ ラ **camera?** カーメラ	**¿A qué hora tengo que dejar** ア ケ オーラ テンゴ ケ デハール **la habitación?** ラ アビタシオン
Ich möchte einen Tag länger イヒ メヒテ アイネン ターク レンガー **bleiben.** ブライベン	**Vorrei stare un giorno di più.** ヴォレイ スターレ ウン ジョルノ ディ ピュ	**Quisiera estar aquí un** キシエラ エスタール アキィ ウン **día más.** ディア マス
Ich möchte einen Tag früher イヒ メヒテ アイネン ターク フリューアー **abreisen.** アプライゼン	**Vorrei partire un giorno prima.** ヴォレイ パルティーレ ウン ジョルノ プリーマ	**Voy a salir un día antes.** ボイ ア サリール ウン ディア アンテス

日本語 JAPANESE	英 語 ENGLISH	フランス語 FRANÇAIS
案 内 *Annai*	**INFORMATION** インフォメイシュン	**RENSEIGNEMENTS** ランセイニュマン
❶食堂はどこにありますか *Shokudō wa doko ni arimasu ka?*	**Where is the dining room?** ホェア イズ ザ ダイニング ルーム	**Où est le restaurant principal?** ウー エ ル レストラン プランシパル
❷ほかに軽食堂はありますか *Hoka ni keishokudō wa arimasu ka?*	**Is there also a snack bar?** イズゼア オールソウアスナック バー	**Est ce qu'il y en a d'autres pour** エ ス キ リアンナ ドートル プール **manger légèrement?** マンジェ レジェールマン
❸朝食は部屋でとれますか *Chōshoku wa heya de toremasu ka?*	**Can I have breakfast in my room?** キャナイ ハヴ ブレックファスト イン マイ ルーム	**Pouvez-vous me servir le petit** プーヴェ ヴー ム セルヴィール ル プティ **déjeuner dans la chambre?** デジュネ ダン ラ シャンブル
❹非常口はどこにありますか *Hijōguchi wa doko ni arimasu ka?*	**Where is the emergency exit?** ホェア イズ スィ イマーチェンスィー エグズィット	**Où se trouve la sortie de secours?** ウー ス トルーヴ ラ ソルティ ドゥスクール
❺食堂は何時に開きますか *Shokudō wa nanji ni hirakimasu ka?*	**What time does the dining room** ホァット タイム ダズ ザ ダイニング ルーム **open?** オウプン	**A quelle heure le restaurant** ア ケ ルール ル レストラン **ouvre-t-il?** ウーヴル ティル
❻日本語を話せる人はいますか *Nihongo o hanaseru hito wa imasu ka?*	**Can someone here speak Japanese?** キャン サムワン ヒア スピーク チャパニーズ	**Y-a-t-il quelqu'un qui parle japo-** ヤ ティル ケルカン キ パルル ジャポ **nais?** ネ

84   ☞ 朝食 P.102   レストランで P.116

ドイツ語 DEUTSCH	イタリア語 ITALIANO	スペイン語 ESPAÑOL
AUSKUNFT アウスクンフト	**INFORMAZIONI** インフォルマツィオーニ	**INFORMACIÓN** インフォルマシオン
Wo ist das Restaurant ? ヴォー イスト ダス レストラーン	**Dov'è il ristorante principale ?** ドヴェ イル リストランテ プリンチパーレ	**¿Dónde está el comedor ?** ドンデ エスターエル コメドール
Gibt es auch ein Snackbar ? ギーブト エス アウホ アイン シュナックバー	**Poi, c'è anche il coffee-shop ?** ポーイ チェ アンケ イル コフィーショップ	**¿No hay cafetería ?** ノー アイ カフェテリーア
Kann ich das Frühstück カン イヒ ダス フリューシュトゥック **in meinem Zimmer haben ?** イン マイネム ツィマー ハーベン	**Si può prendere la prima** シ プオ プレンデレ ラ プリーマ **colazione in camera ?** コラツィオーネ イン カーメラ	**¿Puedo tomar el desayuno** プエド トマール エル デサジューノ **en la habitación ?** エン ラ アビタシオン
Wo ist der Notausgang ? ヴォー イスト デア ノートアウスガング	**Dov'è l'uscita d'emergenza ?** ドヴェ ルシータ デメルジェンツァ	**¿Dónde está la salida de** ドンデ エスター ラ サリーダ デ **emergencia ?** エメルヘンシア
Wann öffnet das Restaurant ? ヴァン エフネット ダス レストラーン	**A che ora si apre la sala da** ア ケ オーラ シ アープレ ラ サーラ ダ **pranzo ?** プランゾ	**¿A qué hora se abre el** アッ ケー オーラ セ アブレ エル **comedor ?** コメドール
Spricht hier jemand シュプリヒト ヒーア イェーマント **Japanisch ?** ヤパーニッシュ	**C'è qualcuno che parli** チェ クアルクーノ ケ パルリ **giapponese ?** ジャポネーゼ	**¿Hay aquí alguien que hable** アイ アキィ アルギエン ケ アブレ **japonés ?** ハポネス

日本語 JAPANESE	英 語 ENGLISH	フランス語 FRANÇAIS
❼美容院〔理髪店〕はあります か *Biyōin [Rihatsuten] ua arimasu ka?*	Is there a *beauty* [barber] shop? イズ ゼア アビューティー[バーバー] シャップ	Y-a-t-il un *salon de coiffure* ヤ ティル アン サロン ドゥ コワヒュール [coiffeur pour hommes]? [コワフール プール オム]
❽私あての手紙〔伝言〕が届い ていますか *Watashi ate no tegami [dengon] ga todoite imasu ka?*	Are there any *letters* [messages] アー ゼア エニー レターズ [メセヂズ] for me? フォー ミー	Y-a-t-il *une lettre* [un message] ヤ ティル ユヌ レットル [アン メッサージュ] pour moi? プール モワ
❾この手紙を航空〔船〕便でだ して下さい *Kono tegami o kōkū [funa] bin de dashite kudasai.*	Please send this letter by *air* [sea] プリーズ センド ズィス レター バイ エア [スィー] mail. メイル	Voulez-vous envoyer cette lettre ヴーレ ヴー アンボワイエ セット レットル par *avion* [bateau] s'il vous パール アヴィオン [バトー] スィル ヴー plaît. プレ
❿この荷物を日本へ送りたいの ですが *Kono nimotsu o Nihon e okuritai no desu ga.*	I'd like to send this baggage to アイドライク トゥ センド ズィス バゲッチ トゥ Japan. チャパン	Je voudrais envoyer ce colis au ジュ ヴードレ アンヴォワイエ ス コリ オー Japon. ジャポン
⓫貴重品を預かってもらえます か *Kichōhin o azukatte moraemasu ka?*	Can I check my valuables with キャナイ チェック マイ ヴァリュアブルズ ウィズ you? ユー	Pouvez-vous garder mes objets プーヴェ ヴー ガルデ メ ソブジェ de valeur? ドゥ ヴァルール

　☞ 美容院・理髪店 P.98　　郵便 P.264

ドイツ語 DEUTSCH	イタリア語 ITALIANO	スペイン語 ESPAÑOL
Gibt es einen *Damen-* ギープト エス アイネン ダーメン **[Herren-] Friseur im Hotel?** [ヘレン] フリズーア イム ホテル	**C'è un *parrucchiere* [barbiere]?** チェ ウン パルッキエーレ [バルビエーレ]	**¿Hay *salón* de *belleza* [peluquería]?** アイ サロン デ ベジェッサ [ペルケリーア]
Wurde *ein Brief* [eine ヴルデ アイン ブリーフ [アイネ **Benachrichtigung] für mich** ベナハリヒティグング] フューア ミヒ **hinterlassen?** ヒンターラッセン	**Avete qualche lettera [messaggio] per me?** アヴェーテ クアルケ レッテラ [メッサッジョ] ペル メ	**¿Ha llegado *una carta dirigida a mí* [un recado para mí]?** ア ジェガード ウナ カルタ ディリヒータ ア ミー [ウン レカード パラ ミー]
Bitte, schicken Sie diesen Brief ビッテ シッケン ズィー ディーゼン ブリーフ **mit *Luftpost* [Schiffpost].** ミット ルフトポスト [シッフポスト]	**Spedisca questa lettera per via *aerea* [mare].** スペディスカ クエスタ レッテラ ペル ヴィーア アエーレア [マーレ]	**Por favor, mande esta carta por *avión* [barco].** ポール ファボール マンデ エスタ カルタ ポール アビオン [バルコ]
Ich möchte dieses Paket イヒ メヒテ ディーゼス パケート **nach Japan schicken.** ナッハ ヤーパン シッケン	**Vorrei spedire questo pacco in Giappone.** ヴォレイ スペディーレ クエスト パッコ イン ジャッポーネ	**Deseo enviar este equipaje a Japón.** デセオ エンビアール エステ エキパッヘ ア ハポン
Kann ich Ihnen meine カン イヒ イーネン マイネ **Wertsachen zur Aufbewahrung** ヴェルトザッヘン ツーア アウフベヴァールング **geben?** ゲーベン	**Posso lasciare in custodia qualche oggetto di valore?** ポッソ ラシャーレ イン クストーディア クアルケ オッジェット ディ ヴァローレ	**¿Podría guardar los efectos de valor?** ポドゥリーア グアルダール ロス エフェクトス デ バロール

87

日本語 JAPANESE	英 語 ENGLISH	フランス語 FRANÇAIS
⓬このホテルの住所を書いたカ *Kono hoteru no jūsho o kaita kādo* **ードを下さい** *o kudasai.*	**Please give me a card with this** プリーズ ギヴ ミー ア カード ウィズ ズィス **hotel's address.** ホテルズ アドレス	**Donnez-moi une carte de cet hô-** ドネ モワ ユヌ カルト ドゥセット **tel avec son adresse.** テル アヴェック ソン ナドレス
⓭ここで観光バスの切符を買え *Koko de kankō basu no kippu o* **ますか** *kaemasu ka?*	**Can I buy tickets for a sightsee-** キャナイ バイ ティケッツ フォー ア サイトスィー **ing bus here?** イング バス ヒア	**Puis-je acheter un billet pour ex-** ピュイ ジュ アシュテ アン ビエ プール エクス **cursion organisée en autocar ici?** キュルシオン オルガニゼ アン ノートカー イスィ
⓮ここから一ばん近い地下鉄駅 *Koko kara ichiban chikai chikatetsu* **はどこですか** *eki wa doko desu ka?*	**Where is the nearest *subway*** ホェア イズ ザ ニアレスト サブウェイ **[underground] station?** [アンダーグラウンド] ステイシュン	**Quelle est la station de Métro la** ケ レ ラ スタシオン ドゥ メトロ ラ **plus proche?** プリュ プローシュ
⓯この荷物を預かってもらえま *Kono nimotsu o azukatte moraemasu* **すか** *ka?*	**Can you keep this baggage for** キャニュー キープ ズィス バゲッチ フォー **me?** ミー	**Pouvez-vous me garder ces baga-** プーヴェ ヴー ム ガルデ セ バガー **ges?** ジュ
⓰預けた荷物をもらいたい *Azuketa nimotsu o moraitai.*	**May I have my baggage back?** メイ アイ ハヴ マイ バゲッチ バック	**Je voudrais retirer mes bagages.** ジュ ヴードレ ルティレ メ バガージュ
⓱空港〔市内ターミナル〕まで *Kūkō〔Shinai tāminaru〕made* **タクシーで何分くらいですか** *takushī de nanpun kurai desu ka?*	**How long does it take to go to** ハウ ロング ダズ イット テイク トゥ ゴウ トゥ **the *airport* [city terminal] by** ズィ エアポート [スィティー ターミナル] バイ **taxi?** タクスィー	**Combien de temps faut-il pour** コンビアン ドゥ タン フォーティル プール **aller à l'*aéroport*[l'aérogare de** アレ ア ラエロポール [ラエロガール ドゥ **la ville] en taxi?** ラ ヴィル] アン タクシー

☞観光バス P.192　　地下鉄 P.158　　タクシー P.154

ドイツ語 DEUTSCH	イタリア語 ITALIANO	スペイン語 ESPAÑOL
Geben Sie mir bitte eine Karte ゲーベン ズィー ミア ビッテ アイネ カルテ mit der Anschrift dieses Hotels. ミット デア アンシュリフト ディーゼス ホテルス	Mi da una carta indicante ミ ダ ウナ カルタ インディカンテ l'indirizzo di quest'albergo ? リンディリッツォ ディ クエスタルベルゴ	Por favor, déme una tarjeta ポール ファボール デーメ ウナ タルヘータ con la dirección de este hotel. コン ラ ディレクシオン デ エステ オテル
Kann ich hier eine Karte für カン 化 ヒーア アイネ カルテ フーア den Stadtrundfahrtbus kaufen ? デン シュタットルントファールトブス カウフェン	Si può comprare qui un シ プオ コンプラーレ クイ ウン biglietto per la gita turistica ? ビリエット ペル ラ ジータ トゥリスティカ	¿Aquí se puede comprar billete アキィ セ プエデ コンプラール ビジェーテ [boleto] de autobús de turismo ? [ボレート] デ アウトブス デ トゥリスモ
Wo ist die nächste ヴォー イスト ディ ネーキステ U-bahnstation ? ウー バーンシュタツィオーン	Dov'è la più vicina stazione ドヴェ ラ ピュ ヴィチーナ スタツィオーネ di metropolitana ? ディ メトロポリターナ	¿Dónde está la estación de ドンデ エスターラ エスタシオン デ metro más cercana desde aquí ? メトゥロ マス セルカーナ デスデ アキィ
Kann ich hier mein Gepäck カン 化 ヒーア マイン ゲペック zur Aufbewahrung lassen ? ツーア アウフベヴァールング ラッセン	Si può consegnare qui questa シ プオ コンセニャーレ クイ クエスタ valigia ? ヴァリージャ	¿Podría depositar este equipaje ? ポドゥリーア デポジタール エステ エキパッヘ
Ich möchte mein Gepäck 化 メヒテ マイン ゲペック wieder abholen. ヴィーダー アップホーレン	Vorrei ritirare la valigia ヴォレイ リティラーレ ラ ヴァリージャ consegnata. コンセニャータ	Entrégueme el equipaje エントゥレーゲメ エル エキパッヘ depositado. デポジタード
Wie lange dauert es mit dem ヴィー ランゲ ダウエルト エス ミット デム Taxi zum Flughafen [Stadt- タクシー ツーム フルークハーフェン [シュタット büro] ? ビュロー]	Quanti minuti ci vorranno per クアンティ ミヌーティ チ ヴォランノ ペル andare all'aeroporto [al city アンダーレ アッラエロポルト [アル シティー terminal] con tassi ? ターミナル] コン タッシー	¿Cuántos minutos se tarda en クアントス ミヌートス セ タルダ エン llegar al aeropuerto [a la ジェガール アル アエロプエルト [ア ラ terminal de la ciudad] por taxí ? テルミナール デ ラ シウダー] ポール タクシー

89

日本語 JAPANESE	英 語 ENGLISH	フランス語 FRANÇAIS
部屋で *Heya de*	IN THE ROOM イン ザ ルーム	DANS LA CHAMBRE ダン ラ シャンブル
❶おはいりなさい *Ohairi nasai.*	Come in. カム イン	Entrez, s'il vous plaît. アントレ スィル ヴー プレ
❷ちょっと待って下さい *Chotto matte kudasai.*	Just a moment. チャストア モウメント	Un moment s'il vous plaît. アン モマン スィル ヴー プレ
❸〜を持ってきて下さい *〜 o mottekite kudasai.*	Please bring me 〜. プリーズ ブリング ミー 〜	Apportez-moi 〜 s'il vous plaît. アポルテ モワ 〜 スィルヴー プレ
❹明朝(6)時に起こして下さい *Myōchō (roku) ji ni okoshite kudasai.*	I'd like a wake-up call tomorrow アイド ライクア ウェイクアップ コール トゥマロウ at (6) A.M. アット (スィックス) エイエム	Réveillez-moi à (6) heures レヴェイエ モワ ア (シズ) ウール demain matin, s'il vous plaît. ドゥマン マタン スィル ヴー プレ
❺飲むお湯を持ってきて下さい *Nomu oyu o mottekite kudasai.*	Please bring me some hot drink- プリーズ ブリング ミー サム ハット ドリンキ ing water. ング ウォーター	Apportez-moi de l'eau potable アポルテ モワ ドゥ ロー ポターブル chaude, s'il vous plaît. ショード スィル ヴー プレ
❻氷と水を持ってきて下さい *Kōri to mizu o mottekite kudasai.*	Please bring me some ice and プリーズ ブリング ミー サム アイス アンド water. ウォーター	Apportez-moi de l'eau et des gla- アポルテ モワ ドゥ ロー エ デ グラ çons, s'il vous plaît. ソン スィル ヴー プレ
❼市内通話 *shinai tsūwa*	local call ロウカル コール	la communication téléphonique à ラ コミュニカシォン テレフォニック ア l'intérieur pour la ville ランテリュール プール ラ ヴィル

☞ 朝食 P.102　電話 P.268

ドイツ語 DEUTSCH	イタリア語 ITALIANO	スペイン語 ESPAÑOL
IM ZIMMER イム ツィマー	**NELLA CAMERA** ネッラ カーメラ	**EN LA HABITACIÓN** エン ラ アビタシオン
Herein. ヘライン	**Avanti.** アヴァンティ	*Entre* [Adelante]. エントゥレ [アデランテ]
Einen Moment bitte. アイネン モメント ビッテ	**Un momento.** ウン モメント	**Espere un momento.** エスペレ ウン モメント
Bringen Sie mir bitte ~. ブリンゲン スィー ミア ビッテ ~	**Mi porti ~, per favore.** ミ ポルティ ~ ペル ファヴォーレ	**Por favor, tráigame ~.** ポール ファボール トライガメ ~
Wecken Sie mich bitte ヴェッケン スィー ミヒ ビッテ **morgen um (6) Uhr.** モルゲン ウム (ゼックス) ウーア	**Mi svegli alle (6)** ミ スヴェッリ アッレ (セイ) **domattina.** ドマッティーナ	**Por favor, despiérteme mañana** ポール ファボール デスピエルテメ マニャーナ **por la mañana a las (6).** ポール ラ マニャーナ ア ラス (セイス)
Bringen Sie mir bitte etwas ブリンゲン スィー ミア ビッテ エトヴァス **warmes Trinkwasser.** ヴァーメス トリンクヴァッサー	**Mi porti un bicchiere** ミ ポルティ ウン ビッキエーレ **d'acqua calda.** ダックア カルダ	**Tráigame agua caliente para** トゥライガメ アグア カリエンテ パラ **beber.** ベベール
Bringen Sie mir bitte etwas ブリンゲン スィー ミア ビッテ エトヴァス **Eis und Wasser.** アイス ウント ヴァッサー	**Mi porti dei ghiacci e** ミ ポルティ デイ ギアッチ エ **d'acqua, per favore.** ダックア ペル ファヴォーレ	**Por favor, tráigame hielo** ポール ファボール トゥライガメ イエーロ **y agua.** イ アグア
das Ortsgespräch ダス オルツゲシュプレーヒ	**la comunicazione urbana** ラ コムニカツィオーネ ウルバーナ	**la conferencia urbana** ラ コンフェレンシア ウルバーナ

91

日本語 JAPANESE	英 語 ENGLISH	フランス語 FRANÇAIS
❽国際通話 *kokusai tsūwa*	international call インタナショヌル　コール	la communication téléphonique à ラ　コミュニカシオン　テレフォニック　ア l'étranger レトランジェー
❾起こさないで下さい *okosanaide kudasai.*	PLEASE DON'T DISTURB プリーズ　ドウント　ディスターブ	NE PAS DÉRANGER, S'IL ヌ　パ　デランジェ　スィル VOUS PLAÎT ヴー　プレ
❿部屋を掃除して下さい *Heya o sōji shite kudasai.*	PLEASE MAKE UP THIS プリーズ　メイク　アップ ズィス ROOM ルーム	FAITES LA CHAMBRE, S'IL フェット　ラ　シャンブル　スィル VOUS PLAÎT ヴー　プレ
苦 情 *Kujō*	COMPLAINTS カンプレインツ	RÉCLAMATION レクラマシオン
❶部屋を替えたい *Heya o kaetai.*	I'd like to change my room. アイドライク トゥ チェインヂ マイ ルーム	Je voudrais changer ma chambre. ジュ ヴードレ　シャンジェ　マ　シャンブル
❷この部屋はうるさい *Kono heya wa urusai.*	This room is noisy. ズィス ルーム イズ ノイズィー	Cette chambre est trop bruyante. セット シャンブル エ トゥロ ブリュイヤント
❸石けん〔タオル〕がない *Sekken [Taoru] ga nai.*	There's no *soap* [towel]. ゼアズ　ノウ ソウプ ［タウアル］	Il n'y a pas *de savon* [de servi- イルニ ア パ ドゥ サヴォン ［ドゥ セルヴィ ettes]. エット］

ドイツ語 DEUTSCH	イタリア語 ITALIANO	スペイン語 ESPAÑOL
das Auslandsgespräch ダス アウスランズゲシュプレーヒ	la comunicazione internazionale ラ コムニカツィオーネ インテルナツィオナーレ	la conferencia internacional ラ コンフェレンシア インテルナシオナール
BITTE NICHT STÖREN ビッテ ニヒト シュテーレン	NON DISTURBATE ノン ディストゥルバーテ	POR FAVOR, NO MOLESTEN ポール ファボール ノ モレステン
BITTE ZIMMER AUF- ビッテ ツィマー アウフ RÄUMEN ロイメン	PULITE LA CAMERA プリーテ ラ カーメラ	POR FAVOR, HAGAN LA ポール ファボール アガン ラ CAMA カマ
BESCHWERDE ベシュヴェールデ	**RECLAMO** レクラーモ	**QUEJA** ケッハ
Ich möchte das Zimmer イヒ メヒテ ダス ツィマー wechseln. ヴェクセルン	Vorrei cambiare la mia ヴォレイ カンビアーレ ラ ミア camera. カーメラ	Deseo cambiar de habitación. デセオ カンビアール デ アビタシオン
Dieses Zimmer ist zu laut. ディーゼス ツィマー イスト ツー ラウト	Questa camera è rumorosa. クエスタ カーメラ エ ルモローサ	Esta habitación es ruidosa. エスタ アビタシオン エス ルイドーサ
Es ist *keine Seife* [kein エス イスト カイネ ザイフェ ［カイン Handtuch] hier. ハントトゥーフ］ ヒーア	Non c'è *sapone* [asciugamano]. ノン チェ サポーネ ［アシュガマーノ］	No hay *jabón* [toalla]. ノー アイ ハボン ［トアージャ］

93

日本語 JAPANESE	英 語 ENGLISH	フランス語 FRANÇAIS
❹鍵がこわれている *Kagi ga kowarete iru.*	The lock is broken. ザ ロック イズ ブロウクン	Cette serrure est cassée. セット セリュール エ カッセ
❺部屋に鍵を置き忘れた *Heya ni kagi o okiwasureta.*	I left my key in my room. アイ レフト マイ キー インマイ ルーム	J'ai oublié la clef dans ma chambre. ジェ ウーブリエ ラ クレ ダン マ シャンブル
❻頼んだ朝食がまだきません *Tanonda chōshoku ga mada kimasen.*	I'm still waiting for the breakfast I ordered. アイム スティルウェイティングフォー ザ ブレックファストアイ オーダード	Mon petit déjeuner n'est pas encore servi. モン プティ デジュネ ネ パ ザンコール セルヴィ
❼お湯がでない *Oyu ga denai.*	There's no hot running water. ゼアズ ノウ ハット ラニング ウォーター	Il n'y a pas d'eau chaude. イルニ ア パ ドー ショード
❽風呂の栓がしまらない *Furo no sen ga shimaranai.*	I can't stop the drain in the bathtub. アイ キャント スタップ ザ ドレイン イン ザ バス タブ	Le bouchon de la baignoire ne marche pas. ル ブーション ドゥ ラ ベニョワール ヌ マルシュ パ
❾テレビがつかない *Terebi ga tsukanai.*	The TV doesn't work. ザ ティーヴィー ダズント ワーク	La télévision ne marche pas. ラ テレヴィジオン ヌ マルシュ パ
❿トイレの水が流れない *Toire no mizu ga nagarenai.*	The toilet doesn't flush. ザ トイレット ダズント フラッシュ	La chasse d'eau des toilettes ne marche pas. ラ シャス ドー デ トワレット ヌ マルシュ パ

94

ドイツ語 DEUTSCH	イタリア語 ITALIANO	スペイン語 ESPAÑOL
Dieses Schloß ist nicht in Ordnung. ディーゼス シュロス イスト ニヒト イン オルドヌング	**Questa serratura è rotta.** クエスタ セラトゥーラ エ ロッタ	**Esta cerradura está rota.** エスタ セラドゥーラ エスタ ロタ
Ich habe den Schlüssel in meinem Zimmer gelassen. イヒ ハーベ デン シュリュッセル イン マイネム ツィマー ゲラッセン	**Ho lasciato la chiave nella mia camera.** オ ラシャート ラ キャーヴェ ネッラ ミア カーメラ	**Dejé la llave dentro de mi habitación.** デへ ラ ジャーベ デントロ デ ミ アビタシオン
Ich warte immer noch auf mein Frühstück. イヒ ヴァルテ インマー ノホ アウフ マイン フリューシュテュック	**Non viene ancora la prima colazione che ho ordinata.** ノン ヴィエーネ アンコーラ ラ プリーマ コラツィオーネ ケ オ オルディナータ	**Todavía no me han traído el desayuno que he pedi.** トダビーア ノー メ アン トゥライード エル デサジューノ ケ エ ペディー
Es kommt kein warmes Wasser. エス コムト カイン ヴァルメス ヴァッサー	**Non esce l'acqua calda.** ノン エッシェ ラックア カルダ	**No sale agua caliente.** ノー サーレ アグァ カリエンテ
Der abfluß in der Badewanne hält nicht dicht. デア アップフルス イン デア バーデヴァンネ ヘルト ニヒト ディヒト	**Non si chiude il tappo di bagno.** ノン シ キューデ イル タッポ ディ バーニョ	**No se puede cerrar el tapón de la *bañera* [tina].** ノー セ プエデ セラール エル タポン デ ラ バニェーラ [ティーナ]
Der Fernsehapparat funktioniert nicht. デア フェルンゼーアパラート フンクツィオニールト ニヒト	**Non funziona il televisore.** ノン フンツィオーナ イル テレヴィゾーレ	**No funciona el televisor.** ノー フンシオーナ エル テレビソール
Die Spülung in der Toilette funktioniert nicht. ディ シュピューレング イン デア トアレッテ フンクツィオニールト ニヒト	**Non corre l'acqua nel vaso.** ノン コルレ ラックア ネル ヴァーゾ	**No vierte el agua del excusado.** ノー ビエルテ エル アグァ デル エスクサード

95

日本語 JAPANESE	英 語 ENGLISH	フランス語 FRANÇAIS
⓫とにかくボーイを1人よこして下さい *Tonikaku bōi o hitori yokoshite kudasai.*	**Anyway, please send someone up.** エニウェイ　プリーズ　センド　サムワン　ナップ	**En tout cas, faites venir un garçon, s'il vous plaît.** アン トゥー カ フェット ヴニール アン ガルソン　スィル ヴー　プレ
クリーニング *Kurīningu*	**LAUNDRY** ローンドリー	**BLANCHISSAGE** ブランシサージュ
❶これにアイロンをかけて下さい *Kore ni airon o kakete kudasai.*	**Please have this pressed.** プリーズ　ハヴ　ズィス　プレスト	**Repassez-moi ça, s'il vous plaît.** ルパッセ　モワ サ スィル ヴー　プレ
❷クリーニングを頼みます *Kurīningu o tanomimasu.*	**I have some laundry.** アイ ハヴ　サム　ローンドリー	**J'ai du linge à nettoyer** ジェ デュ ランジュ ア ネトワイエ
❸明日〔明後日〕までにしあがりますか *Ashita [Asatte] made ni shiagarimasu ka?*	**Will it be ready by *tomorrow*** ウィル イット ビー レディ バイ トゥマロウ **[the day after tomorrow]?** [ザ　デイ アフター トゥマロウ]	**Pouvez-vous me le faire pour *demain* [après-demain]?** プーヴェ ヴー ム ル フェール プール ドゥ マン　[アプレ　ドゥマン]
❹洗濯物が戻らないのですが *Sentakumono ga modoranai no desu ga.*	**I'm still waiting for my laundry.** アイム スティルウェイティング フォー マイ ローンドリー	**Mon linge n'est pas encore rapporté.** モン ランジュ ネ パ ザンコール ラ ポルテ

ドイツ語 DEUTSCH	イタリア語 ITALIANO	スペイン語 ESPAÑOL
Lassen Sie bitte jemanden kommen. ラッセン ズィー ビッテ イェーマンデン コメン	**Ad ogni modo mi manda qualcuno ?** アド-ニ モード ミ マンダ クワルクーノ ?	**De todos modos, por favor, mande que venga el camarero.** デ トードス モードス ポール ファボール マンデ ケ ベンガ エル カマレーロ

REINIGUNG ライニグング	**LAVANDERIA** ラヴァンデリーア	**LAVANDERÍA** ラバンデリーア
Bitte bügeln Sie diese Sachen. ビッテ ビューゲルン ズィー ディーゼ ザッヘン	**Mi faccia stirare queste cose.** ミ ファッチャ スティラーレ クエステ コーセ	**Por favor, pláncheme estas cosas.** ポール ファボール プランチェメ エスタス コサス
Ich möchte das in die Wäsche geben. イヒ メヒテ ダス イン ディ ヴェッシェ ゲーベン	**Vorrei mandarlo alla lavanderia.** ヴォレイ マンダルロ アッラ ラヴァンデリーア	**Quisiera enviar esta ropa a la lavandería.** キシエラ エンビアール エスタ ロパ ア ラ ラバンデリーア
Kann ich sie _morgen_ [übermorgen] wieder haben ? カン イヒ ズィー モルゲン [ユーバーモルゲン] ヴィーダー ハーベン ?	**Sarà pronto per _domani_ [dopodomani] ?** サラ プロント ペル ドマーニ [ドーポドマーニ] ?	**¿Estará listo para _mañana_ [pasado mañana] ?** エスタラー リスト パラ マニャーナ [パサード マニャーナ] ?
Ich warte immer noch auf meine Wäsche. イヒ ヴァルテ インマー ノホ アウフ マイネ ヴェッシェ	**Non mi hanno portato ancora la mia biancheria.** ノン ミ アンノ ポルタート アンコーラ ラ ミア ビアンケリーア	**No me han devuelto los artículos lavados.** ノー メ アン デブエルト ロス アルティークロス ラバードス

97

日本語 JAPANESE	英 語 ENGLISH	フランス語 FRANÇAIS
❺いつしあがりますか *Itsu shiagarimasu ka?*	**When will it be ready?** ホェン ウィル イット ビー レディ	**Quand puis-je l'avoir?** カン ピュイ ジュ ラヴォワール
❻ワイシャツ／ブラウス *waishatsu burausu*	**shirt / blouse** シャート ブラウス	**la chemise / le chemisier** ラ シュミーズ ル シュミジエ
❼下着／スリップ *shitagi surippu*	**underwear / slip** アンダウェア スリップ	**le tricot de peau / le slip** ル トリコ ドゥ ポー ル スリップ
❽ズボン／スカート *zubon sukāto*	**trousers / skirt** トラウザーズ スカート	**le pantalon / la jupe** ル パンタロン ラ ジューブ
❾スーツ（上下） *sūtsu (jō ge)*	**suit (with trousers)** スート(ウィズ トラウザーズ)	**le complet** ル コンプレ
❿靴下 *kutsushita*	**socks** サックス	**la chaussette** ラ ショセット
美容院 *Biyōin*	**BEAUTY SHOP** ビューティー シャップ	**SALON DE COIFFURE** サロン ドゥ コワヒュール
理髪店 *Rihatsuten*	**BARBER SHOP** バーバー シャップ	**COIFFEUR POUR HOMMES** コワヒュール プール オム
❶今日，夕方(5)時に予約した *Kyō yūgata (go) ji ni yoyaku shitai* いのですが *no desu ga.*	**I'd like an appointment for (5)** アイドライク アン アポイントマント フォー (ファイブ) **P.M. today.** ピーエム トゥデイ	**Je voudrais prendre un rendez-** ジュ ヴードレ プランドル アン ランデ **vous pour (5) heures cet après-** ヴー プール (サンク) ウール セッ タプレ **midi.** ミィディ

ドイツ語 DEUTSCH	イタリア語 ITALIANO	スペイン語 ESPAÑOL
Wann werden die Sachen ヴァン ヴェルデン ディ ザッヘン fertig sein ? フェルティヒ ザイン	Quando sarà pronta la mia クワンド サラ プロンタ ラ ミア biancheria ? ビアンケリーア	¿Cuándo estarán listos ? クアンド エスタラン リストス
das Oberhemd/die Bluse ダス オーバーヘムト ディ ブルーゼ das Unterhemd/der Slip ダス ウンターヘムト デア シュリップ die Hosen/der Rock ディ ホーゼン デア ロック	la camicia/la camicetta ラ カミーチャ ラ カミチェッタ la maglia/la sottoveste ラ マッリア ラ ソットヴェステ i calzoni/la gonna イ カルツォーニ ラ ゴンナ	la camisa/la blusa ラ カミサ ラ ブルーサ la ropa interior/la combinación ラ ロパ インテリオール ラ コンビナシオン los pantalones/la falda ロス パンタローネス ラ ファルダ
die Jacke (mit Hosen) ディ ヤッケ (ミット ホーゼン) die Socken ディ ゾッケン	l'abito completo ラービト コンプレート le calze レ カルツェ	el traje (dos piezas) エル トゥラッヘ (ドス ピエサス) los calcetines ロス カルセティーネス
SCHÖNHEITSSALON シェーンハイツザローン FRISEUR フリズーア	PARRUCCHIERE パルッキエーレ BARBIERE バルビエーレ	SALÓN DE BELLEZA サロン デ ベジェッサ PELUQUERIA / BARBERIA ペルケリーア バルベリーア
Kann ich einen Termin für カン 化 アイネン テルミーン フューア heute nachmittag (5) Uhr ホイテ ナッハミッターク (フュンフ)ウーア ausmachen ? アウスマッヘン	Vorrei prenotare per le (5) ヴォレイ プレノターレ ペル レ (チンクエ) del pomeriggio. デル ポメリッジョ	Deseo hacer una reserva para デセオ アセール ウナ レセルバ パラ las (5) de esta tarde. ラス (シンコ) デ エスタ タルデ

99

日本語 JAPANESE	英 語 ENGLISH	フランス語 FRANÇAIS
❷名前は〜です *Namae wa 〜 desu.*	**My name is 〜.** マイ ネイム イズ〜	**Mon nom est 〜.** モン ノン エ 〜
❸散髪とひげ剃りをお願いします *Sanpatsu to higesori o onegai shimasu.*	**Haircut and shave, please.** ヘアカット アンド シェイヴ プリーズ	**Veuillez me couper les cheveux et** ヴィエ ム クペ レ シューヴー エ **me raser.** ム ラゼ
❹短く刈って下さい *Mijikaku katte kudasai.*	**Cut it short, please.** カット イット ショート プリーズ	**Coupez court.** クペ クール
❺少しだけ刈って下さい *Sukoshi dake katte kudasai.*	**Just trim it, please.** チャスト トリム イット プリーズ	**Coupez un peu.** クペ アン プー
❻かるく〔きつく〕パーマして下さい *Karuku [Kitsuku] pāma shite kudasai.*	**A *soft* [tight] permanent, please.** ア ソフト [タイト] パーマネント プリーズ	**Faites-moi une permanente** フェット モア ユヌ ペルマナント ***légère* [très forte], s'il vous** レージェール [トレ フォルト] スィル ヴー **plaît.** プレ
❼洗ってセットして下さい *Aratte setto shite kudasai.*	**Shampoo and set, please.** シャンプー アンド セット プリーズ	**Faites-moi un shampooing et un** フェット モワ アン シャンプワン エ アン **brushing, s'il vous plaît.** ブリュッシング スィル ヴー プレ
❽洗髪 *senpatsu*	**shampoo** シャンプー	**le shampooing** ル シャンプワン

ドイツ語 DEUTSCH	イタリア語 ITALIANO	スペイン語 ESPAÑOL
Mein Name ist ~. マイン ナーメ イスト ~	**Mi chiamo ~.** ミ キァーモ ~	**Mi nombre es ~.** ミ ノンブレ エス ~
Haarschneiden und Rasieren ハールシュナイデン ウント ラズィーレン **bitte.** ビッテ	**Capelli e barba, per favore.** カペッリ エ バルバ ペル ファヴォーレ	**Corte de pelo y afeitado,** コルテ デ ペーロ イ アフェイタード **por favor.** ポール ファボール
Schneiden Sie bitte meine シュナイデン ズィー ビッテ マイネ **Haare kurz.** ハーレ クルツ	**Li preferisco tagliati corti.** リ プレフェリスコ タッリアーティ コルティ	**Por favor, corte el pelo corto.** ポール ファボール コルテ エル ペーロ コルト
Schneiden Sie bitte meine シュナイデン ズィー ビッテ マイネ **Haare etwas nach.** ハーレ エトヴァス ナッハ	**Tagli un poco, per favore.** タッリ ウン ポーコ ペル ファヴォーレ	**Córteme el pelo un poco,** コルテメ エル ペーロ ウン ポコ **por favor.** ポール ファボール
Leichte [starke] **Dauerwellen,** ライヒテ [シュタルケ] ダウアーヴェレン **bitte.** ビッテ	**Desidero un'ondulazione perma-** デジーデロ ウノンドゥラツィオーネ ペルマ **nente *leggera* [forte].** ネンテ レッジェーラ [フォルテ]	**Quisiera hacerme la permanente** キシエーラ アセールメ ラ ペルマネンテ *suave* [fuerte]. スアベ [フエルテ]
Waschen und Legen, bitte. ヴァッシェン ウント レーゲン ビッテ	**Lo shampoo e la messa** ロ シャンポー エ ラ メッサ **in piega, per favore.** イン ピエーガ ペル ファヴォーレ	**Por favor, lavado y marcado.** ポール ファボール ラバード イ マルカード
die Kopfwäsche ディ コップフヴェッシェ	**lo shampoo** ロ シャンポー	**el lavado de pelo** エル ラバード デ ペーロ

日本語 JAPANESE	英 語 ENGLISH	フランス語 FRANÇAIS
❾散髪 *sanpatsu*	**haircut** ヘアカット	**la coupe** ラ クープ
❿いくらですか *Ikura desu ka?*	**How much is it?** ハウ マッチ イズ イット	**Combien?** コンビアン
⓫チップ込みですか *Chippu komi desu ka?*	**Does that include the tip?** ダズ ザット インクルード ザ ティップ	**Le pourboire est-il compris?** ル プールボワール エティル コンプリ
朝 食 *Chōshoku*	**BREAKFAST** ブレックファスト	**PETIT DÉJEUNER** プティ デジュネ
❶明日の朝食をオーダーしたい *Ashita no chōshoku o ōdā shitai.*	**I'd like to order breakfast for tomorrow.** アイド ライク トゥ オーダー ブレックファスト フォー トゥマロウ	**Je voudrais commander mon petit déjeuner pour demain.** ジュ ヴードレ コマンデ モン プティ デジュネ プール ドゥマン
❷(7)時にお願いします *(Shichi) ji ni onegai shimasu.*	**I'd like it at (7), please.** アイド ライク イット アット (セヴン) プリーズ	**Voulez-vous me servir le petit déjeuner à (7) heures.** ヴーレ ヴー ム セルヴィール ル プティ デ ジュネ ア (セット) ウール
❸希望のメニューを言います *Kibō no menyū o iimasu.*	**Here's my order.** ヒアズ マイ オーダー	**Je voudrais que vous me serviez....** ジュ ヴードレ ク ヴー ム セルヴィエ
❹コーヒー／ミルク付き *kōhī miruku tsuki*	**coffee / with milk** カフィー ウィズ ミルク	**le café / au lait** ル カフェ オー レ

ドイツ語 DEUTSCH	イタリア語 ITALIANO	スペイン語 ESPAÑOL
das Haarschneiden ダス ハールシュナイデン	**il taglio dei capelli** イル タッリオ デイ カペッリ	**el corte de pelo** エル コルテ デ ペーロ
Was wird es kosten ? ヴァス ヴィルト エス コステン	**Quanto costa ?** クワント コスタ	**¿Cuánto cuesta ?** クアント クエスタ
Ist Ihr Trinkgeld einge- イスト イーア トリンクゲルト アインゲ **schlossen ?** シュロッセン	**Il servizio è compreso ?** イル セルヴィーツィオ エ コンプレーゾ	**¿Está incluido el servicio ?** エスター インクルイード エル セルビシオ
FRÜHSTÜCK フリューシュテュック	**PRIMA COLAZIONE** プリーマ コラツィオーネ	**DESAYUNO** デサジューノ
Ich möchte Frühstück für 化 メヒテ フリューシュテュック フューア **morgen bestellen.** モルゲン ベシュテレン	**Vorrei ordinare la prima** ヴォレイ オルディナーレ ラ プリーマ **colazione per domani.** コラツィオーネ ペル ドマーニ	**Deseo pedir el desayuno para** デセオ ペディール エル デサジューノ パラ **mañana.** マニャーナ
Bringen Sie es bitte um ブリンゲン スィー エス ビッテ ウム **(7) Uhr.** （ズィーベン）ウーア	**Alle (7), per favore.** アッレ（セッテ）ペル ファヴォーレ	**Deseo tomarlo a las (7).** デセオ トマールロ ア ラス（シエテ）
Ich hätte gern folgendes. 化 ヘッテ ゲルン フォルゲンデス	**Mi da ~ ?** ミ ダ ~	**Ahora digo los platos que** アオーラ ディーゴ ロス プラートス ケ **me gustan.** メ グスタン
Kaffee／mit Milch カフェー ミット ミルヒ	**un caffè／con latte** ウン カッフェ コン ラッテ	**el café／con leche** エル カフェー コン レッチェ

103

ホテルで

日本語 JAPANESE	英 語 ENGLISH	フランス語 FRANÇAIS
❺紅茶／レモン付き *kōcha　remon tsuki*	**tea ／ with lemon** ティー　ウィズ レマン	**le thé ／ au citron** ル テ　オー シトロン
❻オレンジ・ジュース *orenji jūsu*	**orange juice** オレンヂ チュース	**le jus d'orange** ル ジュ ドランジュ
❼トマト・ジュース *tomato jūsu*	**tomato juice** トメイトウ チュース	**le jus de tomate** ル ジュ ドゥ トマート
❽オムレツ *omuretsu*	**omelette** オムリット	**l'omelette** ロムレット
❾めだまやき／ハム付き *medama yaki　hamu tsuki*	*fried　egg* [sunny-side　up] フライド　エッグ　[サニー サイド アップ] ／ **with ham** ウィズ ハム	**l'œuf au plat ／ avec jambon** ルフ オー プラ　アヴェック ジャンボン
❿ベーコン付き *bēkon tsuki*	**with bacon** ウィズ ベイクン	**avec bacon** アヴェック バコン
⓫いりたまご *iri tamago*	**scrambled eggs** スクランブルド エッグズ	**des œufs brouillés** デ ズー ブルイエ
⓬ゆでたまご *yude tamago*	**boiled egg** ボイルド エッグ	**l'œuf dur** ルフ デュール
⓭半熟／固ゆで *hanjuku　katayude*	**soft-boiled ／ hard-boiled** ソフト ボイルド　ハード ボイルド	**l'œuf à la coque ／ l'œuf dur** ルフ ア ラ コック　ルフ デュール
⓮トースト／ロールパン *tōsuto　rōrupan*	**toast ／ roll** トウスト ロウル	**le toast ／ le petit pain** ル トースト ル プティ パン
⓯ジャム *jamu*	**jam** チャム	**la confiture** ラ コンフィテュール

104

ドイツ語 DEUTSCH	イタリア語 ITALIANO	スペイン語 ESPAÑOL
Tee／mit Zitrone テー ミット ツィトローネ	un tè／con limone ウン テ コン リモーネ	el té／con limón エル テー コン リモン
der Orangensaft デア オランジェンザフト	un'aranciata ウナランチャータ	el jugo de naranja エル フーゴ デ ナランハ
der Tomatensaft デア トマーテンザフト	un succo di pomodoro ウン スッコ ディ ポモドーロ	el jugo de tomate エル フーゴ デ トマーテ
das Omulette ダス オムレッテ	una frittata ウナ フリッタータ	la tortilla española ラ トルティージャ エスパニョーラ
das Spiegelei／mit Schinken ダス シュピーゲルアイ ミット シンケン	le uova fritte／con prosciutto レ ウォーヴァ フリッテ コン プロシュット	huevo frito ／ con jamón ウエボ フリート コン ハモン
mit Speck ミット シュペック	con pancetta コン パンチェッタ	con tocino コン トシーノ
das Rührei ダス リュールアイ	le uova strapazzate レ ウォーヴァ ストラパッツァーテ	los huevos revueltos ロス ウエボス レブエルトス
das gekochte Ei ダス ゲコホテ アイ	l'uovo sodo ルオーヴォ ソード	el huevo duro エル ウエボ ドゥーロ
weich gekocht／hart gekocht ヴァイヒ ゲコホト ハルト ゲコホト	l'uovo alla coque ／ l'uovo ルオーヴォ アッラ コック ルオーヴォ sodo ソード	el huevo pasado por agua ／ エル ウエボ パサード ポール アグア el huevo duro エル ウエボ ドゥーロ
das Toastbrot／das Brötchen ダス トーストブロート ダス ブレートヒェン	il pane tostato／il panino イル パーネ トスタート イル パニーノ	la tostada／el panecillo ラ トスターダ エル パネシージョ
die Konfitüre ディ コンフィテューレ	la confettura ラ コンフェットゥーラ	*la mermelada* [la confitura] ラ メルメラーダ ［ラ コンフィトゥーラ］

105

日本語 JAPANESE	英 語 ENGLISH	フランス語 FRANÇAIS
⑯バター *batā*	**butter** バター	**le beurre** ル ブール
⑰マーマレード *māmarēdo*	**marmalade** マーマレイド	**la marmelade** ラ マルムラード
⑱温かい〔冷たい〕ミルク *atatakai 〔tsumetai〕 miruku*	***hot* [cold] milk** ハット〔コウルド〕ミルク	**le lait *chaud* [froid]** ル レ ショー〔フロワ〕
チェック・アウト *Chekku auto*	**CHECK-OUT** チェック アウト	**DÉPART** デパール
❶明朝(8)時に発ちます *Myōchō (hachi) ji ni tachimasu.*	**I'll leave at (8) A.M. tomorrow.** アイルリーヴ アット(エイト)エイエム トゥマロウ	**Je partirai demain à (8) heures.** ジュ パルティレ ドゥマン ア(ユイット)ウール
❷今，チェック・アウトします *Ima chekku auto shimasu.*	**I'm checking out.** アイム チェッキング アウト	**Je vais régler ma chambre mai- ntenant.** ジュ ヴェ レグレ マ シャンブル マ ントナン
❸ボーイをよこして荷物をおろ *Bōi o yokoshite nimotsu o oroshite* して下さい *kudasai.*	**Please send someone for my** プリーズ センド サムワン フォー マイ **baggage.** バゲッヂ	**Faites venir un bagagiste pour** フェット ヴニール アン バガジスト プール **descendre mes bagages, s'il vous** デサンドル メ バガージュ スィル ヴー **plaît.** プレ
❹会計を願います *Kaikei o negaimasu.*	**My bill, please.** マイ ビル プリーズ	**Préparez ma note, s'il vous plaît.** プレパレ マ ノート スィル ヴー プレ

ドイツ語 DEUTSCH	イタリア語 ITALIANO	スペイン語 ESPAÑOL
die Butter ディ ブッター	**il burro** イル ブルロ	**la mantequilla** ラ マンテキージャ
die Marmelade ディ マルメラーデ	**la marmellata** ラ マルメッラータ	**la mermelada** ラ メルメラーダ
die _warme_ [kalte] Milch ディ ヴァルメ [カルテ] ミルヒ	**il latte _caldo_ [freddo]** イル ラッテ カルド [フレッド]	**la leche _caliente_ [frio]** ラ レッチェ カリエンテ [フリオ]
ABREISE アップライゼ	**PARTENZA** パルテンツァ	**DEJAR LA HABITACIÓN** デハール ラ アビタシオン
Ich möchte morgen um イヒ メヒテ モルゲン ウム **(8) Uhr abreisen.** (アハト) ウーア アップライゼン	**Partirò domattina alle (8).** パルティロ ドマッティーナ アッレ (オット)	**Partiré mañana a las (8)** パルティレー マニャーナ ア ラス (オチョ) **de la mañana.** デ ラ マニャーナ
Ich möchte jetzt abreisen. イヒ メヒテ イェッツト アップライゼン	**Sto lasciando la camera.** スト ラシャンド ラ カーメラ	**Ahora, voy a dejar la** アオーラ ボイ ア デハール ラ **habitación.** アビタシオン
Lassen Sie bitte einen ラッセン ズィー ビッテ アイネン **Gepäckträger zu mir kommen.** ゲペックトレーガー ツー ミーア コメン	**Mi manda un facchino per** ミ マンダ ウン ファッキーノ ペル **scendere i bagagli?** シェンデレ イ バガッリ	**Mande un botones, por favor,** マンデ ウン ボトーネス ポール ファボール **para bajar mi equipaje.** パラ バハール ミ エキパッヘ
Die Rechnung bitte. ディ レヒヌング ビッテ	**Il conto, per favore.** イル コント ペル ファヴォーレ	**La cuenta, por favor.** ラ クエンタ ポール ファボール

❺トラベラーズ・チェックは受
Toraberāzu chekku wa uketorimasu
取りますか
ka?

Do you take traveler's checks?
ドゥ ユー テイク トラヴラーズ　チェックス

Prenez-vous les chèques de voyage?
プルネ　ヴー　レ　シェック　ドゥヴォワイヤージュ

❻預けた貴重品をもらいたい
Azuketa kichōhin o moraitai.

I'd like my valuables back.
アイドライク マイ　ヴァリュアブルズ バック

Je désire prendre mes objets de
ジュ デジール プランドル メ　ソブジェ ドゥ
valeur.
ヴァルール

❼このホテルはよかったですよ
Kono hoteru wa yokatta desu yo.

I've enjoyed my stay.
アイヴ エンチョイド マイ スティ

J'ai fait un très bon séjour ici.
ジェ フェ アントレ ボン セジュール イスィ

❽この荷物を～時まで預って下
Kono nimotsu o~ji made azukatte
さい
kudasai.

Please keep this baggage until ~.
プリーズ キープ ズィス バゲッジ　アンティル～

Gardez ces bagages jusqu'à ~
ガルデ　セ　バガージュ　ジュスカ　～
heures, s'il vous plaît.
ウール　スィルヴー　プレ

❾タクシーを呼んで下さい
Takushī o yonde kudasai.

Please call a taxi for me.
プリーズ コール ア タクスィー フォーミー

Appelez-moi un taxi, s'il vous plaît.
アプレ　モワ アン タクシースィルヴー　プレ

❿メード
mēdo

maid
メイド

la femme de chambre
ラ ファム　ドゥ シャンブル

⓫支配人
shihainin

manager
マネチャー

le gérant
ル ジェラン

⓬ロビー
robī

lobby
ラビー

le hall
ル オル

ドイツ語 DEUTSCH	イタリア語 ITALIANO	スペイン語 ESPAÑOL
Darf ich mit Reiseschecks ダルフ 化 ミット ライゼシェックス **zahlen ?** ツァーレン ?	**Accettate i travellers cheques ?** アッチェッターテ イトラベラーズ シェックエ	**¿Aceptan cheque viajero ?** アセプタン チェケ ビアヘーロ
Könnte ich bitte meine ケンテ 化 ビッテ マイネ **Wertsachen zurückbekommen ?** ヴェルトザッヘン ツーリュックベコメン	**Vorrei ritirare i miei oggetti** ヴォルレイ リティラーレ イ ミエイ オッジェッティ **di valore in custodia.** ディ ヴァローレ イン クストーディア	**Por favor, devuélvame mis** ポル ファボール デブエルバメ ミス **efectos de valor depositados.** エフェクトス デ バロール デポシタードス
Der Aufenthalt bei Ihnen デア アウフエントハルト バイ イーネン **war sehr angenehm.** ヴァール ゼーア アンゲネーム	**Si sta molto bene in questo** シ スタ モルト ベーネ イン クエスト **albergo.** アルベルゴ	**El servicio de este hotel** エル セルビシオ デ エステ オテル **ha sido excelente.** ア シド エッセレンテ
Bewahren Sie bitte dieses ベヴァーレン スィー ビッテ ディーゼス **Gepäck bis ~ Uhr auf.** ゲペック ビス ~ ウーア アウフ	**Posso lasciare questo bagaglio** ポッソ ラシャーレ クエスト バガッリオ **fino alle ~.** フィーノ アッレ ~	**Haga el favor de guardar** アーガ エル ファボール デ グアルダール **este equipaje hasta las ~.** エステ エキパッヘ アスタ ラス ~
Rufen Sie ein Taxi bitte. ルーフェン スィー アイン タクシー ビッテ	**Mi chiama un tassì, per favore ?** ミ キアーマ ウン タッシー ペル ファヴォーレ	**Por favor, llame un taxi.** ポル ファボール ジャーメ ウン タクシー
das Zimmermädchen ダス ツィマーメートヒェン **der Direktor** デア ディレクトーア **die Halle** ディ ハレ	**la cameriera** ラ カメリエーラ **il direttore** イル ディレットーレ **la hall** ラ オール	**la camarera** ラ カマレーラ **el gerente** エル ヘレンテ **el vestíbulo** エル ベスティブロ

日本語 JAPANESE	英語 ENGLISH	フランス語 FRANÇAIS
⓭宿泊カード *shukuhaku kādo*	registration card レヂストレイシュン カード	la fiche d'inscription ラ フィッシュ ダンスクリプシオン
⓮フロント係 *furonto gakari*	front desk clerk フラント デスク クラーク	la réception ラ レセプシオン
⓯朝食付き *chōshoku tsuki*	breakfast included ブレックファスト インクルーデッド	avec petit déjeuner compris アヴェック プティ デジュネ コンプリ
⓰2食付き *nishoku tsuki*	two meals included トゥー ミールズ インクルーデッド	avec deux repas compris アヴェク ドゥー ルパ コンプリ
⓱案内係 *annai gakari*	information clerk インフォメイシュン クラーク	le concierge ル コンシェルジュ
⓲食堂 *shokudō*	dining room ダイニング ルーム	le restaurant ル レストラン
⓳グリル *guriru*	grill グリル	le bar-restaurant ル バー レストラン
⓴スナック・バー *sunakku bā*	snack bar スナック バー	le bar ル バー
㉑コーヒー・ショップ *kōhī shoppu*	coffee shop カフィー シャップ	le café ル カフェ
㉒宴会場 *enkaijō*	banquet room バンクウェット ルーム	la salle de banquet ラ サル ドゥ バンケ
㉓非常口 *hijōguchi*	emergency exit イマーチェンスィ エグズィット	la sortie de secours ラ ソルティ ドゥ スクール

110

ドイツ語 DEUTSCH	イタリア語 ITALIANO	スペイン語 ESPAÑOL
das Anmeldungsformular ダス アンメルドゥングスフォームラール	i moduli di registro イ モードゥリ ディ レジストロ	la tarjeta de alojamiento ラ タルヘータ デ アロハミエント
der Hotelangestellte am Empfang デア ホテルアンゲシュテルテ アム エンプファング	il receptionist イル レセプショニスト	el [la] recepcionista エル [ラ] レセプショニスタ
mit Frühstück ミット フリューシュテュック	con prima colazione コン プリーマ コラツィオーネ	con desayuno コン デサジューノ
mit zwei Mahlzeiten ミット ツヴァイ マールツァイテン	la mezza pensione ラ メッザ ペンスィオーネ	con dos comidas コン ドス コミーダス
der Hotelangestellte an der Auskunft デア ホテルアンゲシュテルテ アン デア アウスクンフト	informazione インフォルマツィオーネ	el [la] guía エル [ラ] ギーア
das Restaurant ダス レストラーン	il ristorante principale イル リストランテ プリンチパーレ	el comedor エル コメドール
das Grill-Restaurant ダス グリル レストラーン	il grill イル グリル	el grill エル グリル
die Snackbar ディ シュナックバー	il bar イル バル	el snack bar ／ la cafetería エル スナック バール ラ カフェテリーア
das Café ダス カフェ	il coffee shop イル コフィー ショップ	el café エル カフェー
der Festsaal デア フェストザール	la sala dei banchetti ラ サーラ デイ バンケッティ	el salón de banquetes エル サロン デ バンケーテス
der Notausgang デア ノートアウスガング	l'uscita d'emergenza ルシータ デメルジェンツァ	la salida de emergencia ラ サリーダ デ エメルヘンシア

日本語 JAPANESE	英 語 ENGLISH	フランス語 FRANÇAIS
㉔診療室（医務室） *shinryō shitsu (imu shitsu)*	clinic クリニック	la clinique ラ クリニック
㉕医師 *ishi*	doctor ダクター	le médecin ル メドサン
㉖貴重品預り *kichōhin azukari*	safety box セイフティ ボックス	le service des coffres-forts ル セルヴィス デ コッフル フォール
㉗アーケード *ākēdo*	shopping arcade ショッピング アーケイド	les arcades レ ザルカード
㉘地下 *chika*	basement ベイスマント	le sous-sol ル スー ソル
㉙1階 *ikkai*	first floor (米) ground floor (英) ファースト フロー　　グラウンド フロー	le rez-de-chaussée ル レ ドゥ ショッセ
㉚2階 *nikai*	second floor (米) first floor (英) セカンド フロー　　ファースト フロー	le premier étage ル プルミエ エタージュ
㉛エレベーター *erebētā*	elevator (米)　　　　lift (英) エレヴェイター　　　　リフト	l'ascenseur ラサンスール
㉜階段 *kaidan*	stairway ステアウェイ	l'escalier レスカリエ
㉝1人部屋 *hitori beya*	single スィングル	la chambre à un lit ラ シャンブル ア アン リ
㉞2人部屋 *futari beya*	twin トウィン	la chambre à deux-lits ラ シャンブル ア ドゥー リ
㉟子供用ベッド *kodomoyō beddo*	cot カット	le lit d'enfant ル リ ダンファン

112

ドイツ語 DEUTSCH	イタリア語 ITALIANO	スペイン語 ESPAÑOL
die Erste Hilfe ディ エルステ ヒルフェ	il gabinetto medico イル ガビネット メディコ	la clínica / la enfermería ラ クリーニカ ラ エンフェルメリーア
der Arzt デア アルツト	il medico イル メディコ	el médico エル メディコ
der Hotelsafe デア ホテルセーフ	la cassetta di sicurezza ラ カッセッタ ディ シクレッツァ	el depósito de efectos de エル デポシト デ エフェクトス デ valor バロール
die Ladenstraße ディ ラーデンシュトラーセ	la galleria di negozi ラ ガッレリーア ディ ネゴーツィ	la arcada ラ アルカーダ
das Untergeschoß ダス ウンターゲショス	il piano sotterraneo イル ピアーノ ソッテラーネオ	el sótano / el subsuelo エル ソータノ エル スブスエロ
das Erdgeschoß ダス エルトゲショス	il pianterreno イル ピアンテレーノ	la planta baja / el primer piso ラ プランタ バッハ エル プリメール ピーソ
die erste Etage ディ エルステ エタージェ	il primo piano イル プリモ ピアーノ	el primer piso / el segundo piso エル プリメール ピーソ エル セグンド ピーソ
der Lift デア リフト	l'ascensore ラッシェンソーレ	el ascensor エル アセンソール
die Treppe ディ トゥレッペ	la scala ラ スカーラ	la escalera ラ エスカレーラ
das Einzelzimmer ダス アインツェルツィマー	la camera singola ラ カーメラ シンゴラ	la habitación sencilla ラ アビタシオン センシージャ
das Doppelzimmer ダス ドッペルツィマー	la camera doppia ラ カーメラ ドッピア	la habitación con dos camas ラ アビタシオン コン ドス カマス
das Kinderbett ダス キンダーベット	il lettino del bambino イル レッティーノ デル バンビーノ	la cuna ラ クーナ

113

♣**食事のマナー**を気にしすぎると，料理の味がわからなくなってしまう。次のことだけ注意すれば充分。

● 夕食の服装は一般に男性はネクタイ，上着を着用，女性も正装が望ましい。

● 食べるときはあまり音をたてないように。

● ナイフやフォークは外側のものから使い，パンは手でちぎって口に運ぶ。

● タバコはデザートが始まるまで控える。

♣**料理**は，定食と一品料理に大別される。

● 定食……前菜（オードブル）に始まり，スープ，アントレ（肉・魚類）をへてデザート，コーヒーに終る一連のコースが単位となり，料金の中にもこれらの全部が含まれる。ただし，ヨーロッパではコーヒーは別勘定。

● 一品料理（アラカルト）……一品ごとにそれぞれの値段がついていて，好みに応じて一品単位で注文する。

♣**メニュー**は，手書きの上難解なものが多い。それらを研究することも大切だが，見知らぬ土地では，遠慮なく給仕にその土地の名物料理や逸品料理を尋ねるのがよい。

♣**洋食の一般的コース**

● 朝食……欧州では一般に軽く，パンにジャムとバター，それに飲物（紅茶，コーヒー，ココア，ミルクのうち一品）で，卵（調理法を聞かれる）、ジュース，コーンフレークスなどは別に代金を請求される。イギリスや北欧の朝食はボリュームがある。アメリカでは果実，またはジュース，トーストまたはロールパン（バター，ジャム付き），卵にソーセージまたはベーコン，ハム，そしてコーヒーか紅茶が付く。

● 昼食……皿数が少なく，サンドイッチ，デザート，コーヒーなどといったものが一般的だが，卵・肉・野菜・サラダなども注文できる。

● 夕食……温かい食物が出る。スープかオードブルに始まり，メインコース（肉か魚料理とサラダ）を中心に，デザート，コーヒーまたは紅茶。

日本語 JAPANESE	英語 ENGLISH	フランス語 FRANÇAIS
案 内 *Annai*	INFORMATION インフォメイシュン	RENSEIGNEMENTS ランセイニュマン
❶この近くのよいレストランを *Kono chikaku no yoi resutoran o* 教えて下さい *oshiete kudasai.*	Can you recommend a good res- キャニュー レコメンド ア グッド レス taurant near here? トラント ニア ヒア	Pouvez-vous me recommander un プーヴェ ヴー ム ルコマンデ アン bon restaurant près d'ici? ボン レストラン プレ ディスィ
❷あまり高くないレストランが *Amari takakunai resutoran ga ii* いいです *desu.*	Someplace not too expensive. サムプレイス ナット トゥー エクスペンスィヴ	Je voudrais aller dans un restau- ジュ ヴードレ アレ ダン ザン レスト rant pas trop cher. ラン パ トロ シェール
❸静かな雰囲気のレストランが *Shizukana fun'iki no resutoran ga* いいです *ii desu.*	Someplace quiet. サムプレイス クワイエット	Je préfère un restaurant où l'on ジュ プレフェール アン レストラン ウー ロン peut manger tranquillement. プー マンジェ トランキルマン
❹英語の通じるレストランがい *Eigo no tsūjiru resutoran ga ii desu.* いです	I'd like a restaurant where Eng- アイドライク ア レストラント ホェア イング lish is spoken. リッシュ イズ スポウクン	Je préfère un restaurant où ジュ プレフェール アン レストラン ウー l'on parle anglais. ロン パルル アングレ
❺この土地の名物料理を食べた *Kono tochi no meibutsu ryōri o* い *tabetai.*	I want to eat the best local food. アイ ウォント トゥイート ザ ベスト ロウカル フード	J'aimerais goûter une spécialité ジェームレ グーテ ユヌ スペシアリテ du pays. デュ ペイ

ドイツ語 DEUTSCH	イタリア語 ITALIANO	スペイン語 ESPAÑOL
AUSKUNFT アウスクンフト	**INFORMAZIONE** インフォルマツィオーネ	**INFORMACIÓN** インフォルマシオン
Können Sie mir ein gutes ケネン スィー ミア アイン グーテス **Restaurant hier in der Nähe** レストラーン ヒア イン デア ネーエ **empfehlen?** エムプフェーレン	**Mi consiglia un buon** ミ コンシッリア ウン ブオン **ristorante qui vicino?** リストランテ クイ ヴィチーノ	**¿Puede Ud. recomendarme un** プエデ ウステッ レコメンダールメ ウン **buen restaurante cerca de aquí?** ブエン レスタウランテ セルカ デ アキィ
Ein nicht zu teueres bitte. アイン ニヒト ツー トイエレス ビッテ	**Preferisco un ristorante** プレフェリスコ ウン リストランテ **che non costi troppo.** ケ ノン コスティ トロッポ	**Prefiero un restaurante no** プレフィエーロ ウン レスタウランテ ノー **muy caro.** ムイ カーロ
Lieber ein ruhiges Haus. リーバー アイン ルーイゲス ハウス	**Preferisco un ristorante con** プレフェリスコ ウン リストランテ コン **l'ambiente tranquillo.** ランビエンテ トランクィッロ	**Prefiero un restaurante con** プレフィエーロ ウン レスタウランテ コン **un ambiente tranquilo.** ウン アンビエンテ トゥランキーロ
Ein Restaurant bitte, wo ich アイン レストラーン ビッテ ヴォー イヒ **auf Englisch bestellen kann.** アウフ エングリッシュ ベシュテレン カン	**Preferisco un ristorante dove** プレフェリスコ ウン リストランテ ドヴェ **si parla inglese.** シ パルラ イングレーゼ	**Prefiero un restaurante en** プレフィエーロ ウン レスタウランテ エン **que se hable inglés.** ケ セ アブレ イングレース
Ich möchte die Spezialität イヒ メヒテ ディ シュペツィアリテート **dieser Gegend versuchen.** ディーザー ゲーゲント フェアズーヘン	**Vorrei qualche specialità locale.** ヴォレイ クアルケ スペチャリタ ロカーレ	**Quiero tomar la especialidad** キエロ トマール ラ エスペシアリダー **de este lugar.** デ エステ ルガール

5

117

日本語 JAPANESE	英語 ENGLISH	フランス語 FRANÇAIS
❻そのレストランをひとつ教え *Sono resutoran o hitotsu oshiete* て下さい *kudasai.*	Can you recommend such a place? キャニュー レコメンド サッチ ア プレイス	Voulez-vous m'indiquer un de ces ヴーレ ヴー マンディケ アン ドゥ セ restaurants, s'il vous plaît. レストラン スィル ヴー プレ
❼この近くに中国料理店はあり *Kono chikaku ni chūgoku ryōri ten* ますか *wa arimasu ka?*	Is there a Chinese restaurant イズ ゼア ア チャイニーズ レストラント near here? ニア ヒア	Y-a-t-il un restaurant chinois à ヤ ティル アン レストラン シノワ ア proximité? プロクシミテ
❽イタリア料理 *itaria ryōri*	Italian food イタリアン フード	la cuisine italienne ラ キュイジーヌ イタリアンヌ
❾フランス料理 *furansu ryōri*	French food フレンチ フード	la cuisine française ラ キュイジーヌ フランセーズ
❿中国料理 *chūgoku ryōri*	Chinese food チャイニーズ フード	la cuisine chinoise ラ キュイジーヌ シノワーズ
⓫日本料理 *nihon ryōri*	Japanese food ジャパニーズ フード	la cuisine japonaise ラ キュイジーヌ ジャポネーズ
⓬郷土料理 *kyōdo ryōri*	local food ロウカル フード	la cuisine locale ラ キュイジーヌ ロカル
⓭ここで予約をしてもらえます *Koko de yoyaku o shite moraemasu* か *ka?*	Can you make reservations for キャニュー メイク レザヴェイシュンズ フォー me? ミー	Pouvez-vous me faire une réser- プーヴェ ヴー ム フェール ユヌ レゼル vation d'ici? ヴァシオン ディスィ
⓮(7)時に(2)席お願いします *(Shichi) ji ni (ni) seki onegai* *shimasu.*	Table for (2) at (7) o'clock. テイブル フォー (トゥー) アット (セヴン) オクラック	Voulez-vous réserver une table ヴーレ ヴー レゼルヴェ ユヌ ターブル pour (2) personnes à (7) heures? プール (ドゥー) ペルソンヌ ア (セット) ウール

ドイツ語 DEUTSCH	イタリア語 ITALIANO	スペイン語 ESPAÑOL
Bitte empfehlen Sie mir ビッテ エンプフェーレン ズィー ミア **ein solches Restaurant.** アイン ゾルヒェス レストラーン	**Mi può consigliare uno di** ミ プオ コンシッリアーレ ウーノ ディ **tali ristoranti.** ターリ リストランティ	**Por favor, enséñeme uno de** ポール ファボール エンセーニェメ ウノ デ **esos restaurantes.** エソス レスタウランテス
Gibt es hier in der Nähe ギープト エス ヒーア イン デア ネーエ **ein chinesisches Restaurant ?** アイン ヒネージッシェス レストラーン	**C'è un ristorante cinese qui** チェ ウン リストランテ チネーゼ クイ **vicino ?** ヴィチーノ	**¿Aquí cerca hay un restaurante** アキィ セルカ アイ ウン レスタウランテ **de comida china ?** デ コミーダ チーナ
italienisch essen イタリエーニッシュ エッセン **französisch essen** フランツェーズィッシュ エッセン **chinesisch essen** ヒネーズィッシュ エッセン	**la cucina italiana** ラ クチーナ イタリアーナ **la cucina francese** ラ クチーナ フランチェーゼ **la cucina cinese** ラ クチーナ チネーゼ	**la comida italiana** ラ コミーダ イタリアーナ **la comida francesa** ラ コミーダ フランセーザ **la comida china** ラ コミーダ チーナ
japanisch essen ヤパーニッシュ エッセン **örtlich essen** エルトリッヒ エッセン	**la cucina giapponese** ラ クチーナ ジャッポネーゼ **la cucina locale** ラ クチーナ ロカーレ	**la comida japonesa** ラ コミーダ ハポネサ **la comida regional** ラ コミーダ レヒオナール
Können Sie mir einen ケネン ズィー ミア アイネン **Tisch bestellen ?** ティッシュ ベシュテレン	**Si può prenotare qui ?** シ プオ プレノターレ クイ	**¿Aquí se puede hacer la** アキィ セ プエデ アセール ラ **reservación ?** レセルバシオン
Einen Tisch für (2) アイネン ティッシュ フューア（ツヴァイ） **Personen um (7) Uhr bitte.** ペルゾーネン ウム（ズィーベン）ウーア ビッテ	**(2) posti alle (7).** （ドゥーエ）ポスティ アッレ（セッテ）	**Por favor, (2) asientos** ポール ファボール （ドス） アシエントス **para las (7).** パラ ラス（シエテ）

119

日本語 JAPANESE	英 語 ENGLISH	フランス語 FRANÇAIS
⑮予約してある（田中）です *Yoyaku shitearu (Tanaka) desu.*	**I have a reservation. (Tanaka).** アイハヴ ア リザヴェイシュン （タナカ）	**Je suis (Tanaka). J'ai réservé une table.** ジュスイ （タナカ） ジュ レゼルヴェ ユヌ ターブル
⑯（ 3 ）人の席がありますか *(San) nin no seki ga arimasu ka ?*	**Can you seat (3) ?** キャニュー スィート （スリー）	**Avez-vous une table pour (3) personnes ?** アヴェ ヴー ユヌ ターブル プール （トロワ） ペルソンヌ
注 文 *Chūmon*	ORDER オーダー	COMMANDE コマンド
❶食前酒を下さい *Shokuzenshu o kudasai.*	**I'd like a drink before dinner.** アイドライク ア ドリンク ビフォー ディナー	**Donnez-moi un apéritif, s'il vous plaît.** ドネ モワ アン ナペリティフ スィル ヴー プレ
❷あなたの推せん料理をもらいます *Anata no suisen ryōri o moraimasu.*	**I'll have whatever you recommend.** アイルハヴ ホアットエヴァー ユー レコメンド	**Je vous laisse choisir pour moi.** ジュ ヴー レッス ショワジール プール モワ
❸メニューを見せて下さい *Menyū o misete kudasai.*	**Menu, please.** メニュー プリーズ	**Apportez-moi la carte, s'il vous plaît.** アポルテ モワ ラ カルト スィル ヴー プレ
❹英語のメニューはありますか *Eigo no menyū wa arimasu ka ?*	**Is there an English menu ?** イズ ゼア アン イングリッシュ メニュー	**Avez-vous le menu en anglais ?** アヴェ ヴー ル ムニュ アン ナングレ

ドイツ語 DEUTSCH	イタリア語 ITALIANO	スペイン語 ESPAÑOL
Ich habe einen Tisch bestellt. 化 ハーベ アイネン ティッシュ ベシュテルト Mein Name ist (Tanaka). マイン ナーメ イスト (タナカ)	Sono (Tanaka) e ho la ソーノ (タナカ) エ オ ラ prenotazione. プレノタツィオーネ	Soy (Tanaka) y tengo hecha ソイ (タナーカ) イ テンゴ エチャ la reservación. ラ レセルバシオン
Haben Sie einen Tisch für ハーベン スィー アイネン ティッシュ フューア (3) Personen? (ドライ) ベルゾーネン	C'è un tavolo per (3)? チェ ウン ターヴォロ ベル トゥレ	¿Hay mesa para (3) personas? アイ メーサ パラ (トゥレス) ベルソーナス
BESTELLUNG ベシュテルング	**ORDINE** オルディネ	**PEDIDO** ペディード
Ich möchte vor dem Essen 化 メヒテ フォーア デム エッセン ein Getränk haben. アイン ゲトレンク ハーベン	Mi da un aperitivo? ミ ダ ウン アペリティーヴォ	Tráigame un aperitivo. トゥライガメ ウン アペリティーボ
Ich möchte das haben, was 化 メヒテ ダス ハーベン ヴァス Sie empfehlen. スィー エンプフェーレン	Prendo quello che mi consiglia プレンド クエッロ ケ ミ コンシッリア Lei. レイ	Tomaré el plato recomendado トマレ エル プラト レコメンダード por usted. ポール ウステー
Die Speisekarte bitte. ディ シュパイゼカルテ ビッテ	Mi fa vedere la lista? ミ ファ ヴェデーレ ラ リスタ	Menú, por favor. メヌー ポール ファボール
Haben Sie die Speisekarte ハーベン スィー ディ シュパイゼカルテ auf Englisch? アウフ エングリッシュ	Avete una lista in inglese? アヴェーテ ウナ リスタ イン イングレーゼ	¿Tiene menú escrito en inglés? ティエネ メヌー エスクリート エン イングレス

121

日本語 JAPANESE	英 語 ENGLISH	フランス語 FRANÇAIS
❺ここの自慢料理は何ですか *Koko no jiman ryōri wa nan desu ka?*	**What is the specialty of the house?** ホアット イズザ スペシャルティ アウ ザ ハウス	**Quelle est la spécialité de la maison ?** ケ レ ラ スペシアリテ ドゥ ラ メ ゾン？
❻それをもらいます *Sore o moraimasu.*	**I'll have that.** アイルハヴ ザット	**Je le prends.** ジュ ル プラン
❼私は定食にします *Watashi wa teishoku ni shimasu.*	**I'll have the table d'hôte.** アイルハヴ ザ ターブル ドゥト	**Je prendrai un menu.** ジュ プランドレ アン ムニュ
❽（メニューを指して）これをく 　　　　　　　　　*Kore o* **ださい** *kudasai.*	**I'll have this.** アイルハヴ ズィス	**Donnez-moi ceci, s'il vous plaît.** ドネ モワ ススィ スィル ヴー プル
❾オードブルと肉〔魚〕料理を *Ōdoburu to niku [sakana] ryōri o* **ひとつとります** *hitotsu torimasu.*	***Appetizers* [Hors d'oeuvres] and** アパタイザーズ ［オー ドゥーヴル］ アンド **a *meat* [fish] dinner, please.** ア ミート ［フィッシュ］ ディナー プリーズ	**Je désire un hors-d'œuvre et *de*** ジュ デジール アン ノル ドゥーヴル エ ドゥ ***la viande* [du poisson].** ラ ヴィアンド ［デュ ポワソン］
❿本日の特別献立はありますか *Honjitsu no tokubetsu kondate wa arimasu ka?*	**Is there any special menu for to-** イズゼア エニー スペシャル メニュー フォートゥ **day?** デイ	**Avez-vous un plat du jour ?** アヴェ ヴー アン プラ デュ ジュール
⓫すぐできますか *Sugu dekimasu ka?*	**Can I have it right away?** キャナイ ハヴ イット ライト アウェイ	**Pouvez-vous servir tout de suite ?** プーヴェ ヴー セルヴィール トゥ ドゥ スィット

ドイツ語 DEUTSCH	イタリア語 ITALIANO	スペイン語 ESPAÑOL
Welches ist die Spezialität ヴェルヒェス イスト ディ シュペツィアリテート **dieses Restaurants ?** ディーゼス レストラーン	**Qual'è la specialità di questo** クアーレ ラ スペチャリタ ディ クエスト **ristorante ?** リストランテ	**¿Cuál es la especialidad de** クアル エス ラ エスペシアリダー デ **este restaurante ?** エステ レスタウランテ
Das möchte ich haben. ダス メヒテ イヒ ハーベン	**Lo prendo.** ロ プレンド	**Tomaré eso.** トマレー エソ
Ich möchte das Menü nehmen. イヒ メヒテ ダス メニュー ネーメン	**Io prenderei il menu del** イオ プレンデレイ イル メヌー デル **giorno.** ジョルノ	**Voy a tomar el menú del** ボイ ア トマール エル メヌー デル **día.** ディア
Ich möchte dieses haben. イヒ メヒテ ディーゼス ハーベン	**Mi da questo ?** ミ ダ クエスト	**Déme esto.** デーメ エスト
Eine Vorspeise und ein アイネ フォアシュパイゼ ウント アイン **_Fleisch_ [Fisch]-gericht bitte.** フライシュ [フィッシュ] ゲリヒト ビッテ	**Prenderò un antipasto e** プレンデロ ウン アンティパスト エ **una _carne_ [pesce].** ウナ カルネ [ペッシェ]	**Tomaré entremeses y un** トマレー エントゥレメッセス イ ウン **plato de _carne_ [pescado].** プラト デ カルネ [ペスカード]
Haben Sie ein Tagesgericht ? ハーベン スィー アイン ターゲスゲリヒト	**C'è un piatto di giorno ?** チェ ウン ピアット ディ ジョルノ	**¿Tiene el menú especial de hoy?** ティエネ エル メヌー エスペシアル デ オイ
Kann ich es sofort haben ? カン イヒ エス ゾフォルト ハーベン	**Sarà pronto subito ?** サラ プロント スービト	**¿Puedo tenerlo enseguida ?** プエド テネールロ エンセギーダ

123

日本語 JAPANESE	英 語 ENGLISH	フランス語 FRANÇAIS
⓬この土地のワインを飲みたい *Kono tochi no wain o nomitai.*	I'd like some local wine. アイドライク サム ロウカル ワイン	J'aimerais goûter du vin de la ジェームレ グーテ デュ ヴァンドゥ ラ région. レジオン
⓭あれと同じものを下さい *Are to onaji mono o kudasai.*	Give me the same order as that. ギヴ ミー ザ セイム オーダー アズ ザット	Servez-moi la même chose que セルヴェ モワ ラ メーム ショーズ ク cela. スラ
⓮よく〔中ぐらいに，生焼けに〕 *Yoku [Chugurai ni, Namayake ni]* 焼いて下さい *yaite kudasai.*	*Well-done* [Medium, Rare], ウェル ダン [ミーディアム レア] please. プリーズ	Je le voudrais *bien cuit* [à point, ジュル ヴードレ ビアン キュイ [ア ポワン saignant]. セニャン]
⓯これは私が注文したものでは *Kore wa watashi ga chūmon shita* ありません *mono dewa arimasen.*	This is not my order. ズィス イズ ナット マイ オーダー	Ce n'est pas ce que j'ai commandé. スネ パ スク ジェ コマンデ
⓰料理がまだ来ません *Ryōri ga mada kimasen.*	My order hasn't come yet. マイ オーダー ハズント カム イェット	Je n'ai pas encore été servi. ジュ ネ パ ザンコール エテ セルヴィ
⓱食べ方を教えて下さい *Tabekata o oshiete kudasai.*	How do you eat this? ハウ ドゥ ユー イート ズィス	Dites-moi comment on doit man- ディット モワ コマン オン ドワ マン ger ceci? ジェ ススィ

ドイツ語 DEUTSCH	イタリア語 ITALIANO	スペイン語 ESPAÑOL
Ich möchte einen Wein aus 化 メヒテ アイネン ヴァイン アウス **dieser Gegend trinken.** ディーザー ゲーゲント トリンケン	**Vorrei un vino della casa.** ヴォレイ ウン ヴィーノ デッラ カーサ	**Deseo tomar vino de este lugar.** デオ トマール ビーノ デ エステ ルガール
Bitte geben Sie mir das gleiche, ビッテ ゲーベン スィー ミア ダス グライヒェ **was mein Nachbar hat.** ヴァス マイン ナハバール ハット	**Mi da lo stesso piatto di quello.** ミ ダ ロ ステッソ ピアット ディ クエッロ	**Déme ese mismo plato.** デーメ エッセ ミスモ プラート
Durchbraten [Halbdurch-ドゥルヒブラーテン [ハルプドゥルヒ **gebraten, Halbroh] bitte.** ゲブラーテン ハルプロー] ビッテ	***Ben cotta*** [media, al sangue], ベン コッタ [メーディア アル サングエ] **per favore.** ペル ファヴォーレ	**Por favor, *bien pasado* [no ポール ファボール ビエン パサード [ノー **muy pasado, poco pasado].** ムイ パサード ポコ パサード]
Das habe ich nicht bestellt. ダス ハーベ 化 ニヒト ベシュテルト	**Ma, questo non è quello che ho ordinato.** マ クエスト ノ ネ クエッロ ケ オ オルディナート	**Esto no es lo que he pedido.** エスト ノ エス ロ ケ エ ペディード
Mein Essen kommt immer マイン エッセン コムト インマー **noch nicht.** ノホ ニヒト	**Non viene ancora il piatto.** ノン ヴィエーネ アンコーラ イル ピアット	**Todavía no viene mi plato.** トダビーア ノー ビエネ ミ プラート
Wie kann man das essen ? ヴィー カン マン ダス エッセン	**Mi dica come mangiare.** ミ ディーカ コメ マンジャーレ	**¿Cómo se come esto ?** コモ セ コメ エスト

日本語 JAPANESE	英語 ENGLISH	フランス語 FRANÇAIS
⑱塩〔コショウ〕を下さい *Shio [Koshō] o kudasai.*	*Salt* [Pepper], please. ソルト〔ペパー〕 プリーズ	**Puis-je avoir *du sel* [du ** ピュイ ジュ アヴォワール デュ セル 〔デュ **poivre] ?** ポワーヴル〕
⑲水を下さい *Mizu o kudasai.*	Water, please. ウォーター プリーズ	**Puis-je avoir de l'eau ?** ピュイ ジュ アヴォワール ドゥ ロー
⑳パンをもう少し下さい *Pan o mōsukoshi kudasai.*	Some more bread, please. サム モア ブレッド プリーズ	**Encore un peu de pain, s'il vous** アンコール アン プー ドゥ パン スィル ヴー **plaît.** プレ
㉑(同席の人に対して)タバコを *Tabako o* 喫ってもいいですか *suttemo ii desu ka?*	May I smoke ? メイ アイ スモウク	**Est-ce que je peux fumer ?** エ ス ク ジュ プー ヒュメ
㉒おいしかったです *Oishikatta desu.*	It was delicious. イット ワズ デリシャス	**C'était délicieux.** セ テ デリシュー
㉓多すぎて残しました *Ōsugite nokoshimashita.*	It was more than I could eat. イット ワズ モア ザン アイ クッド イート	**C'était tellement copieux que je** セ テ テルマン コピュー ク ジュ **n'ai pas pu tout manger.** ネ パ ピュ トゥ マンジェ
㉔この勘定にサービス料は含ま *Kono kanjō ni sābisu ryō wa fuku* れていますか *marete imasu ka?*	Does the bill include the service ダズ ザ ビル インクルード ザ サーヴィス charge ? チャーヂ	**Le service est-il compris dans** ル セルヴィス エティル コンプリ ダン **l'addition ?** ラディシオン

126

ドイツ語 DEUTSCH	イタリア語 ITALIANO	スペイン語 ESPAÑOL
Salz [Pfepfer] bitte. ザルツ [プフェファー] ビッテ	*Sale* [Pepe], per favore. サーレ [ペペ] ペル ファヴォーレ	Por favor, *la sal* [la pimienta]. ポル ファボール ラ サール [ラ ピミエンタ]
Wasser bitte. ヴァッサー ビッテ	Acqua, per favore. アックア ペル ファヴォーレ	Agua, por favor. アグア ポール ファボール
Noch etwas Brot bitte. ノホ エトヴァス ブロート ビッテ	Ancora un po'di pane, per favore. アンコーラ ウン ポディ パーネ ペル ファヴォーレ	Un poco más de pan, por favor. ウン ポコ マス デ パン ポール ファボール
Darf ich rauchen ? ダルフ イヒ ラウヘン	Posso fumare ? ポッソ フマーレ	¿Me permite fumar ? メ ペルミーテ フマール
Es hat gut geschmeckt. エス ハット グート ゲシュメックト	Ottimo. オッティモ	Gracias. Estuvo delicioso. グラシアス エストゥボ デリシオソ
Es war mir etwas zu viel. エス ヴァール ミア エトヴァス ツー フィール	Ho lasciato, perchè è troppo. オ ラシャート ペルケ エ トロッポ	No he podido tomarlo todo por ser demasiado. ノー エ ポディード トマールロ トード ポール セール デマシアード
Ist die Bedienung in der Rechnung eingeschlossen ? イスト ディ ベディーヌング イン デア レヒヌング アインゲシュロッセン	Il servizio è incluso ? イル セルヴィーツィオ エ インクルーゾ	¿Está incluido el servicio en esta cuenta ? エスタ インクルイド エル セルビシオ エン エスタ クエンタ

127

レストランで

日本語 JAPANESE	英　語 ENGLISH	フランス語 FRANÇAIS
㉕ウィスキーの水割りを下さい *Uisukī no mizuwari o kudasai.*	**Whisky and water, please.** ウィスキー　アンド　ウォーター　プリーズ	**Donnez-moi un whisky à l'eau,** ドネ　モワ　アン　ウィスキー　ア　ロー **s'il vous plaît.** スィルヴー　プレ
㉖給仕 *kyūji*	**waiter / waitress** ウェイター　　ウェイトレス	**le garçon** ル　ギャルソン
㉗朝食 *chōshoku*	**breakfast** ブレックファスト	**le petit déjeuner** ル　プティ　デジュネ
㉘昼食 *chūshoku*	**lunch** ランチ	**le déjeuner** ル　デジュネ
㉙夕食 *yūshoku*	**dinner** ディナー	**le dîner** ル　ディネ
㉚スープ *sūpu*	**soup** スープ	**la soupe** ラ　スープ
㉛コンソメ／ポタージュ *konsome　potāju*	**consommé / potage** コンソメイ　　ポタージュ	**le consommé / le potage** ル　コンソメ　　ル　ポタージュ
㉜ご飯 *gohan*	**(boiled) rice** （ボイルド）　ライス	**le riz (bouilli)** ル　リ　（ブイーイ）
㉝パン *pan*	**bread** ブレッド	**le pain** ル　パン
㉞バター／ジャム *batā　jamu*	**butter / jam** バター　　チャム	**le beurre / la confiture** ル　ブール　　ラ　コンフィテュール
㉟チーズ *chīzu*	**cheese** チーズ	**le fromage** ル　フロマージュ

ドイツ語 DEUTSCH	イタリア語 ITALIANO	スペイン語 ESPAÑOL
Bringen Sie mir bitte ブリンゲン ズィー ミア ビッテ **Whisky und Wasser.** ヴィスキー ウント ヴァッサー	**Whisky con l'acqua, per** ウィスキー コン ラックワ ペル **favore.** ファヴォーレ	**Por favor, déme whisky** ポール ファボール デーメ ウイスキー **con agua.** コン アグア
der Kellner デア ケルナー **das Frühstück** ダス フリューシュテュック **das Mittagessen** ダス ミッタークエッセン	**il cameriere** イル カメリエーレ **la prima colazione** ラ プリーマ コラツィオーネ **il pranzo** イル プランソ	**el mozo** エル モーソ **el desayuno** エル デサジューノ **el almuerzo** エル アルムエルソ
das Abendessen ダス アーベントエッセン **die Suppe** ディ ズッペ **die klare Suppe／die dicke** ディ クラーレ ズッペ ディ ディック **Suppe** ズッペ	**la cena** ラ チェーナ **la zuppa** ラ ズッパ **il consommé／il potage** イル コンソメ イル ポタージュ	**la cena** ラ セーナ **la sopa** ラ ソーパ **el consomé／el potaje** エル コンソメ エル ポタッヘ
der (gekochte) Reis デア (ゲコホテ) ライス **das Brot** ダス ブロート **die Butter／die Konfitüre** ディ ブター ディ コンフィテューレ	**il riso (bollito)** イル リーソ (ボッリート) **il pane** イル パーネ **il burro／la confettura** イル ブルロ ラ コンフェットゥーラ	**el arroz (cocido)** エル アロース (コシード) **el pan** エル パン **la mantequilla／la mermelada** ラ マンテキージャ ラ メルメラーダ
der Käse デア ケーゼ	**il formaggio** イル フォルマッジョ	**el queso** エル ケーソ

日本語 JAPANESE	英語 ENGLISH	フランス語 FRANÇAIS
㊱オードブル *ōdoburu*	appetizer / hors d'oeuvre アパタイザー　オードゥーヴル	le hors-d'œuvre ル　オール　ドゥーヴル
㊲からし *karashi*	mustard マスタード	la moutarde ラ　ムタールド
㊳野菜 *yasai*	vegetable ヴェヂタブル	le légume ル　レギューム
㊴ジャガイモ *jagaimo*	potato ポテイトウ	la pomme de terre ラ　ポム　ドゥ テール
㊵トマト *tomato*	tomato トメイトウ	la tomate ラ　トマート
㊶キャベツ *kyabetsu*	cabbage キャベッヂ	le chou ル　シュー
㊷タマネギ *tamanegi*	onion アニャン	l'oignon ロニョン
㊸ニンジン *ninjin*	carrot キャラット	la carotte ラ　キャロット
㊹トウモロコシ *tōmorokoshi*	corn コーン	le maïs ル　マイース
㊺カボチャ *kabocha*	pumpkin / squash パンプキン　スカッシュ	le potiron ル　ポティロン
㊻ホウレンソウ *hōrensō*	spinach スピナッチ	l'épinard レピナール
㊼キノコ *kinoko*	mushrooms マシュルームス	le champignon ル　シャンピニョン
㊽サラダ *sarada*	salad サラド	la salade ラ　サラード

ドイツ語 DEUTSCH	イタリア語 ITALIANO	スペイン語 ESPAÑOL
die Vorspeise ディ フォアシュパイゼ	l'antipasto ランティパースト	los entremeses ロス エントレメッセス
der Senf デア ゼンフ	la senapa ラ セナパ	la mostaza ラ モスタッサ
das Gemüse ダス ゲミューゼ	la verdura ラ ヴェルドゥーラ	las verduras ラス ベルドゥラス
die Kartoffel ディ カルトッフェル	la patata ラ パタータ	la patata / la papa ラ パタータ ラ パパ
die Tomate ディ トマーテ	il pomodoro イル ポモドーロ	el tomate エル トマーテ
der Kohl デア コール	il cavolo イル カーヴォロ	la col ラ コール
die Zwiebel ディ ツヴィーベル	la cipolla ラ チポッラ	la cebolla ラ セボージャ
die Möhre ディ メーレ	la carota ラ カロータ	la zanahoria ラ サナオーリア
der Mais デア マイス	il granturco イル グラントゥルコ	el maíz エル マイス
der Kürbis デア キュービス	la zucca ラ ズッカ	la calabaza ラ カラバーサ
der Spinat デア シュピナート	lo spinacio ロ スピナチョ	la espinaca ラ エスピナーカ
der Pilz デア ピルツ	il fungo イル フンゴ	el hongo / la seta エル オンゴ ラ セータ
der Salat デア ザラート	l'insalata リンサラータ	la ensalada ラ エンサラーダ

日本語 JAPANESE	英語 ENGLISH	フランス語 FRANÇAIS
㊾フレンチドレッシング *furenchi doresshingu*	**French dressing** フレンチ　ドレッシング	**la vinaigrette française** ラ　ヴィネグレット　フランセーズ
㊿ゆで〔半熟・目玉焼き〕卵 *yude〔hanjuku, medamayaki〕tamago*	***boiled*** **[soft-boiled, fried] egg** ボイルド　[ソフト　ボイルド　フライド　エッグ]	**l'œuf *dur* [à la coque, au plat]** ルフ　デュール　ア　ラ　コック　オー　プラ
�51肉 *niku*	**meat** ミート	**la viande** ラ　ヴィアンド
�52鶏肉 *toriniku*	**chicken** チキン	**le poulet** ル　プーレ
�53牛肉 *gyūniku*	**beef** ビーフ	**le bœuf** ル　ブーフ
�54ステーキ *sutēki*	**steak** ステイク	**le bifteck** ル　ビフテーク
�55レバー *rebā*	**liver** リヴァー	**le foie** ル　フォワ
�56豚肉 *butaniku*	**pork** ポーク	**le porc** ル　ポール
�57羊肉 *yōniku*	**mutton** マトゥン	**le mouton** ル　ムートン
�58魚 *sakana*	**fish** フィッシュ	**le poisson** ル　ポワソン
�59伊勢えび／くるまえび *ise ebi　kuruma ebi*	**lobster ／ prawn** ラブスター　プローン	**la langouste ／ la langoustine** ラ　ラングスト　　ラ　ラングスティーヌ
�60貝 *kai*	**shellfish** シェルフィッシュ	**le coquillage** ル　コキヤージュ

ドイツ語 DEUTSCH	イタリア語 ITALIANO	スペイン語 ESPAÑOL
französisch angemacht フランツェーズィッシュ アンゲマハト	**l'accondimento** ラッコンディメント	**la salsa francesa** ラ サルサ フランセーサ
das *gekochte* [weich gekochte, gebratene] Ei ダス ゲコホテ [ヴァイヒ ゲコホテ ゲブラテネ] アイ	**l'uovo *sodo* [un po'tenero, fritto]** ローヴォ ソード [ウン ポテーネロ フリット]	**el huevo *duro* [pasado por agua, frito]** エル ウエボ ドゥーロ [パサード ポール アグア フリート]
das Fleish ダス フライシュ	**la carne** ラ カルネ	**la carne** ラ カルネ
das Huhn ダス フーン	**il pollo** イル ポッロ	**el pollo** エル ポージョ
das Rindfleisch ダス リントフライシュ	**il manzo** イル マンソー	**la carne de *vaca* [res]** ラ カルネ デ バーカ [レス]
das Steak ダス シュテーク	**la bistecca** ラ ビステッカ	**el bistec** エル ビステック
die Leber ディ レーバー	**il fegato** イル フェーガト	**el hígado** エル イーガド
das Schweinefleisch ダス シュヴァイネフライシュ	**il maiale** イル マイアーレ	**la carne de *cerdo* [puerco]** ラ カルネ デ セルド [プエルコ]
das Hammelfleisch ダス ハメルフライシュ	**il montone** イル モントーネ	**la carne de cordero** ラ カルネ デ コルデロ
der Fisch デア フィシュ	**la pesce** ラ ペッシェ	**el pescado** エル ペスカード
die Languste / der Hummer ディ ラングステ　デア フマー	**l'aragosta / il gamberetto** ララゴスタ　　イル ガンベレット	**la langosta / el langostino** ラ ランゴスタ　エル ランゴスティーノ
die Muschel ディ ムッシェル	**i molluschi** イ モッルスキ	**el marisco** エル マリスコ

133

日本語 JAPANESE	英 語 ENGLISH	フランス語 FRANÇAIS
㉛カキ *kaki*	**oyster** オイスター	**l'huître** ルイットル
㉜カニ *kani*	**crab** クラブ	**le crabe** ル クラブ
㉝直火で焼いた *jikabi de yaita*	**barbecued** バーバキュード	**rôti** ロティ
㉞網焼きにした *amiyaki ni shita*	**grilled** グリルド	**grillé** グリニ
㉟揚げた *ageta*	**fried** フライド	**frit** フリ
㊱煮込んだ *nikonda*	**boiled / stewed** ボイルド　ステュード	**cuit à la casserole** キュイ ア ラ カスロル
㊲いためた *itameta*	**sautéed** ソティド	**sauté** ソーテ
㊳クンセイにした *kunsei ni shita*	**smoked** スモウクト	**fumé** フュメ
㊴フライにした *furai ni shita*	**fried** フライド	**frit** フリ
㊵詰め物にした *tsumemono ni shita*	**stuffed** スタッフト	**farci** ファルスィ
㊶果物 *kudamono*	**fruit** フルート	**le fruit** ル フリュイ
㊷りんご *ringo*	**apple** アプル	**la pomme** ラ ポム
㊸ぶどう *budō*	**grapes** グレイプス	**le raisin** ル レザン

ドイツ語 DEUTSCH	イタリア語 ITALIANO	スペイン語 ESPAÑOL
die Auster ディ アウスター	l'ostrica ロストゥリカ	las ostras ラス オストラス
die Krabbe ディ クラベ	il granchio イル グランキオ	el cangrejo エル カングレッホ
gebraten ゲブラーテン	alla griglia アッラ グリッリア	en barbacoa エン バルバコア
gegrillt ゲグリルト	ai ferri アイ フェルリ	a la parrilla ア ラ パリージャ
in schwimmend Fett gabacken イン シュヴィンメント フェット ゲバッケン	fritto フリット	frito フリート
gekocht ゲコホト	stufato ストゥファート	cocido bien a fuego lento コシード ビエン ア フエゴ レント
gebraten ゲブラーテン	soffritto ソッフリット	salteado サルテアード
geräuchert ゲロイヒェルト	affumicato アッフミカート	ahumado アウマード
gebacken ゲバッケン	fritto フリット	frito フリート
gefüllt ゲフュルト	imbottito インボッティート	relleno レジェーノ
das Obst ダス オープスト	la frutta ラ フルッタ	la fruta ラ フルータ
der Apfel デア アプフェル	la mela ラ メーラ	la manzana ラ マンサーナ
die Trauben ディ トラウベン	l'uva ルーヴァ	la uva ラ ウーバ

135

レストランで

日本語 JAPANESE	英　語 ENGLISH	フランス語 FRANÇAIS
⑭オレンジ *orenji*	orange オレンジ	l'orange ロランジュ
⑮グレープフルーツ *gurēpu-furūtsu*	grapefruit グレイプフルート	le pamplemousse ル　パンプルムッス
⑯洋梨 *yōnashi*	pear ペアー	la poire ラ　ポワール
⑰桃 *momo*	peach ピーチ	la pêche ラ　ペーシュ
⑱いちご *ichigo*	strawberry ストローベリ	la fraise ラ　フレーズ
⑲メロン *meron*	melon メラン	le melon ル　ムロン
⑳バナナ *banana*	banana バナーナ	la banane ラ　バナーヌ
㉑飲み物 *nomimono*	drink ドリンク	la boisson ラ　ボワソン
㉒ぶどう酒 *budōshu*	wine ワイン	le vin ル　ヴァン
㉓赤／白／ロゼ *aka　shiro roze*	red ／ white ／ rosé レッド　ホワイト　ロウゼー	rouge ／ blanc ／ rosé ルーチュ　ブラン　ロゼ
㉔甘口の／あまり甘くない *amakuchi no　amari amakunai*	sweet ／ not too sweet スイート　ナット トゥー スイート	doux ／ demi-sec ドゥー　ドゥミ セック
㉕辛口の *karakuchi no*	dry ドライ	sec セック
㉖ビール *biru*	beer ビア	la bière ラ　ビエール

136

ドイツ語 DEUTSCH	イタリア語 ITALIANO	スペイン語 ESPAÑOL
die Orange ディ オランジェ	**l'arancio** ランチョ	**la naranja** ラ ナランハ
die Pampelmuse ディ パンペルムーゼ	**il pompelmo** イル ポンペルモ	*el pomelo* [la toronja] エル ポメロ ［ラ トロンハ］
die Birne ディ ビルネ	**la pera** ラ ペーラ	**la pera** ラ ペーラ
der Pfirsich デア プフィルスィヒ	**la pesca** ラ ペスカ	*el melocotón* [el durazno] エル メロコトン ［エル ドゥラスノ］
die Erdbeeren ディ エルトベーレン	**la fragola** ラ フラーゴラ	*la fresa* [el fresón] ラ フレッサ ［エル フレソン］
die Melone ディ メローネ	**il melone** イル メローネ	**el melón** エル メロン
die Banane ディ バナーネ	**la banana** ラ バナーナ	*la banana* [el plátano] ラ バナナ ［エル プラタノ］
die Getränke ディ ゲトゥレンケ	**la bevanda** ラ ベヴァンダ	**la bebida** ラ ベビーダ
der Wein デア ヴァイン	**il vino** イル ヴィーノ	**el vino** エル ビーノ
rot／weiß／rosé ロート ヴァイス ロゼ	**rosso／bianco／rosato** ロッソ ビアンコ ロザート	**tinto／blanco／rosé** ティント ブランコ ロセー
süß ／nicht süß, herb ズュース ニヒト ズュース ヘルプ	**dolce／non dolce** ドルチェ ノン ドルチェ	**dulce／no dulce** ドゥルセ ノー ドゥルセ
trocken トゥロッケン	**secco** セッコ	**seco** セコ
das Bier ダス ビーア	**la birra** ラ ビルラ	**la cerveza** ラ セルベッサ

日本語 JAPANESE	英 語 ENGLISH	フランス語 FRANÇAIS
⑧水割り *mizuwari*	whisky and water ウィスキー アンド ウォーター	le whisky à l'eau ル ウイスキー ア ロー
⑧オンザロック *onzarokku*	on the rocks アン ザ ラックス	le whisky avec de la glace ル ウイスキー アヴェックドゥラ グラース
⑧ブランデー *burandē*	brandy ブランディー	le cognac ル コニャック
⑨シャンペン *shanpen*	champagne シャンペイン	le champagne ル シャンパーニュ
⑨ソーダ水 *sōdasui*	soda water ソウダ ウォーター	le soda ル ソーダ
⑨(アイス)コーヒー *(aisu) kōhī*	(iced) coffee (アイスト) カフィー	le café- (glacé) ル カフェ (グラセ)
⑨ココア *kokoa*	cocoa コウコウ	le chocolat chaud ル ショコラ ショー
⑨チョコレート *chokorēto*	chocolate チョコレット	le chocolat ル ショコラ
⑨紅〔緑〕茶 *kō〔ryoku〕cha*	*tea* [green tea] ティー〔グリーン ティー〕	le thé *noir* [vert] ル テ ノワール〔ヴェール〕
⑨砂糖 *satō*	sugar シュガー	le sucre ル シュクル
⑨レモネード *remonēdo*	lemonade レモネイド	la limonade ラ リモナード
⑨ジュース *jusu*	juice チュース	le jus ル ジュ
⑨(ホット)ミルク *(hotto) miruku*	(hot) milk (ハット) ミルク	le lait (chaud) (ル レ) ショー

ドイツ語 DEUTSCH	イタリア語 ITALIANO	スペイン語 ESPAÑOL
Whisky mit Wasser ヴィスキー　ミット　ヴァッサー	**il whisky con l'acqua** イル ウィスキー コン ラックア	**el whisky con agua** エル ウイスキー コン アグア
auf Eis アウフ アイス	**il whisky con ghiaccio** イル ウィスキー コン ギアッチョ	**el whisky con hielo** エル ウイスキー コン イエーロ
der Brandy, der Cognac デア ブランディ デア コニャック	**il brandy / il cognac** イル ブランディ イルコニャック	**el brandy** エル ブランディ
der Champagner [der Sekt] デア シャムパニァー [デア ゼクト]	**lo spumante** ロ スプマンテ	**el champaña** エル チャンパーニャ
das Selterswasser ダス ゼルタースヴァッサー	**la soda** ラ ソーダ	**la soda** ラ ソーダ
der (Eis-) Kaffee デア （アイス）カフェ	**il caffè (freddo)** イル カッフェ （フレッド）	**el café (frío con hielo)** エル カフェー（フリーオ コン イエーロ）
der Kakao デア カカーオ	**la cioccolata** ラ チョッコラータ	**el chocolate** エル チョコラーテ
die Schokolade ディ ショコラーデ	**la cioccolata** ラ チョッコラータ	**el chocolate** エル チョコラーテ
der *schwarze* [grüne] Tee デア シュヴァルツェ [グリューネ] テー	**il tè *all'inglese* [verde]** イル テ アッリングレーゼ [**ヴェルデ**]	**el tè [verde]** エル テ [ベルデ]
der Zucker デア ツッカー	**lo zucchero** ロ ヅッケロ	**el azúcar** エル アスカル
die Limonade ディ リモナーデ	**la limonata** ラ リモナータ	**la limonada** ラ リモナーダ
der Saft デア ザフト	**il succo** イル スッコ	**el jugo** エル フーゴ
die (heiße) Milch ディ （ハイセ） ミルヒ	**il latte (caldo)** イル ラッテ （カルド）	**la leche (caliente)** ラ レチェ （カリエンテ）

日本語 JAPANESE	英 語 ENGLISH	フランス語 FRANÇAIS
⑩アイスクリーム *aisu kurimu*	ice cream アイスクリーム	la glace ラ グラース
⑩シャーベット *shābetto*	sherbet シャーベット	le sorbet ル ソルベ
⑩ケーキ *kēki*	cake ケイク	le gâteau ル ガトー
⑩プリン *purin*	pudding プディング	la crème caramel ラ クレーム カラメル
⑩ナイフ *naifu*	knife ナイフ	le couteau ル クートー
⑩フォーク *fōku*	fork フォーク	la fourchette ラ フールシュット
⑩スプーン *supūn*	spoon スプーン	la cuillère ラ キュイエール
⑩ナプキン *napukin*	napkin ナプキン	la serviette ラ セルヴィェット
⑩灰皿 *haizara*	ashtray アッシュトレイ	le cendrier ル サンドリエ
⑩マッチ *matchi*	matches マッチズ	les allumettes レ ザリュメット

ドイツ語 DEUTSCH	イタリア語 ITALIANO	スペイン語 ESPAÑOL
das Eis ダス アイス	il gelato イル ジェラート	el helado エル エラード
das Scherbett ダス シャーベット	il sorbetto イル ソルベット	el sorbete エル ソルベッテ
der Kuchen / die Torte デア クーヘン ディ トルテ	il dolce イル ドルチェ	el pastel エル パステール
der Pudding デア プディング	il budino イル ブディーノ	el flan エル フラン
das Messer ダス メッサー	il coltello イル コルテッロ	el cuchillo エル クチージョ
die Gabel ディ ガーベル	la forchetta ラ フォルケッタ	el tenedor エル テネドール
der Löffel デア レフェル	il cucchiaio イル クッキアイオ	la cuchara ラ クチャーラ
die Serviette ディ セルヴィエッテ	il tovagliolo イル トヴァッリオーロ	la servilleta ラ セルビジェータ
der Aschenbecher デア アッシェンベッヒャー	il portacenere イル ポルタチェーネレ	el cenicero エル セニセーロ
das Streichholz ダス シュトライヒホルツ	il fiammifero イル フィアンミーフェロ	la cerilla / el fósforo ラ セリージャ エル フォスフォロ

♣見知らぬ国で道に迷うことほど心細いものはない。そんなときのために，自分が宿泊しているホテルのカードを持っていると便利。また，ひとりで街を歩くときは，必ず地図を持っていくとよいだろう。

♣**外国のトイレ**は，有料のものがある。ドアにコインを入れる自動式と，入口に管理人がいるものがあり，1回の使用料は，50～100円位。中に入ってドアを閉めないと電燈がつかないものがあるので要注意。

♣**タクシー**は，時間が限られている旅行者にとって，いちばん手軽な交通機関。ただし，日本と違い，流しのタクシーが少ないこと，ドアを自分で開閉すること，チップが必要なことなど，不便な点もある。

♣**地下鉄**が縦横に発達しているパリ，ロンドン，ニューヨークなどでは，路線図を入手すれば，旅行者でも充分利用できる。

♣**バス**は，世界各国いたる所で走っている。アメリカでは大陸横断の直通バスも運行されており，北米バス路線を自由に乗れるという

トラベル・メモ

バス周遊券のような制度がある。ヨーロッパでは，観光客のために，ヨーロッパ大陸の国際ルートを走るバスもある。

♣**アメリカの鉄道**は，飛行機と長距離バスに客足を奪われ，斜陽化しつつある。しかし列車の設備はすばらしく，しかも空いている場合が多いので，時間に余裕のある人は利用してみるとよい。

♣**ヨーロッパの鉄道**は，各国とも大部分国有で，ＴＥＥなど各国間に国際列車を走らせている。周遊券にあたるユーレイル・パスがあり，日本で買うことができる。

♣**レンタ・カー**を利用するには，日本で出発前に国際運転免許証を取ることが必要。主要都市では空港・ホテルなどで手軽に借りることができる。

♣**エーゲ海，カリブ海のクルーズ**など，船の旅も根強い人気がある。予約はできるだけ早目にすること。船内での両替，郵便，電報などは，事務室で扱っている。貴重品もここで預かってくれる。

日本語 JAPANESE	英 語 ENGLISH	フランス語 FRANÇAIS
道を尋ねる *Michi o tazuneru*	**ASKING THE WAY** アスキング ザ ウェイ	**DEMANDER LE CHEMIN** ドゥマンデ ル シュマン
❶すみませんが～へ行く道を教 *Sumimasen ga ~ e iku michi o* えて下さい *oshiete kudasai.*	**Excuse me. How can I get to ~ ?** エクスキューズミー ハウ キャナイ ゲット トゥ～	**Pardon, pouvez-vous me dire le** パルドン プーヴェ ヴーム ディールル **chemin pour aller à ~ ?** シュマン プール アレ ア～
❷この近くに（郵便局）があり *Kono chikaku ni (yūbinkyoku) ga* ますか *arimasu ka?*	**Is there a (post office) near here ?** イズゼア ア（ポウストオフィス）ニア ヒア	**Y-a-t-il un (bureau de poste) près** ヤ ティルアン（ビュロー ドゥ ポスト）プレ **d'ici ?** ディスィ
❸～ホテルはここから遠いです *~ hoteru wa koko kara tōi desu* か *ka?*	**Is the ~ Hotel far from here ?** イズザ ～ ホテル ファー フラム ヒア	**Est ce que l'hôtel ~ est loin d'ici ?** エ スク ロテル ～ エ ロワン ディスィ
❹どのくらいかかりますか *Dono kurai kakarimasu ka?*	**How long does it take ?** ハウ ロング ダズ イット テイク	**Combien de temps faut-il ?** コンビアン ドゥ タン フォーティル
❺ここはどこですか *Koko wa doko desu ka?*	**Where are we now ?** ホェア アー ウィー ナウ	**Où suis-je maintenant ?** ウー スイ ジュ マントナン
❻この通りは何といいますか *Kono tōri wa nan to iimasu ka?*	**What street is this ?** ホァット ストリート イズ ズィス	**Comment s'appelle cette rue ?** コマン サペル セット リュ

1人歩き

144　☞ 郵便 P.264

ドイツ語 DEUTSCH	イタリア語 ITALIANO	スペイン語 ESPAÑOL
NACH DEM WEG FRAGEN ナッハ デム ヴェーク フラーゲン	**DOMANDARE LA VIA** ドマンダーレ ラ ヴィーア	**PREGUNTANDO EI CAMINO** プレグンタンド エル カミーノ
Bitte zeigen Sie mir den Weg ビッテ ツァイゲン ズィー ミア デン ヴェーク nach~. ナッハ ~.	Scusi, per andare a ~, per スクージ ペル アンダーレ ア ~ ペル favore. ファヴォーレ	Por favor, enséñeme el camino ポール ファボール エンセーニェメ エル カミーノ para ~. パラ ~
Ist ein (Postamt) hier in der イスト アイン（ポストアムト）ヒーア イン デア Nähe ? ネーエ ?	C'è un (ufficio postale) qui チェ ウン（ウッフィーチョ ポスターレ）クイ vicino? ヴィチーノ	¿Hay alguna (oficina de アイ アルグーナ （オフィシーナ デ correos) cerca de aquí? コレオス）セルカ デ アキィ
Ist das Hotel ~ weit von hier ? イスト ダス ホテル ~ ヴァイト フォン ヒーア	L'Hotel ~, è lontano da qui ? ロテル ~ エ ロンターノ ダ クイ	¿Está el hotel lejos de aquí? エスタ エル オテル レッホス デ アキィ
Wie lange dauert es ? ヴィー ラング ダウエルト エス	Quanto tempo ci vuole? クアント テンポ チ ヴォーレ	¿Cuánto tiempo se tarda en クアント ティエンポ セ タルダ エン llegar? ジェガール
Wo sind wir jetzt ? ヴォー ズィント ヴィーア イェッツト	Dove siamo qui? ドヴェ シアーモ クイ	¿Dónde estamos ahora? ドンデ エスタモス アオラ
Wie heißt diese Straße ? ヴィー ハイスト ディーゼ シュトラーセ	Come si chiama questa via? コメ シ キアーマ クエスタ ヴィーア	¿Cómo se llama esta calle? コモ セ ジャーマ エスタ カージェ

6

145

1人歩き

❼（地図を見せて）現在位置を示
Genzai ichi o
して下さい
shimeshite kudasai.

Please point out where I am on
ブリーズ ポイント アウト ホェア アイ アム アン
this map.
ズィス マップ

Indiquez-moi sur cette carte où
アンディクェ モワ シュール セット カルト ウー
je suis maintenant ?
ジュ スイ マントナン

---

❽ ここに略図を書いて下さい
Koko ni ryakuzu o kaite kudasai.

Please draw a map here.
ブリーズ ドロー ア マップ ヒア

Voulez-vous me faire le plan ici,
ウーレ ヴー ム フェール ル プラン イスィ
s'il vous plaît.
スィル ヴー プレ

---

❾ あの建物は何ですか
Ano tatemono wa nan desu ka?

What is that building ?
ホァット イズ ザット ビルディング

Quel est cet édifice-là ?
ケ レ セット エディフィスラ

---

❿ 北はどちらですか
Kita wa dochira desu ka?

Which way is north ?
ホイッチ ウェイ イズ ノース

De quel côté est le nord ?
ドゥ ケル コーテ エ ル ノール

⓫ 途中の目印を言って下さい
Tochū no mejirushi o itte kudasai.

What landmarks are on the way ?
ホァット ランドマークス アー アン ザ ウェイ

Voulez-vous me donner un point
ウーレ ヴー ム ドネ アン ポワン
de repère sur le chemin ?
ドゥ ルペール シュール ル シュマン

⓬ まっすぐに行くのですか
Massugu ni iku no desu ka?

Should I go straight ?
シュッド アイ ゴウ ストレイト

Dois-je aller tout droit ?
ドゥ ジュアレ トゥ ドロワ

⓭ 東 ／西
higashi nishi

east ／ west
イースト ウェスト

l'est ／ l'ouest
レスト ルウエスト

146

ドイツ語 DEUTSCH	イタリア語 ITALIANO	スペイン語 ESPAÑOL
Bitte zeigen Sie mir auf dieser ビッテ ツァイゲン ズィー ミア アウフ ディーザー **Karte, wo ich jetzt bin.** カルテ ヴォー イヒ イェッツト ビン	**Dove siamo ora su questa** ドヴェ シアーモ オーラ ス クエスタ **piantina?** ピアンティーナ	**Por favor, indíqueme en este** ポール ファボール インディーケメ エン ネステ **mapa dónde estamos ahora.** マーパ ドンデ エスタモス アオラ
Können Sie mir den Weg auf- ケネン ズィー ミア デン ヴェーク アウフ **zeichnen?** ツァイヒネン	**Può fare una piantina?** プオ ファーレ ウナ ピアンティーナ	**Por favor, escriba aquí el** ポール ファボール エスクリーバ アキィ エル **mapa abreviado.** マーパ アブレビアード
Was ist das für ein Gebäude? ヴァス イスト ダス フェーア アイン ゲボイデ	**Quel palazzo, cosa è?** クエル パラッツォ コーザ エ	**¿Qué es ese edificio?** ケ エス エセ エディフィシオ
Nach welcher Richtung ist ナッハ ヴェルヒャー リヒトゥング イスト **Norden?** ノルデン	**In qual direzione è il nord?** イン クアル ディレツィオーネ エ イル ノルド	**¿En qué dirección esta el norte?** エン ケ ディレクシオン エスタ エル ノルテ
Können Sie mir etwas sagen, ケネン ズィー ミア エトヴァス ザーゲン **wonach ich mich unterwegs** ヴォナッハ イヒ ミヒ ウンターヴェークス **orientieren kann?** オリエンティーレン カン	**Mi dica un punto di riferimento** ミ ディーカ ウン プント ディリフェリメント **della strada.** デッラ ストラーダ	**Por favor, dígame algún punto** ポール ファボール ディガメ アルグーン プント **de referencia en el camino.** デ レフェレンシア エン ネル カミーノ
Muß ich geradeaus gehen? ムス イヒ ゲラーデアウス ゲーエン	**Vado diritto?** ヴァード ディリット	**¿Tengo que ir todo derecho?** テンゴ ケ イール トード デレーチョ
der Osten / der Westen デア オステン デア ヴェステン	**l'est / l'ovest** レストゥ ロヴェストゥ	**el este / el oeste** エル エステ エル オエステ

日本語 JAPANESE	英　語 ENGLISH	フランス語 FRANÇAIS
⑭南　／北 *minami　kita*	**south** / **north** サウス　ノース	**le sud** / **le nord** ル シュド　ル ノール
⑮右　／右側 *migi migi gawa*	**right**/**right side** ライト　ライト サイド	**la droite**/**le côté droit** ラ ドロワット　ル コーテ ドロワ
⑯左　／左側 *hidari hidari gawa*	**left**/**left side** レフト　レフト サイド	**la gauche**/**le côté gauche** ラ ゴーシュ　ル コーテ ゴーシュ
⑰前方 *zenpō*	**front** フロント	**le devant** ル ドゥヴァン
⑱後方 *kōhō*	**rear** リアー	**l'arrière** ラリエール
⑲横〔脇〕 *yoko〔waki〕*	**side** サイド	**le côté** ル コーテ
⑳こちら側 *kochira gawa*	**this side** ズィス サイド	**ce côté** ス コーテ
㉑向こう〔反対〕側 *mukō〔hantai〕gawa*	**opposite side** オポズィット サイド	**l'autre côté** ロートル コーテ
㉒ブロック（街の区画） *burokku*	**block** ブラック	**le pâté de maisons** ル パテ ドゥ メゾン
㉓道路／大通り *dōro　ōdōri*	**road** / **avenue** ロウド　アヴェニュー	**la route** / **le boulevard** ラ ルート　ル ブールヴァール
㉔街路／並木道 *gairo　namiki michi*	**street** / **boulevard** ストリート　ブールヴァード	**la rue** / **l'avenue** ラ リュ　ラヴェニュ
㉕歩道 *hodō*	**sidewalk** サイドウォーク	**le trottoir** ル トロトワール
㉖交差点 *kōsaten*	**intersection** インタセクシュン	**le carrefour** ル カルフール

ドイツ語 DEUTSCH	イタリア語 ITALIANO	スペイン語 ESPAÑOL
der Süden / der Norden デア ズューデン　デア ノルデン	il sud / il nord イル スッドゥ　イル ノルドゥ	el sur / el norte エル スール　エル ノルテ
rechts / die rechte Seite レヒツ　　　ディ レヒテ ザイテ	la destra ラ デストラ	la derecha / lado derecho ラ デレーチャ　ラード デレーチョ
links / die linke Seite リンクス　ディ リンケ ザイテ	la sinistra ラ シニストラ	la izquierda / lado izquierdo ラ イスキエルダ　ラード イスキエルド
die Vorderseite ディ フォルダーザイテ	la parte anteriore ラ パルテ　アンテリオーレ	el frente エル フレンテ
die Rückseite ディ リュックザイテ	la parte posteriore ラ パルテ　ポステリオーレ	la parte trasera ラ パルテ　トゥラセーラ
die Seite ディ ザイテ	il lato / il fianco イル ラート　イル フィアンコ	el lado エル ラード
auf dieser Seite アウフ ディーザー ザイテ	questa parte クエスタ パルテ	este lado エステ ラード
auf der anderen Seite アウフ デア アンデレン ザイテ	l'altra parte ラルトゥラ パルテ	aquel lado / el lado opuesto アケール ラード　エル ラード オプエスト
der Block デア ブロック	il fabbricato イル ファッブリカート	la manzana / la cuadra ラ マンサーナ　　ラ クアドゥラ
die Straße / die Hauptstraße ディ シュトラーセ　ディ ハウプトシュトラーセ	la strada / il viale ラ ストゥラーダ　イル ヴィアーレ	el camino / la avenida エル カミーノ　　ラ アベニーダ
die Straße / die Allee ディ シュトラーセ　ディ アレー	la via / il viale ラ ヴィーア　イル ヴィアーレ	la calle / el bulevar ラ カージェ　エル ブレバール
der Bürgersteig デア ビュルガーシュタイク	il marciapiede イル マルチャピエーデ	la acera ラ アセーラ
die Straßenkreuzung ディ シュトラーセンクロイツング	l'incrocio della strada リンクローチョ　デッラ ストゥラーダ	el cruce エル クルーセ

149

日本語 JAPANESE	英 語 ENGLISH	フランス語 FRANÇAIS
㉗つきあたり *tsukiatari*	"T" intersection ティー インタセクシュン	le bout d'une rue ル ブー デュンヌ リュ
㉘横断歩道 *ōdan hodō*	pedestrian crossing ペデストリアン クロスィング	le passage pour piétons ル パサージュ プール ピエトン
㉙踏切 *fumikiri*	railway crossing レイルウェイ クロスィング	le passage à niveau ル パサージュ ア ニヴォー
㉚タクシー乗り場 *takushi noriba*	taxi stand タクスィースタンド	la station de taxi ラ スタシオン ドゥ タクシー
㉛バス停 *basu tei*	bus stop バス スタップ	l'arrêt d'autobus ラレ ドートビュス
㉜地下鉄駅 *chikatetsu eki*	subway station サブウェイ ステイシュン	la station de métro ラ スタシオン ドゥ メトロ
㉝鉄道駅 *tetsudō eki*	railway station レイルウェイ ステイシュン	la gare de chemin de fer ラ ガール ドゥ シュマン ドゥ フェール
㉞橋 *hashi*	bridge ブリッヂ	le pont ル ポン
㉟交通信号 *kōtsū shingō*	traffic light トラフィック ライト	le feu de signalisation ル フー ドゥ シナリザシオン
㊱道路標識 *dōro hyōshiki*	road sign ロウド サイン	la signalisation routière ラ シナリザシオン ルーティエール
㊲住所 *jūsho*	address アドレス	l'adresse ラドレス
㊳交番 *kōban*	police box ポリース バックス	le poste de police ル ポスト ドゥ ポリス

ドイツ語 DEUTSCH	イタリア語 ITALIANO	スペイン語 ESPAÑOL
die Sackgasse ディ ザックガッセ	la strada senza uscita ラ ストゥラーダ センツァ ウシータ	el callejón sin salida エル カジェホン シン サリーダ
der Straßenübergang für デア シュトラーセンユーバーガング フューア Fußgänger フスゲンガー	il passaggio pedonale イル パッサッジョ ペダナーレ	el paso para peatones エル パソ パラ ペアトネス
der Bahnübergang デア バーンユーバーガング	il passaggio a livello イル パッサッジョ ア リヴェッロ	el paso a nivel エル パソ ア ニベル
die Taxihaltestelle ディ タクシーハルテシュテレ	il posto dei tassi イル ポスト デイ タッシー	la parada de taxi ラ パラーダ デ タクシー
die Bushaltestelle ディ ブスハルテシュテレ	la fermata d'autobus ラ フェルマータ ダウトブス	la parada de autobús ラ パラーダ デ アウトブス
die U-Bahnstation ディ ウーバーンシュタツィオーン	la stazione della metropolitana ラ スタツィオーネ デッラ メトロポリターナ	la estación de Metro ラ エスタシオン デ メトゥロ
der Bahnhof デア バーンホーフ	la stazione ferroviaria ラ スタツィオーネ フェロヴィアーリア	la estación de ferrocarril ラ エスタシオン デ フェロカリール
die Brücke ディ ブリュケ	il ponte イル ポンテ	el puente エル プエンテ
das Verkehrszeichen ダス フェアケールスツァイヒェン	il semaforo イル セマーフォロ	el semáforo エル セマフォロ
das Straßenzeichen ダス シュトラーセンツァイヒェン	i segnali stradali イ セニャーリ ストラダーリ	las señales de carretera ラス セニャーレス デ カレテーラ
die Adresse ディ アドレセ	l'indirizzo リンディリッツォ	la dirección ラ ディレクシオン
die Polizeistelle ディ ポリツァイシュテレ	la guardiola ラ グアルディオラ	el puesto de policía エル プエスト デ ポリシーア

151

日本語 JAPANESE	英 語 ENGLISH	フランス語 FRANÇAIS
❸❾巡査 *junsa*	policeman ポリースマン	l'agent de police ラジャン　ドゥ ポリス
❹⓿公衆電話 *kōshū denwa*	public telephone パブリック テラフォウン	le téléphone public ル テレフォーン　ピュブリック
❹❶教会 *kyōkai*	church チャーチ	l'église レグリーズ
❹❷寺院／回教寺院 *jiin　kaikyō jiin*	temple ／ mosque テンプル　マスク	le temple ／ la mosquée ル タンプル　ラ モスケ
❹❸大学 *daigaku*	college／university カレッヂ　ユニヴァスィティ	l'université ルユニヴェルシテ
❹❹図書館 *toshokan*	library ライブレリー	la bibliothèque ラ ビブリオテーク
❹❺商店街 *shōtengai*	shopping street シャッピング ストリート	la rue commerçante ラ リュ コメルサント
❹❻広場 *hiroba*	public square パブリック スクェア	la place／le square ラ プラス　ル スコアール
❹❼噴水 *funsui*	fountain ファウンテン	le jet d'eau ル ジェ ドー
❹❽運動競技場 *undō kyōgijō*	stadium ステイディアム	le stade ル スタード
❹❾川 ／運河 *kawa　unga*	river ／ canal リヴァー　カナル	la rivière ／ le canal ラ リヴィエール　ル キャナル
❺⓿公園 *kōen*	park パーク	le parc ル パルク
❺❶市庁舎 *shichōsha*	city　hall スィティ ホール	l'hôtel *de ville* [la mairie] ロテル　ドゥ ヴィル [ラ メリー]

152　☞ 電話 P.268　ショッピング P.222

ドイツ語 DEUTSCH	イタリア語 ITALIANO	スペイン語 ESPAÑOL
der Polizist デア ポリツィスト	il poliziotto イル ポリツィオット	el policía エル ポリシーア
das öffentliche Telefon ダス エッフェントリッヒェ テレフォーン	il telefono pubblico イル テレフォノ プップリコ	el teléfono público エル テレフォノ プブリコ
die Kirche ディ キルヒェ	la chiesa ラ キエーザ	la iglesia ラ イグレシア
der Tempel / die Moschee デア テムペル ディ モシェー	il tempio / la moschea イル テンピオ ラ モスケーア	el templo budista / la Mezquita エル テンプロ ブディスタ ラ メスキータ
die Universität ディ ウニヴァースィテート	l'università ルニヴェルシタ	la universidad ラ ウニベルシダー
die Bibliothek ディ ビブリオテーク	la biblioteca ラ ビブリオテーカ	la biblioteca ラ ビブリオテーカ
die Geschäftsstraße ディ ゲシェフツシュトラーセ	la via dei negozi ラ ヴィーア ディ ネゴーツィ	la calle comercial ラ カージェ コメルシアール
der öffentliche Platz デア エフェントリヒェ プラッツ	la piazza ラ ピアッツァ	la plaza ラ プラーサ
der Brunnen デア ブルンネン	la fontana ラ フォンターナ	la fuente ラ フエンテ
der Sportplatz / das Stadion デア シュポルトプラッツ ダス シュタディオン	lo stadio ロ スターディオ	el estadio de deportes エル エスタディオ デ デポルテス
der Fluss / der Kanal デア フルス デア カナル	il fiume / il canale イル フューメ イル カナーレ	el río / el canal エル リオ エル カナール
der Park デア パルク	il parco イル パルコ	el parque エル パルケ
das Rathaus ダス ラートハウス	il municipio イル ムニチーピオ	el ayuntamiento エル アジュンタミエント

日本語 JAPANESE	英　語 ENGLISH	フランス語 FRANÇAIS
❷市場 *ichiba*	**market place** マーケット プレイス	**le marché** ル マルシェ
トイレ *Toire*	**RESTROOM** レストルーム	**TOILETTES** トワレット
❶この近くに公衆トイレはあり *Kono chikaku ni kōshū toire wa* ますか *arimasu ka?*	**Is there a public restroom near** イズ ゼア ア パブリック レストルーム ニア **here ?** ヒア	**Y-a-t-il des toilettes publiques près** ヤ ティル デ トワレット ピュブリック プレ **d'ici ?** ディスィ
❷（デパートなどで）トイレはど *Toire wa doko* こですか *desu ka ?*	**Where is the restroom ?** ホェア イズ ザ レストルーム	**Où sont les lavabos ?** ウー ソン レ ラヴァボ
❸ちょっとトイレを借りたいの *Chotto toire o karitai no desuga.* ですが	**May I use your restroom ?** メイ アイ ユーズ ユア レストルーム	**Puis-je utiliser les toilettes ?** ピュイ ジュティリゼ レ トワレット
❹男性用 *danseiyō*	**MEN／GENTLEMEN** メン　チェントルメン	**MESSIEURS／HOMMES** ムッシュー　　オーム
❺女性用 *joseiyō*	**WOMEN／LADIES** ウィメン　レイディース	**DAMES／FEMMES** ダム　　ファム
タクシー *Takushī*	**TAXI** タクスィー	**TAXI** タクシー
❶タクシー乗り場はどこですか *Takushī noriba wa doko desu ka ?*	**Where is the taxi stand ?** ホェア イズ ザ タクスィースタンド	**Où se trouve la station de taxi ?** ウー ス トルーヴ ラ スタシオン ドゥ タクシー

1人歩き

154

ドイツ語 DEUTSCH	イタリア語 ITALIANO	スペイン語 ESPAÑOL
der Markt デア マルクト	il mercato イル メルカート	el mercado エル メルカード

<table>
<tr><td colspan="3">TOILETTE
トアレッテ / トアレット / セルビシオ</td></tr>
</table>

TOILETTE トアレッテ	**TOILETTE** トアレット	**SERVICIO** セルビシオ
Gibt es eine öffentliche ギープト エス アイネ エフェントリヒェ Toilette in der Nähe? トアレッテ イン デア ネーエ	C'è un gabinetto pubblico qui チェ ウン ガビネット プッブリコ クイ vicino? ヴィチーノ	¿Aquí cerca hay un servicio アキィ セルカ アイ ウン セルビシオ público? プブリコ
Wo ist die Toilette? ヴォー イスト ディ トアレッテ	Dov'è il gabinetto? ドヴェ イル ガビネット	¿Dónde está el servicio? ドンデ エスタ エル セルビシオ
Darf ich lhre Toilette benu- ダルフ イヒ イーレ トアレッテ ベヌッ tzen? ツェン	Vorrei lavare le mani, per ヴォレイ ラヴァーレ レ マーニ ペル favore. ファヴォーレ	Por favor, permítame usar su ポール ファボール ペルミータメ ウサール ス servicio. セルビシオ
HERREN / MÄNNER ヘレン メンナー	UOMO ウオーモ	HOMBRES / CABALLEROS オンブレス カバジェーロス
DAMEN / FRAUEN ダーメン フラウエン	DONNA ドンナ	SEÑORAS / DAMAS セニョーラス ダマス

TAXI タクシー	**TASSÌ** タッシー	**TAXI** タクシー
Wo ist die Taxihaltestelle? ヴォー イスト ディ タクシーハルテシュテレ	Dov'è il posteggio di tassì? ドヴェ イル ポステッジョ ディ タッシー	¿Dónde está la parada de taxi? ドンデ エスタ ラ パラーダ デ タクシー

日本語 JAPANESE	英 語 ENGLISH	フランス語 FRANÇAIS
❷タクシーを呼んで下さい *Takushī o yonde kudasai.*	**Please call a taxi for me.** プリーズ コール ア タクスィー フォー ミー	**Appelez-moi un taxi, s'il vous plaît.** アプレ モワ アン タクシー スィルヴー プレ
❸~までいくらで行きますか *~ made ikura de ikimasu ka ?*	**About how much is it to ~ ?** アバウト ハウ マッチ イズ イット トゥ ~	**Combien cela coûte-il jusqu'à ~ ?** コンビアン スラ クーティル ジュスカ ~
❹~まで行って下さい *~ made itte kudasai.*	**To ~ , please.** トゥ ~ プリーズ	**Conduisez-moi à ~ .** コンデュイゼ モワ ア ~
❺(メモを見せて)この住所へ行 　　　　　　*Kono jūsho e* **って下さい** *itte kudasai.*	**To this address, please.** トゥ ズィス アドレス プリーズ	**A cette adresse, s'il vous plaît.** ア セット アドレス スィル ヴー プレ
❻町の中をひととおりまわって *Machi no naka o hitotoori mawatte* **下さい** *kudasai.*	**Give me a brief tour of the city,** ギヴ ミー ア ブリーフ トゥアー アヴ ザ スィティ **please.** プリーズ	**Voulez-vous me donner un tour** ヴーレ ヴー ム ドネ アン トゥール **de la ville, s'il vous plaît.** ドゥ ラ ヴィル スィル ヴー プレ
❼ここでちょっと待っていて下 *Koko de chotto matteite kudasai.* **さい**	**Wait here a moment, please.** ウェイト ヒア ア モウメント プリーズ	**Attendez-moi ici pour quelques** アタンデ モワ イスィ プール ケルク **minutes.** ミニュート
❽急いで下さい *Isoide kudasai.*	**Please hurry.** プリーズ ハリー	**Dépêchez-vous, s'il vous plaît.** デペシェ ヴー スィル ヴー プレ
❾ここで止めて下さい *Koko de tomete kudasai.*	**Stop here, please.** スタップ ヒア プリーズ	**Arrêtez ici, s'il vous plaît.** アレテ イスィ スィル ヴー プレ

1人歩き

ドイツ語 DEUTSCH	イタリア語 ITALIANO	スペイン語 ESPAÑOL
Rufen Sie einen Taxi bitte. ルーフェン スィー アイネン タクシー ビッテ	**Mi chiami un tassì.** ミ キアーミ ウン タッシー	**Llame un taxi, por favor.** ジャーメ ウン タクシー ポール ファボール
Wie teuer ist es von hier ヴィー トイアー イスト エス フォン ヒーア **zu [nach]~?** ツー [ナッハ] ~	**Quanto costa per~?** クアント コスタ ペル ~	**¿Cuánto cuesta más o menos** クアント クエスタ マス オ メノス **hasta~?** アスタ ~
Zu ~ bitte. ツー ~ ビッテ	**Mi porti a ~, per favore.** ミ ポルティ ア ~ ペル ファヴォーレ	**Lléveme a ~.** ジェーベメ ア ~
Zu dieser Adresse bitte. ツー ディーザー アドレッセ ビッテ	**A questo indirizzo, per favore.** ア クエスト インディリッツォ ペル ファヴォーレ	**A esta dirección, por favor.** ア エスタ ディレクシオン ポール ファボール
Fahren Sie mich bitte einmal ファーレン スィー ミヒ ビッテ アインマール **kurz durch die Stadt.** クルツ ドゥルヒ ディ シュタット	**Può fare un giro della città?** プオ ファーレ ウン ジーロ デッラ チッタ	**Por favor, dé una vuelta por** ポール ファボール デ ウナ ブエルタ ポール **las calles de la ciudad.** ラス カジェス デ ラ シウダー
Bitte warten Sie hier einen ビッテ ヴァルテン スィー ヒーア アイネン **Moment.** モメント	**Aspetti qui un momento.** アスペッティ クイ ウン モメント	**Por favor, espéreme aquí un** ポール ファボール エスペレメ アキィ ウン **momento.** モメント
Bitte fahren Sie schnell! ビッテ ファーレン スィー シュネル	**Faccia presto, per favore.** ファッチャ プレスト ペル ファヴォーレ	**Más rápido, por favor.** マス ラピド ポール ファボール
Halten Sie bitte hier. ハルテン スィー ビッテ ヒーア	**Si fermi qui, per favore.** シ フェルミ クイ ペル ファヴォーレ	**Pare aquí, por favor.** パーレ アキィ ポール ファボール

日本語 JAPANESE	英 語 ENGLISH	フランス語 FRANÇAIS
⑩いくらですか *Ikura desu ka?*	How much is it? ハウ マッチ イズ イット	C'est combien? セ コンビアン
⑪つり銭はとっておいて *Tsurisen wa totte oite.*	Keep the change. キープ ザ チェインヂ	Gardez la monnaie. ガルデ ラ モネー

地下鉄 *Chikatetsu*	SUBWAY サブウェイ	MÉTRO メトロ
❶最寄の地下鉄駅はどこですか *Moyori no chikatetsu eki wa doko desu ka?*	Where is the nearest subway station? ホェア イズ ザ ニアレスト サブウェイ ステイション? シュン	Quelle est la station de métro la plus proche? ケ レ ラ スタシオン ドゥ メトロ ラ ブリュ プローシュ
❷2等の切符を2枚下さい *Nitō no kippu o nimai kudasai.*	Two second-class tickets, please. トゥー セカンド クラス ティケッツ プリーズ	Deux billets de deuxième classe, s'il vous plaît. ドゥー ビエ ドゥ ドゥージエーム クラス スィル ヴー プレ
❸2等の回数券を下さい *Nitō no kaisūken o kudasai.*	A book of second-class tickets, please. ア ブック アヴ セカンド クラス ティケッツ プリーズ	Un carnet de deuxième classe, s'il vous plaît. アン カルネ ドゥ ドゥージエーム クラス スィル ヴー プレ
❹～へ行くのは何号線ですか *~ e ikunowa nangō sen desu ka?*	Which track is for ~? ホイッチ トラック イズ フォー ~	Quelle ligne faut-il prendre pour aller à ~? ケル リーニュ フォティル プランドル プール アレ ア ~

ドイツ語 DEUTSCH	イタリア語 ITALIANO	スペイン語 ESPAÑOL
Wieviel muß ich bezahlen? ヴィフィール ムス イ化 ベツァーレン	Quanto? クアント	¿Cuánto es? クアント エス
Behalten Sie den Rest. ベハルテン ズィー デン レスト	Tenga il resto. テンガ イル レスト	Quédese con *el cambio* ケーデセ コン ネル カンビオ・ [la vuelta]. [ラ ブエルタ]
U-BAHN ウーバーン	**METROPOLITANA** メトロポリターナ	**METRO** メトゥロ
Wo ist die nächste U-Bahnsta- ヴォー イストディ ネークステ ウーバーンシュタ tion? ツィオーン	Dov'è la stazione di metropolitana ドヴェ ラ スタツィオーネ ディ メトロポリターナ più vicina? ピュ ヴィチーナ	¿Dónde está la estación más ドンデ エスター ラ エスタシオン マス cercana de Metro? セルカーナ デ メトゥロ
Zweimal zweiter Klasse bitte! ツヴァイマール ツヴァイター クラッセ ビッテ	Due biglietti di seconda, ドゥーエ ビリエッティ ディ セコンダ per favore. ペル ファヴォーレ	Dos *billetes* [boletos] de segunda ドス ビジェーテス [ボレートス] デ セグンダ clase, por favor. クラセ ポール ファボール
Ein Fahrkartenheft zweiter アイン ファールカルテンヘフト ツヴァイター Klasse, bitte. クラッセ ビッテ	Un blocchetto di seconda, ウン ブロッケット ディ セコンダ per favore. ペル ファヴォーレ	Por favor, déme un cupón de ポール ファボール デーメ ウング クポン デ billetes de segunda clase. ビジェーテス デ セグンダ クラセ
Von welchem Bahnsteig fährt フォン ヴェルヒェム バーンシュタイク フェールト der Zug nach ~ ab? デア ツーク ナッハ ~ アブ	Qual'è la linea per andare ~? クアーレ ラ リーネア ペル アンダーレ ~	¿Qué número de línea tengo ケー ヌーメロ デ リーネア テンゴ que tomar para ir a~. ケ トマール パラ イールア~

日本語 JAPANESE	英 語 ENGLISH	フランス語 FRANÇAIS
❺入口 ／出口 *iriguchi deguchi*	ENTRANCE ／ EXIT エントランス　　エグジット	ENTRÉE ／ SORTIE アントレ　　ソルティ
❻乗換口 *norikaeguchi*	TRANSFER GATE トランスファー　　ゲイト	CORRESPONDANCE コレスポンダンス
❼切符売場 *kippu uriba*	TICKET WINDOW ティケット　　ウィンドウ	LE GUICHET ル　ギシェ
❽プラットホームへ *puratto hōmu e*	TO THE PLATFORM トゥ　ザ　　プラットフォーム	AU QUAI オー　ケ
バス／市電 *Basu Shiden*	BUS ／ STREETCAR バス　　ストリートカー	AUTOBUS ／ TRAMWAY オートビュス　　トラムウェイ
❶～行きのバスの停留所はどこ *~ iki no basu no teiryūjo wa doko* ですか *desu ka?*	Where's the bus stop for ~ ? ホェアズ　ザ　バス　スタップフォー ~	Où se trouve l'arrêt de l'autobus ウ　ストルーヴ　ラレ　ドゥ ロートビュス qui va à ~ ? キ　ヴァ ア ~
❷このバスは～までいきますか *Kono basu wa ~ made ikimasu* *ka?*	Does this bus go to ~ ? ダズ　ズィス バス　ゴウ トゥ ~	Cet autobus va-t-il jusqu'à ~ ? セット オートビュス ヴァ ティルジュスカ　~
❸～までいくらですか *~ made ikura desu ka?*	How much is it to ~ ? ハウ　マッチ イズ イット トゥ~	Quel est le tarif pour ~ ? ケ　レ ル タリフ プール ~

ドイツ語 DEUTSCH	イタリア語 ITALIANO	スペイン語 ESPAÑOL
DER EINGANG / DER AUS-GANG デア アインガング デア アウスガング	L'ENTRATA / L'USCITA レントゥラータ ルシータ	LA ENTRADA / LA SALIDA ラ エントゥラーダ ラ サリーダ
DER DURCHGANG FÜR UMSTEIGER デア ドゥルヒガング フューア ウムシュタイガー	LA COINCIDENZA ラ コインチデンツァ	LA PUERTA DE TRASBORDO ラ プエルタ デ トゥラスボルド
DER FAHRKARTEN SCHAL-TER デア ファーカルテン シャル ター	BIGLIETTERIA ビリエッテリーア	LA TAQUILLA ラ タキージャ
ZUM BAHNSTEIG ツーム バーンシュタイク	PER LA BANCHINA ペル ラ バンキーナ	AL ANDÉN アル アンデン
OMNIBUS / STRAßENBAHN オムニブス シュトラーセンバーン	AUTOBUS / TRAM アウトブス トゥラム	AUTOBÚS / TRANVÍA アウトブス トゥランビーア
Wo hält der Omnibus nach~? ヴォー ヘルト デア オムニブス ナッハ ~	Dov'è la fermata di autobus per~? ドヴェ ラ フェルマータ ディ アウトブス ペル ~	¿Dónde está la parada del autobús para~? ドンデ エスタ ラ パラーダ デル アウトブス パラ ~
Fährt dieser Bus nach~? フェールト ディーザー ブス ナッハ ~	Questo autobus va a ~? クエスト アウトブス ヴァ ア ~	¿Va este autobús hasta~? バ エステ アウトブス アスタ ~
Wieviel kostet es nach~? ヴィフィール コステット エス ナッハ ~	Quanto costa per~? クアント コスタ ペル ~	¿Cuánto cuesta hasta ~ ? クアント クエスタ アスタ ~

日本語 JAPANESE	英 語 ENGLISH	フランス語 FRANÇAIS
❹つぎの停留所でおります *Tsugi no teiryūjo de orimasu.*	I get off at the next stop. アイ ゲット オフ アット ザ ネクスト スタップ	Je descends au prochain arrêt. ジュ デサン オー プロシャン ナレ
❺ここで降ろして下さい *Koko de oroshite kudasai.*	Let me off here, please. レット ミー オフ ヒア プリーズ	Déposez-moi ici, s'il vous plaît. デポゼ モワ イスィ スィルヴ ープレ
鉄 道 *Tetsudō*	RAILWAY レイルウェイ	LE CHEMIN DE FER ル シュマン ドゥ フェール
❶～行きの汽車は何駅から出ますか *~ iki no kisha wa nani eki kara demasu ka?*	What station does the train for ~ leave from? ホァット スティシュン ダズ ザ トレイン フォー ～ リーヴ フラム	De quelle gare part le train pour ~? ドゥ ケル ガール パール ル トラン プール ～
❷～までの2等片道切符を1枚下さい *~ made no nitō katamichi kippu o ichimai kudasai.*	A second-class one-way ticket to ~, please. ア セカンド クラス ワン ウェイ ティケット トゥ ～ プリーズ	Donnez-moi un aller en deuxième classe pour ~? ドネ モワ アン ナレ アン ドゥージエーム クラス プール ～
❸急行列車はありますか *Kyūkō ressha wa arimasu ka?*	Is there an express? イズ ゼア アン エクスプレス	Y-a-t-il un express? ヤ ティル アン エクスプレス
❹この列車の座席を予約したい *Kono ressha no zaseki o yoyaku shitai.*	I'd like to reserve a seat on this train. アイド ライク トゥ リザーヴ ア スィート アン ズィス トレイン	Je désire réserver une place dans ce train. ジュ デジール レゼルヴェ ユヌ プラス ダン ス トラン

ドイツ語 DEUTSCH	イタリア語 ITALIANO	スペイン語 ESPAÑOL
Ich steige an der nächsten 化 シュタイゲ アン デア ネーキステン **Haltestelle aus.** ハルテシュテレ アウス	**Scendo alla prossima fermata.** シェンド アッラ プロッシマ フェルマータ	**Voy a bajar en la siguiente** ボイ ア バハール エン ラ シギエンテ **parada.** パラーダ
Lassen Sie mich bitte hier ラッセン ズィー ミヒ ビッテ ヒーア **aussteigen.** アウスシュタイゲン	**Mi fa scendere qui, per** ミ ファ シェンデレ クイ ペル **favore.** ファヴォーレ	**Por favor, déjeme bajar aquí.** ポル ファボール デッヘメ バハール アキィ
EISENBAHN アイゼンバーン	**FERROVIA** フェルロヴィーア	**FERROCARRIL** フェロカリール
Von welchem Bahnhof fährt フォン ヴェルヒェム バーンホーフ フェールト **der Zug nach ～ ab?** デア ツーク ナッハ ～ アプ	**Da qual stazione** ダ クアル スタツィオーネ **parte il treno per～?** パルテ イル トゥレーノ ペル ～	**¿De qué estación sale el tren** デ ケ エスタシオン サーレ エル トゥレン **para～?** パラ ～
Eine Fahrkarte zweiter Klasse, アイネ ファーカルテ ツヴァイター クラッセ **einfach nach～.** アインファッハ ナッハ ～	**Un biglietto d'andata sola** ウン ビリエット ダンダータ ソーラ **di seconda classe per～.** ディ セコンダ クラッセ ペル ～	**Déme un billete de ida de** デーメ ウン ビジェーテ デ イーダ デ **segunda clase para～.** セグンダ クラセ パラ ～
Gibt es einen Schnellzug? ギープト エス アイネン シュネルツーク	**C'è un espresso?** チェ ウン エスプレッソ	**¿Hay tren expreso?** アイ トゥレン エスプレーソ
Eine Platzkarte für diesen Zug, アイネ プラッツカルテ フューア ディーゼンツーク **bitte.** ビッテ	**Vorrei prenotare un posto su** ヴォレイ プレノターレ ウン ポスト ス **questo treno.** クエスト トゥレーノ	**Quisiera reservar un asiento** キシエラ レセルバール ウン アシエント **en este tren.** エン ネステ トゥレン

	日本語 JAPANESE	英 語 ENGLISH	フランス語 FRANÇAIS
1人歩き	**❺**この列車は切り離しがありますか *Kono ressha wa kirihanashi ga arimasu ka?*	**Does this train split up?** ダズ ズィス トレイン スプリット アップ	**Est-ce un direct?** エ ス アン ディレクト
	❻寝台車はついていますか *Shindaisha wa tsuite imasu ka?*	**Is there a sleeper?** イズゼア ア スリーパー	**Ce train a-t-il des couchettes?** ス トラン ア ティルデ クーシェット
	❼この切符を取消せますか *Kono kippu o torikesemasu ka?*	**Can I cancel this ticket?** キャナイ キャンスル ズィス ティケット	**Peut-on annuler ce billet?** プートン アニュレ ス ビエ
	❽この切符を１等に変えたい *Kono kippu o ittō ni kaetai.*	**I'd like to change this ticket to first class.** アイドライク トゥ チェインヂ ズィス ティケット トゥ ファースト クラス	**Je voudrais changer ce billet pour une première classe.** ジュヴードレ シャンジェ ス ビエ プール ユヌ プルミエール クラス
	❾この列車は～に停まりますか *Kono ressha wa ~ ni tomarimasu ka?*	**Does this train stop at ~?** ダズ ズィス トレイン スタップアット～	**Ce train s'arrête-t-il à ~?** ス トラン サレー ティルア ～
	❿この列車は～まで直行しますか *Kono ressha wa ~ made chokkō shimasu ka?*	**Does this train go direct to ~?** ダズ ズィス トレイン ゴウ ディレクト トゥ ～	**Ce train va-t-il directement à ~?** ス トラン ヴァ ティル ディレクトマン ア ～

ドイツ語 DEUTSCH	イタリア語 ITALIANO	スペイン語 ESPAÑOL
Wird dieser Zug unterwegs getrennt? ヴィルト ディーザー ツーク ウンターヴェークス ゲトゥレント	Si staccheranno i vagoni secondo la destinazione? シ スタッケランノ イ ヴァゴーニ セコンド ラ デスティナツィオーネ	¿Este tren separa algunos vagones? エステ トゥレン セパーラ アルグーノス バゴーネス
Hat dieser Zug einen Schlafwagen? ハット ディーザー ツーク アイネン シュラーフヴァーゲン	C'è un vagone letto? チェ ウン ヴァゴーネ レット	¿Tiene este tren coche-cama? ティエネ エステ トゥレン コチェ カーマ
Kann ich diese Fahrkarte zurückgeben? カン イヒ ディーゼ ファーカルテ ツリュックゲーベン	Si può annullare questo biglietto? シ プオ アンヌッラーレ クエスト ビリエット	¿Puedo anular este billete? プエド アヌラール エステ ビジェーテ
Ich möchte diese Fahrkarte gegen eine Karte erster Klasse umtauschen. イヒ メヒテ ディーゼ ファーカルテ ゲーゲン アイネ カルテ エルスター クラセ ウムタウシェン	Vorrei cambiare questo biglietto per la prima classe. ヴォレイ カンビアーレ クエスト ビリエット ペル ラ プリーマ クラッセ	Quisiera cambiar este billete por uno de primera clase. キシエーラ カンビアール エステ ビジェーテ ポール ウノ デ プリメーラ クラーセ
Hält dieser Zug in~? ヘルト ディーザー ツーク イン~	Questo treno si ferma a~? クエスト トゥレーノ シ フェルマ ア~	¿Para este tren en~? パーラ エステ トゥレン エン~
Geht dieser Zug direkt nach~? ゲート ディーザー ツーク ディレクト ナッハ~	Questo treno va diretto a~? クエスト トゥレーノ ヴァ ディレット ア~	¿Va este tren directamente a~? バ エステ トゥレン ディレクタメンテ ア~

日本語 JAPANESE	英　語 ENGLISH	フランス語 FRANÇAIS
⑪どこで乗り換えるのですか *Doko de norikaeru no desu ka?*	Where do I transfer? ホェア　ドゥ アイ トランスファー	Où dois-je changer de train? ウー ドワ ジュ シャンジェ　ドゥ トラン
⑫途中下車ができますか *Tochū gesha ga dekimasu ka?*	Can I stop over on route? キャナイ スタップ オウヴァ オン ルート	Puis-je m'arrêter en cours de route? ピュイ ジュ マレテ　　アンクール ドゥ ルート
⑬～までどのくらいかかります *~ made donokurai kakarimasu ka?* か	How long does it take to go to ~? ハウ　ロング ダズ イット テイク トゥ ゴゥ トゥ ~	Combien de temps faut-il pour コンビアン　ドゥ タン　　フォーティル プール aller à ~? アレ　ア ~
⑭何番線から出ますか *Nanban sen kara demasu ka?*	What track does it leave from? ホアット トラック ダズ イット リーヴ フラム	De quel quai part le train? ドゥ ケル ケ　　パール ル トラン
⑮これは～行きの列車ですか *Kore wa ~ iki no ressha desu ka?*	Is this the train to ~? イズ ズィス ザ　トレイン トゥ ~	Est-ce bien le train pour ~? エ　ス ビアン ル トラン　プール ~
⑯この席はふさがっていますか *Kono seki wa fusagatte imasu ka?*	Is this seat taken? イズ ズィス スィート テイクン	Cette place est-elle occupée? セット　プラス エ　テル オキュペ
⑰ここは私の席だと思いますが *Koko wa watashi no seki dato* *omoimasu ga.*	I think this is my seat. アイ スィンク ズィス イズ マイ スィート	Je pense que c'est ma place. ジュ パンス ク セ　マ　プラス

ドイツ語 DEUTSCH	イタリア語 ITALIANO	スペイン語 ESPAÑOL
Wo muß ich umsteigen? ヴォー ムス イ化 ウムシュタイゲン	**Dove si cambia?** ドヴェ シ カンビア	**¿Donde tengo que cambiar?** ドンデ テンゴ ケ カンビアール
Kann ich die Fahrt unter- brechen? カン イ化 ディ ファールト ウンター ブレッヒェン	**Posso fare l'interruzione del viaggio?** ポッソ ファーレ リンテルツィオーネ デル ヴィアッジョ	**¿Puedo interrumpir el viaje, sin perder la validez?** プエド インテルンピール エル ビアッペ シン ペルデールラ ラ バリデス
Wie lange dauert die Fahrt bis~? ヴィー ランゲ ダウエルト ディ ファールト ビス~	**Quanto tempo ci vuole per andare a~?** クアント テンポ チ ヴォーレ ペル アンダーレ ア~	**¿Cuánto se tarda en llegar a~?** クアント セ タルダ エン ジェガール ア~
Von welchem Bahnsteig fährt der Zug ab? フォン ヴェルヒェム バーンシュタイク フェールト デア ツーク アプ	**Da che binario parte?** ダ ケ ビナーリオ パルテ	**¿De qué andén sale el tren para~?** デ ケ アンデン サーレ エル トゥレン パラ~
Ist dieser Zug nach~? イスト ディーザー ツーク ナッハ~	**Questo è un treno per~?** クエスト エ ウン トゥレーノ ペル~	**¿Este tren va a~?** エステ トゥレンバ ア~
Ist dieser Platz besetzt? イストディーザー プラッツ ベゼット	**È occupato questo posto?** エ オックパート クエスト ポスト	**¿Está ocupado este asiento?** エスタ オクパード エステ アシエント
Ich nehme an, das ist mein Sitz. イ化 ネーメ アン ダス イスト マイン ズィッツ	**Credo che questo sia mio posto.** クレード ケ クエスト ミア ミオ ポスト	**Creo que este asiento es el mío.** クレオ ケ エステ アシエント エス エル ミーオ

日本語 JAPANESE	英 語 ENGLISH	フランス語 FRANÇAIS
⓲食堂車はついていますか *Shokudōsha wa tsuite imasu ka?*	Is there a dining car? イズ ゼア ア ダイニング カー	Y-a-t-il un wagon-restaurant dans ヤ ティル アン ワゴン レストラン ダン ce train? ス トラン
⓳食堂車は予約制ですか *Shokudōsha wa yoyakusei desu ka?*	Must I make a reservation マスト アイ メイク ア レザヴェイシュン for the dining car? フォー ザ ダイニング カー	Est-il obligatoire de réserver une エティル オブリガトワール ドゥ レゼルヴェ ユヌ table au wagon-restaurant? ターブル オー ワゴン レストラン
⓴では(7)時に予約して下さい *Dewa (shichi) ji ni yoyaku shite kudasai.*	Then I'd like to make a reserva- ゼン アイドライクトゥ メイク ア レザヴェイ tion for (7:00). シュン フォー (セヴン オクロック)	Alors, Voulez-vous me réserver アロール ヴーレ ヴー ム レゼルヴェ une table à (7) heures? ユヌ ターブル ア (セット) ウール
㉑この車両はたしかに〜行きで *Kono sharyō wa tashikani 〜 iki* すね *desu ne.*	This car does go to 〜, doesn't ズィス カー ダズ ゴウ トゥ 〜 ダズント it? イット	Est-ce bien la voiture directe pour エ ス ビアン ラ ヴォワテュール ディレクト プール aller à 〜? アレ ア 〜
㉒今どこを走っていますか *Ima doko o hashitte imasu ka?*	Where are we passing now? ホエア アー ウィ パスィング ナウ	Où passe-t-on maintenant? ウー パス トン マントナン
㉓窓をあけてもいいですか *Mado o aketemo ii desu ka?*	May I open the window? メイ アイ オウプン ザ ウィンドウ	Puis-je ouvrir la fenêtre? ピュイ ジュ ウーヴリール ラ フネートル
㉔煙草をすってもいいですか *Tabako o suttemo ii desu ka?*	May I smoke? メイ アイ スモウク	Puis-je fumer? ピュイ ジュ フュメ

1人歩き

ドイツ語 DEUTSCH	イタリア語 ITALIANO	スペイン語 ESPAÑOL
Hat dieser Zug einen Speise-wagen? ハット ディーザー ツーク アイネン シュパイゼ ヴァーゲン	C'è un vagone ristorante? チェ ウン ヴァゴーネ リストランテ	¿Lleva este tren *coche-restaurante* [coche-comedor]? ジェーバ エステ トゥレン コチェ レスタウランテ [コチェ コメドール
Muß ich vorher einen Platz bestellen? ムス 化 フォアヘア アイネン プラッツ ベシュテレン	Bisogna fare la prenotazione per il vagone ristorante? ビゾーニャ ファーレ ラ プレノタツィオーネ ペル イル ヴァゴーネ リストランテ	¿Se tiene que reservar el coche-comedor? セ ティエネ ケ レセルバール エル コチェ コメドール
Dann möchte ich für (7) Uhr bestellen. ダン メヒテ 化 フューア(ズィーベン) ウーア ベシュテレン	Allora, alle (7), per favore. アッローラ アッレ(セッテ) ペル ファヴォーレ	Entonces, deseo hacer la reservación a las siete. エントンセス デオ アセール ラ レセルバシオン ア ラス シエテ
Geht dieser Wagen bestimmt nach～? ゲート ディーザー ヴァーゲン ベシュティムト ナッハ ～	È sicuro che questo vagone va a～? エ シクーロ ケ クエスト ヴァゴーネ ヴァ ア～	¿Exactamente va este vagón a ～? エクサクタメンテ バ エステ バゴン ア ～
Wo sind wir jetzt? ヴォー ズィント ヴィア イェッツト	Dove siamo adesso? ドヴェ シアーモ アデッソ	¿Por dónde estamos pasando ahora? ポール ドンデ エスタモス パサンド アオラ
Darf ich das Fenster öffnen? ダルフ 化 ダス フェンスター エフネン	Posso aprire la finestra? ポッソ アプリーレ ラ フィネストラ	¿Se puede abrir la ventana? セ プエデ アプリールラ ベンターナ
Darf ich rauchen? ダルフ 化 ラウヘン	Posso fumare? ポッソ フマーレ	¿Se puede fumar? セ プエデ フマール

一人歩き			
㉕	次の停車駅はどこですか *Tsugi no teishaeki wa doko desu ka?*	Where is the next stop? ホェア　イズザ　ネクスト スタップ	Quelle est la prochaine gare? ケ　　レ　ラ　プロシェーヌ　ガール
㉖	どのくらい停車しますか *Dono kurai teisha shimasu ka?*	How long does the train stop here? ハウ　ロング ダズ ザ　トレイン スタップ ヒア	Combien de temps le train コンビアン　　ドゥ　タン　　ル　トラン s'arrête-t-il ici? サレー　　ティルイスィ
㉗	切符をなくしました。どうすればよいでしょう *Kippu o nakushimashita. Dō sureba yoi deshō?*	I lost my ticket.　What should I do? アイ ロスト マイ ティケット　ホアット シュッド アイ ドゥー	J'ai perdu mon billet.　Que dois- ジェ ペルデュ モン ビエ　ク　ドゥ je faire? ジュ フェール
㉘	列車の中に（鞄）を置き忘れました *Ressha no naka ni (kaban) o okiwasuremashita.*	I left my (briefcase) on the train. アイ レフト マイ（ブリーフケイス）アン ザ　トレイン	J'ai oublié mon (sac) dans le train. ジェ ウブリエ モン（サック）ダン　ル トラン
㉙	駅 *eki*	station ステイシュン	la gare ラ ガール
㉚	プラットホーム *purattohōmu*	platform プラットフォーム	le quai ル ケ
㉛	車掌 *shashō*	conductor カンダクター	le conducteur ル コンデュクトゥール
㉜	赤帽 *akabō*	porter ポーター	le porteur ル ポルトゥール

　☞紛失 P.282

ドイツ語 DEUTSCH	イタリア語 ITALIANO	スペイン語 ESPAÑOL
Wie heißt der nächste Bahnhof? ヴィー ハイスト デア ネーキステ バーンホーフ	**Quale è la prossima stazione?** クアーレ エ ラ プロッシマ スタツィオーネ	**¿Cuál es la estación siguiente?** クアル エス ラ エスタジオン シギィエンテ
Wie lange hält der Zug hier? ヴィー ランゲ ヘルト デア ツーク ヒーア	**Quanto tempo si ferma?** クアント テンポ シ フェルマ	**¿Cuánto tiempo para el tren aquí?** クアント ティエンポ パーラ エル トゥレン アキィ
Ich habe meine Fahrkarte verloren. Was muß ich jetzt tun? 化 ハーベ マイネ ファーカルテ フェアローレン ヴァス ムス 化 イェッツト トゥーン	**Ho perduto il mio biglietto. Come si fa?** オ ペルドゥート イル ミオ ビリエット コメ シ ファ	**He perdido mi *billete* [boleto]. ¿Qué tengo que hacer?** エ ペルディード ミ ビジェーテ [ボレート] ケ テンゴ ケ アセール
Ich habe mein (Gepäck) im Zug gelassen. 化 ハーベ マイン (ゲペック) イム ツーク グラッセン	**Ho lasciato il mio (bagaglio) nel treno.** オ ラシャート イル ミオ (バガッリオ) ネル トゥレーノ	**He dejado mi (cartera) en el tren.** エ デハード ミ (カルテーラ) エン エル トゥレン
der Bahnhof デア バーンホーフ **der Bahnsteig** デア バーンシュタイク **der Schaffner** デア シャフナー	**la stazione** ラ スタツィオーネ **la banchina** ラ バンキーナ **il conduttore** イル コンドゥットーレ	**la estación** ラ エスタジオン **el andén** エル アンデン **el revisor / el conductor** エル レビソール エル コンドゥクトール
der Gepäckträger デア ゲペックトレーガー	**il facchino** イル ファッキーノ	**el maletero** エル マレテロ

171

日本語 JAPANESE	英　語 ENGLISH	フランス語 FRANÇAIS
㉝入口 ／出口 *iriguchi　deguchi*	entrance ／ exit エントランス　エグズィット	l'entrée ／ la sortie ラントレ　ラ ソルティ
㉞手荷物一時預り所 *tenimotsu ichiji-azukarijo*	cloakroom クロウクルーム	la consigne ラ コンシーニュ
㉟出札所 *shussatsujo*	ticket window ティケット ウィンドウ	le guichet ル ギシェ
㊱改札口 *kaisatsuguchi*	wicket ウィケット	l'accès aux quais ラクセ　オー ケ
㊲列車 *ressha*	train トレイン	le train ル トラン
㊳普通列車 *futsū ressha*	local train ロウカル トレイン	le train omnibus ル トラン オムニビュス
㊴急行列車 *kyūkō ressha*	express エクスプレス	le train express ル トラン エクスプレス
㊵特急列車 *tokkyū ressha*	limited express リミテッド エクスプレス	le train rapide ル トラン ラピード
㊶昼間〔夜行〕列車 *chūkan〔yakō〕ressha*	*day* [night] train デイ 〔ナイト〕 トレイン	le train *de jour* [de nuit] ル トラン ドゥ ジュール〔ドゥ ニュイ〕
㊷個室 *koshitsu*	compartment カンパートマント	le compartiment ル コンパルティマン
㊸上段〔下段〕寝台 *jōdan〔gedan〕shindai*	*upper* [lower] berth アッパー 〔ロウアー〕 バース	la couchette *supérieure* [inférie- ラ クーシェット シュペリュール 〔アンフェリ ure] ユール〕

ドイツ語 DEUTSCH	イタリア語 ITALIANO	スペイン語 ESPAÑOL
der Eingang / der Ausgang デア アインガング　　デア アウスガング	l'entrata / l'uscita レントゥラータ　ルシータ	la entrada / la salida ラ エントラーダ　ラ サリーダ
die Gepäckaufbewahrung ディ ゲペックアウフベヴァールング	il deposito bagagli イル デポジト バガッリ	la consigna ラ コンシグナ
der Fahrkartenschalter デア ファールカルテンシャルター	la biglietteria ラ ビリエッテリーア	la taquilla ラ タキージャ
die Sperre ディ シュペレ	il controllo biglietti イル コントゥロッロ ビッリエッティ	el torniquete/el portillo de エル トルニケーテ　　エル ポルティージョ デ andén アンデン
der Personenzug デア ペルゾーネンツーク	il treno イル トゥレーノ	el tren エル トゥレン
der Nahverkehrzug デア ナーフェアケールツーク	il treno ordinario イル トゥレーノ オルディナーリオ	el tren ordinario エル トゥレン オルディナリオ
Der Schnellzug デア シュネルツーク	il treno espresso イル トゥレーノ エスプレッソ	el tren expreso エル トゥレン エスプレソ
Der D-Zug デア デーツーク	il treno rapido イル トゥレーノ ラーピド	el tren rápido エル トゥレン ラーピド
der *Tageszug* [Nachtzug] デア ターゲスツーク　［ナハトツーク］	il treno di *giorno* [notte] イル トゥレーノ ディ ジョルノ　［ノッテ］	el tren de *día* [noche] エル トゥレン デ ディア ［ノッチェ］
das Abteil ダス アプタイル	lo scompartimento ロ スコンパルティメント	el compartimento エル コンパルティメント
das *obere* [untere] Bett ダス オーベレ ［ウンテレ］ ベット	la cuccetta in *alto* [basso] ラ クッチェッタ イン アルト ［バッソ］	la litera *superior* [inferior] ラ リテラ スペリオール ［インフェリオール］

173

日本語 JAPANESE	英 語 ENGLISH	フランス語 FRANÇAIS
❹❹片道切符 *katamichi kippu*	**one-way ticket** ワン ウェイ ティケット	**le billet d'aller simple** ル ビエ ダレ サンプル
❹❺往復切符 *ōfuku kippu*	**round-trip ticket** ラウンド トリップ ティケット	**le billet d'aller et retour** ル ビエ ダレ エ ルトゥール
❹❻喫煙車 *kitsuensha*	**smoking car** スモウキング カー	**la voiture-fumeurs** ラ ヴォワテュール フュムール
❹❼禁煙車 *kin'ensha*	**non-smoking car** ナン スモウキング カー	**la voiture-non fumeurs** ラ ヴォワテュール ノン フュムール
❹❽時刻表 *jikokuhyō*	**timetable** タイムテイブル	**l'horaire** ロレール

（１人歩き）

レンタ・カー *Renta kā*	RENT-A-CAR レンタ カー	LOCATION DE VOITURE ロカシオン ドゥ ヴォワテュール
❶車を借りたいのですが *Kuruma o karitai no desu ga.*	**I'd like to rent a car.** アイドライク トゥ レント ア カー	**Je voudrais louer une voiture.** ジュ ヴードレ ルエ ユヌ ヴォワテュール
❷料金表を見せて下さい *Ryōkinhyō o misete kudasai.*	**Show me a list of your rates, please.** ショウ ミー ア リスト アヴ ユア レイツ プリーズ	**Montrez-moi une liste des tarifs.** モントレ モワ ユヌ リスト デ タリフ
❸乗り捨てできますか *Norisute dekimasu ka?*	**May I drop the car off at my des- tination?** メイ アイドロップ ザ カー オフ アット マイ デス ティネイシュン	**Puis-je rendre la voiture dans une autre de vos agences?** ピュイ ジュランドル ラ ヴォワテュール ダン ズ ヌ オートル ドゥ ヴォ アジャンス
❹前金を払うのですか *Maekin o harau no desu ka?*	**Do I pay a deposit?** ドゥ アイ ペイ ア ディパズィット	**Demandez-vous un acompte?** ドゥマンデ ヴー アン ナコント

174

ドイツ語 DEUTSCH	イタリア語 ITALIANO	スペイン語 ESPAÑOL
eine einfache Karte アイネ アインファッヒェ カルテ	il biglietto d'andata イル ビリエット ダンダータ	el billete de ida エル ビジェーテ デ イーダ
die Rückfahrkarte ディ リュクファーカルテ	il biglietto d'andata e ritorno イル ビリエット ダンダータ エ リトルノ	el *billete*[boleto]de ida y vuelta エル ビジェーテ[ボレート] デ イーダイ ブエルタ
der Raucher デア ラウハー	la vettura per fumatori ラ ヴェットゥーラ ペル フマートリ	el coche para fumadores エル コチェ パラ フマードーレス
der Nichtraucher デア ニヒトラウハー	la vettura per non fumatori ラ ヴェットゥーラ ペル ノン フマートリ	el coche para no fumadores エル コチェ パラ ノー フマードーレス
der Fahrplan デア ファールプラン	l'orario ロラーリオ	el horario エル オラリオ

MIETSWAGEN ミーツヴァーゲン	AUTONOLEGGIO アウトノレッジョ	COCHE DE ALQUILER コチェ デ アルキレール
Ich möchte ein Auto mieten. イヒ メヒテ アイン アウトー ミーテン	Vorrei noleggiare una ヴォレイ ノレッジャーレ ウナ macchina. マッキナ	Deseo alquilar un coche. デセオ アルキラール ウン コチェ
Zeigen Sie mir bitte Ihre ツァイゲン ズィー ミア ビッテ イーレ Preisliste. プライスリステ	Mi mostri la tariffa. ミ モストゥリ ラ タリッファ	Enséñeme la lista de precios. エンセーニェメ ラ リスタ デ プレシオス
Kann ich am Zielort den Wagen カン イヒ アム ツィールオルト デン ヴァーゲン stehen lassen? シュテーエン ラッセン	Posso lasciare la macchina alla ポッソ ラシャーレ ラ マッキナ アッラ mia destinazione ? ミア デスティナツィオーネ	¿Puedo dejar el coche alquilado? プエド デハール エル コチェ アルキラード
Muß ich im voraus zahlen? ムス イヒ イム フォラウス ツァーレン	Devo pagare un deposito? デーヴォ パガーレ ウン デポジト	¿Se necesita el pago anticipado? セ ネセシータ エル パゴ アンティシパード

175

❺この車種を（24）時間借りた
い
Kono shashu o (nijūyo) jikan karitai.

I'd like to rent this kind of car
アイドライク トゥ レント ズィス カインド アヴ カー
for (24) hours.
フォー（トゥエンティフォー）アワズ

Je voudrais louer une voiture de
ジュ ヴードレ　ルエ　ユヌ ヴォワテュール ドゥ
ce type pour (24) heures.
ス ティップ プール （ヴァン カトル）ウール

❻事故の場合の連絡先を教えて
下さい
Jiko no baai no renrakusaki o oshiete kudasai.

Please give me some places to
プリーズ　ギヴ　ミー　サム　プレイスィズ トゥ
call in case of trouble.
コール イン ケイス アヴ トラブル

Dites-moi qui je dois contacter
ディット モワ キ ジュ ドワ コンタクテ
en cas de besoin.
アン カ ドゥ ブゾワン

❼これが私の国際運転免許証で
す
Kore ga watashi no kokusai untenmenkyoshō desu.

This is my International Driving
ズィス イズ マイ インタナシュヌル　ドライヴィング
Permit.
パーミット

C'est mon permis de conduire in-
セ　モン ペルミ　ドゥ コンデュイール アン
ternational.
テルナシオナル

❽明朝〜ホテルまで車を廻して
下さい
Myōchō 〜 hoteru made kuruma o mawashite kudasai.

Please send a car to the 〜 Hotel
プリーズ　センド ア カー トゥ ザ　〜 ホテル
tomorrow morning.
タマロウ　　　　モーニング

Envoyez-moi une voiture à l'hô-
アンヴォワイエ モワ ユヌ ヴォワテュール ア ロ
tel 〜 demain matin, s'il vous plaît.
テル 〜 ドゥマン マタン スィル ヴー プレ

ドイツ語 DEUTSCH	イタリア語 ITALIANO	スペイン語 ESPAÑOL
Ich möchte einen Wagen von diesem Typ für (24) Studen mieten. イッヒ メヒテ アイネン ヴァーゲン フォン ディーゼム テューブ フューア(フィーアウントツヴァンツィッヒ)シュトゥンデン ミーテン	Vorrei noleggiare questo tipo di macchina per (24) ore. ヴォレイ ノレッジャーレ クエスト ティーポ ディ マッキナ ペル (ヴェンティクアットロ) オーレ	Deseo alquilar este coche por (24) horas. デセオ アルキラール エステ コチェ ポール (ベインティクアトゥロ) オーラス
Geben Sie mir bitte einige Adressen, an die ich mich wenden kann, wenn ein Unfall passiert. ゲーベン ズィー ミア ビッテ アイニゲ アドレッセン アン ディ イヒ ミヒ ヴェンデン カン ヴェン アイン ウンファル パスィールト	A chi mi rivolgo in caso d'incidente. ア キ ミ リヴォルゴ イン カーゾ ディンチデンテ	Indíqueme algunos sitios a los que pueda llamar en caso de accidente. インディーケメ アルグーノス シティオス ア ロス ケ プエダ ジャマール エン カーソ デ アクシデンテ
Das ist mein internationaler Führerschein. ダス イスト マイン インターナツィオナーラー フューラーシャイン	Ecco la mia patente internazionale. エッコ ラ ミア パテンテ インテル ナツィオナーレ	Esta es mi licencia internacional de conducir. エスタ エス ミ リセンシア インテル ナシオナル デ コンドゥシール
Bitte, schicken Sie morgen früh einen Wagen zum ~ Hotel. ビッテ シッケン ズィー モルゲン フリュー アイネン ヴァーゲン ツーム ~ ホテル	Mi mandi una macchina all' Hotel ~ domattina. ミ マンディ ウーナ マッキナ アッ ロテル ~ ドマッティーナ	Por favor, envíeme un coche al hotel~ mañana por la mañana. ポール ファボール エンビーエメ ウン コチェ アル オテル ~ マニャーナ ポール ラ マニャーナ

177

<table>
<tr><td rowspan="20">（1人歩き）</td></tr>
</table>

日本語 JAPANESE	英 語 ENGLISH	フランス語 FRANÇAIS
❾故障です。取りにきて下さい *Koshō desu. Torini kite kudasai.*	The car broke down. Please send ザ カー ブロウク ダウン プリーズ センド someone for it. サムワン フォー イット	Je suis en panne. Envoyez quel- ジュ スイ アン パン アンヴォワイエ ケル qu'un pour me dépanner, s'il vous カン プール ム デパネ スィルヴ— plaît. プレ
❿保証金 *hoshōkin*	deposit ディパズィット	la caution ラ コーシオン
⓫借用料 *shakuyōryō*	rental charge レンタル チャージ	le prix de la location ル プリ ドゥ ラ ロカシオン
⓬自動車事故保険 *jidōsha jiko hoken*	vehicle accident insurance ヴィークル アクスィデント インシュアランス	l'assurance contre les accidents ラシュランス コントル レ ザクシダン d'automobile ドートモビル
⓭ブレーキ *burēki*	brakes ブレイクス	le frein ル フラン
⓮修理工場 *shūri kōjō*	repair shop リペア シャップ	le garage ル ガラージュ
⓯故障中 *koshōchū*	broken down ブロウクン ダウン	en panne アン パン
⓰バッテリー *batterī*	battery バタリー	la batterie ラ バットリー
⓱タイヤ *taiya*	tire タイア	le pneu ル プヌー
⓲ガソリン *gasorin*	gasoline ／ petrol 英 ギャソリーン ペトラル	l'essence レサンス

ドイツ語 DEUTSCH	イタリア語 ITALIANO	スペイン語 ESPAÑOL
Dieser Wagen ist nicht in ディーザー ヴァーゲン イスト ニヒト イン Ordnung. Bitte, schicken Sie オルドゥヌング ビッテ シッケン ズィー jemanden, um ihn abzuholen. イェーマンデン ウム イーン アブツーホーレン	È guasto. Mi mandi エ グアスト ミ マンディ qualcuno per ritirarla. クアルクーノ ペル リティラルラ	Este coche está descompuesto. エステ コチェ エスタ デスコンプエスト Por favor, envíe a alguien ポール ファボール エンビーエ ア アルギエン que lo recoja. ケ ロ レコッハ
die Kaution ディ カウツィオーン	il deposito イル デポジト	el depósito エル デポジト
die Mietkosten ディ ミートコステン	la tariffa di noleggio ラ タリッファ ディ ノレッジョ	el precio de alquiler エル プレシオ デ アルキレール
die Autounfallversicherung ディ アウトウンファルフェアズィッヒェルング	l'assicurazione per gli incidenti ラッシクラツィオーネ ペル リ インチデンティ stradali ストラダーリ	el seguro de accidentes de エル セグーロ デ アクシデンテス デ tráfico トゥラフィコ
die Bremsen ディ ブレムゼン	il freno イル フレーノ	el freno エル フレーノ
die Auto-Werkstatt ディ アウト ヴェルクシュタット	l'autorimessa ラウトリメッサ	el taller de reparación エル タジェール デ レパラシオン
nicht in Ordnung ニヒト イン オルドゥヌング	guasto グアスト	está averiado エスター アベリアード
die Batterie ディ バッテリー	la batteria ラ バッテリーア	la batería ラ バテリーア
der Reifen デア ライフェン	il pneumatico イル プネウマーティコ	el neumático／la llanta エル ネウマーティコ ラ ジャンタ
das Benzin ダス ベンツィン	la benzina ラ ベンジーナ	la gasolina ラ ガソリーナ

日本語 JAPANESE	英 語 ENGLISH	フランス語 FRANÇAIS
⓳ガソリン・スタンド *gasorin sutando*	gas station / service station 英 ギャス ステイシュン サーヴィス ステイシュン	la station service ラ スタシオン セルヴィース
⓴満タン *mantan*	full tank フル タンク	le plein ル プラン
㉑オイル *oiru*	oil オイル	l'huile リュイル
㉒道路地図 *dōro chizu*	road map ロウド マップ	la carte routière ラ カルト ルーティエール
㉓高速道路〔自動車専用道路〕 *kōsoku dōro*	expressway エクスプレスウェイ	l'autoroute ロートルート
㉔有料道路 *yūryō dōro*	toll road トゥル ロウド	l'autoroute à péage ロートルート ア ペアージュ
㉕国道 *kokudō*	highway ハイウェイ	la route nationale ラ ルート ナシオナル
㉖モーテル *mōteru*	motel モウテル	le motel ル モテル
㉗駐車場 *chūshajō*	parking lot パーキング ラット	le parc de stationnement ル パルク ドゥ スタシオンヌマン
㉘通行止 *tsūkōdome*	road closed ロウド クロウズド	*route* [rue] barrée ルート [リュ] バレ
㉙駐車禁止 *chūsha kinshi*	no parking ノウ パーキング	stationnement interdit スタシオンヌマン アンテルディ
㉚徐行 *jokō*	slow スロウ	ralentir ラランティール

ドイツ語 DEUTSCH	イタリア語 ITALIANO	スペイン語 ESPAÑOL
die Tankstelle ディ タンクシュテレ	la stazione di servizio ラ スタツィオーネ ディ セルヴィーツィオ	la gasolinera ラ ガソリネラ
das Volltanken ダス フォルタンケン	il pieno イル ピエーノ	depósito de gasolina lleno デポーシト デ ガソリーナ ジェーノ
das Öl ダス エール	l'olio ローリオ	el aceite エル アセイテ
die Straßenkarte ディ シュトラーセンカルテ	la carta stradale ラ カルタ ストラダーレ	el mapa de carreteras エル マパ デ カルテーラス
die Autobahn ディ アウトバーン	l'autostrada ラウトストラーダ	la autopista ラ アウトピスタ
die gebührenpflichtige Straße ディ ゲビューレンプフリヒティゲ シュトラーセ	la strada a pedaggio ラ ストラーダ ア ペダッジョ	la carretera de peaje ラ カレテーラ デ ペアッヘ
die Landstraße ディ ラントシュトラーセ	la strada statale ラ ストラーダ スタターレ	la carretera nacional ラ カレテーラ ナシオナール
das Motel ダス モーテル	il motel イル モーテル	el motel エル モテル
der Parkplatz デア パルクプラッツ	il parcheggio イル パルケッジョ	el aparcamiento / el esta- エル アパルカミエント　　　エル エスタ cionamiento シオナミエント
Keine Durchfahrt カイネ ドゥルヒファールト	entrata vietata エントゥラータ ヴィエタータ	prohibido transitar プロイビード トゥランシタール
Parken verboten パルケン フェアボーテン	divieto di sosta ディヴィエート ディ ソスタ	prohibido estacionarse プロイビード エスタシオナールセ
langsam ラングザーム	rallentare ラッレンターレ	velocidad reducida ベロシダー レドゥシーダ

181

日本語 JAPANESE	英 語 ENGLISH	フランス語 FRANÇAIS
㉛工事中 *kōjichū*	**under construction** アンダー カンストラクシュン	**attention travaux** アタンシオン トラヴォー
船 *Fune*	**SHIP** シップ	**BATEAU** バトー
❶〜行きの船の乗り場はどこで *~ iki no fune no noriba wa doko* **すか** *desu ka?*	**Where can I board the ship to ~?** ホェア キャナイ ボード ザ シップ トゥ〜	**Où se fait l'embarquement pour** ウー ス フェ ランバルクマン プール **le bateau qui va à ~?** ル バトー キ ヴァ ア〜
❷乗船時間は何時ですか *Jōsen jikan wa nanji desu ka?*	**What time do we board?** ホアット タイム ドゥ ウィ ボード	**Quand est-ce qu'on embarque?** カン テ ス コン アンバルク
❸いつ出帆しますか *Itsu shuppan shimasu ka?*	**When does it sail?** ホェン ダズ イット セイル	**Quand ce bateau part-il?** カン ス バトー パールティル
❹停泊中に町を見物したい *Teihakuchū ni machi o kenbutsu* *Shitai.*	**I'd like to do some sightseeing** アイドライクトゥ ドゥーサム サイトスィーイング **while the ship is in port.** ホワイル ザ シップ イズ イン ポート	**Je voudrais visiter la ville pen-** ジュ ヴードレ ヴィジテ ラ ヴィル パン **dant l'escale.** ダン レスカル
❺デッキ・チェアーの予約をし *Dekki cheā no yoyaku o shitai.* **たい**	**I'd like to reserve a deck chair.** アイドライク トゥ リザーヴ ア デック チェア	**Je désire prendre un fauteuil de** ジュ デジール プランドル アン フォートゥイユ ドゥ **pont.** ポン

182

ドイツ語 DEUTSCH	イタリア語 ITALIANO	スペイン語 ESPAÑOL
die Baustelle ディ バウシュテレ	lavori in corso ラヴォーリ イン コルソ	bajo construcción バッホ コンストゥルクシオン

SCHIFF シッフ	**NAVE** ナーヴェ	**BARCO** バルコ
Wo ist die Landungsstelle ヴォー イスト ディ ランドゥングシュテレ des Schiffes nach~? デス シッフェス ナッハ ~	Dov'è il molo d'imbarco ドヴェ イル モロ ディンバルコ per~? ペル ~	¿Dónde está el muelle del barco ドンデ エスターエル ムエジェ デル バルコ para~? パラ ~
Wann gehen wir an Bord? ヴァン ゲーエン ヴィア アン ボルト	A che ora ci s'imbarca? ア ケ オーラ チ シンバルカ	¿Cuándo embarcamos? クアンド エンバルカーモス
Wann fährt das Schiff ab? ヴァン フェールト ダス シッフ アブ	Quando parte questa nave? クアンド パルテ クエスタ ナーヴェ	¿Cuándo sale este barco? クアンド サーレ エステ バルコ
Ich möchte mir einige Sehens- 化 メヒテ ミア アイニゲ ゼーエンス würdigkeiten ansehen, während ヴュルディッヒカイテン アンゼーエン ヴェーレント das Schiff im Hafen ist. ダス シッフ イム ハーフェン イスト	Vorrei fare una gita turistica ヴォレイ ファーレ ウナ ジータ トゥリスティカ mentre la nave è in porto. メントゥレ ラ ナーヴェ エ イン ポルト	Quisiera hacer algunos キシエーラ アセール アルグーノス recorridos turísticos mientras レコリードス トゥリスティコス ミエントラス el barco está en el puerto. エル バルコ エスタ エン エル プエルト
Ich möchte einen Deckstuhl 化 メヒテ アイネン デックシュトゥール reserviren. レザーヴィーレン	Vorrei riservare una sedia ヴォレイ リゼルヴァーレ ウーナ セーディア a sdraio. ア ズドライオ	Quiero reservar una silla de キエロ レセルバール ウナ シージャ デ cubierta. クビエルタ

183

日本語 JAPANESE	英　語 ENGLISH	フランス語 FRANÇAIS
❻日本人の客は乗船しています *Nihonjin no kyaku wa jōsen shite* か *imasu ka?*	Are there any Japanese passengers on board? アー ゼア エニー チャパニース パセンチャーズ アン ボード	Y-a-t-il des passagers japonais sur ce bateau? ヤ ティル デ パッサッジェ ジャポネ シュール ス バトー
❼私の食事時間は何時からです *Watashi no shokuji jikan wa nanji* か *kara desu ka?*	What time can I dine? ホアット タイム キャナイ ダイン	Quelles sont les heures des repas? ケル ソン レ ズール デ ルパ
❽船酔いがひどい。医師を呼ん *Funayoi ga hidoi. Ishi o yonde* でもらえますか *morae masu ka.*	I'm very seasick. Can you get a doctor? アイム ヴェリー スィースィック キャニュー ゲット ア ダクター	J'ai un très violent mal de mer. ジェ アン トレ ヴィオラン マル ドゥ メール Priez le médecin de venir. プリエ ル メドサン ドゥ ヴニール
❾客船 *kyakusen*	passenger ship パセンチャー シップ	le navire de passagers ル ナヴィール ドゥ パッサッジェ
❿フェリー *feri*	ferry フェリー	le ferry-boat ル フェリー ボート
⓫港 *minato*	port ／ harbor ポート　ハーバー	le port ル ポール
⓬桟橋 *sanbashi*	pier ピア	le quai ル ケ
⓭寄港地 *kikōchi*	port of call ポート アヴコール	l'escale レスカル
⓮乗船券 *jōsenken*	passenger ticket パセンチャー ティケット	le billet de passagers ル ビエ ドゥ パサジェ

ドイツ語 DEUTSCH	イタリア語 ITALIANO	スペイン語 ESPAÑOL
Sind japanische Passagiere ズィント ヤパーニッシェ パッサジーレ **auf diesem Schiff?** アウフ ディーゼム シフ	**C'è qualche passeggiero** チェ クアルケ パッセッジェーロ **giapponese su questa nave?** ジャッポネーゼ ス クエスタ ナーヴェ	**¿Hay algún pasajero japonés** アイ アルグン パサヘーロ ハポネス **en este barco?** エン エステ バルコ
Können Sie mir die ケネン ズィー ミア ディ **Essenszeiten sagen?** エッセンスツァイテン ザーゲン	**Mi dica a che ora posso** ミ ディーカ ア ケ オーラ ポッソ **pranzare.** プランザーレ	**Por favor, indíqueme las** ポール ファボール インディーケメ ラス **horas de comidas.** オーラス デ コミーダス
Ich bin seekrank geworden. イヒ ビン ゼークランク ゲヴォルデン **Können Sie bitte einen Arzt** ケネン ズィー ビッテ アイネン アルツト **kommen lassen?** コメン ラッセン	**Ho mal di mare. Mi può** オ マル ディ マーレ ミ プオ **chiamare un dottore?** キアマーレ ウン ドットーレ	**Siento un mareo muy fuerte.** シェント ウン マレーオ ムイ フエルテ **Por favor, llame al médico.** ポール ファボール ジャーメ アル メーディコ
das Passagierschiff ダス パッサジールシフ	**la nave passeggeri** ラ ナーヴェ パッセッジェーリ	**el barco de pasajeros** エル バルコ デ パサヘーロス
die Fähre ディ フェーレ	**il ferry-boat** イル フェリー ボート	**el transbordador** エル トゥランスボルダドール
der Hafen デア ハーフェン	**il porto** イル ポルト	**el puerto** エル プエルト
die Landungsbrücke ディ ランドゥングスブリュック	**il molo** イル モーロ	**el muelle** エル ムエジェ
der Anlaufhafen デア アンラウフハーフェン	**lo scalo** ロ スカーロ	**el puerto de escala** エル プエルト デ エスカーラ
der Schiffsfahrschein デア シッフスファールシャイン	**il biglietto** イル ビリエット	**el *billete* [boleto] de embarque** エル ビジェーテ [ボレート] デ エンバルケ

日本語 JAPANESE	英　語 ENGLISH	フランス語 FRANÇAIS
⑮汽船会社 *kisen gaisha*	steamship company スティームシップ カンパニー	la compagnie maritime ラ コンパニー マリティーム
⑯船長 *senchō*	captain キャプテン	le capitaine ル カピテーヌ
⑰事務長 *jimuchō*	purser パーサー	le commissaire de bord ル コミセール ドゥ ボール
⑱給仕 *kyūji*	steward ステューアド	le steward ル スチュワール
⑲事務室 *jimushitsu*	purser's room パーサーズ ルーム	le bureau du commissaire ル ビューロー デュ コミセール
⑳船室 *senshitsu*	cabin キャビン	la cabine ラ キャビーヌ
㉑寝台 *shindai*	berth バース	la couchette ラ クーシェット
㉒浴室 *yokushitsu*	bath room バース ルーム	la salle de bains ラ サル ドゥ バン
㉓医務室 *imushitsu*	infirmary インファーマリ	l'infirmerie ランフィルムリー
㉔救命胴衣 *kyūmei dōi*	life jacket ライフ ジャケット	le gilet de sauvetage ル ジレ ドゥ ソーヴタージュ
㉕浮袋 *ukibukuro*	life buoy ライフ ボイ	la bouée de sauvetage ラ ブエ ドゥ ソーヴタージュ
㉖救命ボート *kyūmei bōto*	lifeboat ライフボウト	le canot de sauvetage ル カノ ドゥ ソーヴタージュ

1人歩き

186

ドイツ語 DEUTSCH	イタリア語 ITALIANO	スペイン語 ESPAÑOL
die Schiffsgesellschaft ディ シッフスゲゼルシャフト	la compagnia di navigazione ラ コンパニーア ディ ナヴィガツィオーネ	la compañia naviera ラ コンパニーア ナビエーラ
der Kapitän デア カピテーン	il capitano イル カピターノ	el capitán エル カピタン
der Zahlmeister デア ツァールマイスター	il commissario di bordo イル コンミッサーリオ ディ ボルド	el sobrecargo / el comisario エル ソブレカルゴ エル コミサーリオ
der Steward デア シュトゥウート	lo steward ロ スチュアード	el camarero エル カマレーロ
die Zahlmeisterei ディ ツァールマイステライ	l'ufficio del commissario di bordo ルッフィーチョ デル コンミッサーリオ ディ ボルド	el despacho del sobrecargo エル デスパーチョ デル ソブレカルゴ
die Kabine ディ カビーネ	la cabina ラ カビーナ	el camarote エル カマローテ
das Bett ダス ベット	la cuccetta ラ クッチェッタ	la litera ラ リテーラ
das Badezimmer ダス バーデツィマー	il bagno イル バーニョ	el cuarto de baño エル クアルト デ バーニョ
das Arztzimmer／die Klinik ダス アルツトツィマー ディ クリーニク	la clinica ラ クリニカ	el cuarto del médico エル クアルト デル メーディコ
die Schwimmweste ディ シュヴィムヴェステ	la giacca di salvataggio ラ ジャッカ ディ サルヴァタッジョ	el chaleco salvavidas エル チャレコ サルバビーダス
der Rettungsring デア レットウングスリング	il salvagente イル サルヴァジェンテ	los flotadores salvavidas ロス フロタドーレス サルバビーダス
das Rettungsboot ダス レットウングスボート	la scialuppa di salvataggio ラ シャルッパ ディ サルヴァタッジョ	la lancha salvavidas ラ ランチャ サルバビーダス

♣観光案内所は，大都市の空港，駅にはたいていある。パンフレット類や観光地図が無料でもらえる。

♣観光バスも，観光客が訪れるような都市には，必ずといっていいほどある。2～3時間の手軽なコースから丸1日がかりのもの，ナイトクラブでの食事がセットされたものまで，さまざま。主だったものを手軽に，しかも割安に見られるので，旅行者にはぜひお勧めしたい。ガイドはだいたい英語だが，パリやニューヨークには，日本語でガイドするものもある。予約はホテルでできる。

♣本場のオペラ，音楽会などを満喫できるのも，海外旅行の大きな楽しみのひとつ。しかし，それぞれシーズンや興業プランがあるので，興味のある人は事前に調べておくこと。現地で探すなら，ホテルや観光案内所でもらえる娯楽情報誌を見るとよい。予約はフロントでできる。

♣空港での手荷物検査にエックス線を使うことがあるが，最近はフィルムに影響しない機械を使用している所が多い。心配な人は，エックス線を通さない専用の袋を買ってフィルムを入れておくとよい。海外では，肖像権がうるさいので，人物を写すときは，本人の了解をとること。また，軍事施設など撮影禁止区域への配慮も必要。フィルムは現地でも買えるが，使い慣れたものを日本から持っていった方が無難。

♣チップ　外国旅行でもっとも面倒なのはチップだといわれる。タクシーに乗ってもチップを支払うのが常識で，ホテル，レストランやバー，理髪店でもチップは必要。国によっては，チップの習慣がないところもあるが，チップの目安は，料金の10～15%位と考えておけば間違いない（上限は500円前後）。欧州・中南米・東南アジアのホテルやレストランでは，計算書に10～20%のサービス料が含まれている事が多いが，その場合でも一流レストランなどではおつりの小銭程度をおくのが習慣。

トラベル・メモ

7

日本語 JAPANESE	英 語 ENGLISH	フランス語 FRANÇAIS
観光案内所 *Kankō annaijo*	TOURIST INFORMATION トゥアリスト インフォメイシュン OFFICE オフィス	BUREAU DE TOURISME ビュロー ドゥ トゥリズム
❶この町の観光パンフレットを *Kono machi no kankō panfuretto o* ほしいのですが *hoshii no desu ga.*	I'd like a sightseeing brochure アイドライク ア サイトスィーイング ブローシューア for this town. フォー スィス タウン	Je voudrais avoir des brochures ジュ ヴードレ アヴォワールデ ブロシュール touristiques sur la ville. トゥリスティック シュールラ ヴィル
❷無料の市街地図はありますか *Muryō no shigaichizu wa arimasu* *ka ?*	Is there free city map ? イズ ゼア フリー スィティ マップ	Avez-vous un plan de la ville gra- アヴェ ヴー アン プラン ドゥラ ヴィル グラ tuit ? テュイ
❸私は〜を見たい *Watashi wa 〜 o mitai.*	I want to see 〜. アイ ウォントトゥ スィー 〜	Je voudrais aller voir 〜. ジュ ヴードレ アレ ヴォワール 〜
❹私は〜へ行きたい *Watashi wa 〜 e ikitai*	I want to go to 〜. アイ ウォントトゥ ゴウ トゥ 〜	Je voudrais aller à 〜. ジュ ヴードレ アレ ア 〜
❺（日本語）の話せるガイドを *(Nihongo) no hanaseru gaido o* 頼みたい *tanomitai.*	I want a (Japanese)-speaking guide. アイ ウォント ア（チャパニーズ）スピーキング ガイド	Je désire un guide-interprète pa- ジュ デジール アン ギード アンテルプレート パ rlant (japonais). ルラン （ジャポネ）

☞案内所（空港内）P.54

ドイツ語 DEUTSCH	イタリア語 ITALIANO	スペイン語 ESPAÑOL
FREMDEN— フレムデン **VERKEHRSBÜRO** フェアケールスビューロー	**UFFICIO DI INFORMAZIONI** ウッフィーチョ ディ インフォルマツィオーニ **TURISTICHE** トゥリスティケ	**OFICINA DE INFORMACIÓN** オフィシーナ デ インフォルマシオン **DE TURISMO** デ トゥリスモ
Ich hätte gern einige Bro- 化 ヘッテ ゲルン アイニゲ ブロ schüren für die Besichtigung シューレン フューア ディ ベズィヒティグング dieser Stadt. ディーザー シュタット	Vorrei qualche opuscolo ヴォレイ クアルケ オプースコロ turistico di questa città. トゥリスティコ ディ クエスタ チッタ	Quiero conseguir un folleto キエロ コンセギール ウン フォジェート de turismo de esta ciudad. デ トゥリスモ デ エスタ シウダー
Haben Sie einen kostenlosen ハーベン スィー アイネン コステンローゼン Stadtplan? シュタットプラーン	Avete una piantina gratuita アヴェーテ ウーナ ピアンティーナ グラトゥイータ di questa città? ディ クエスタ チッタ	¿Hay plano de la ciudad アイ プラーノ デ ラ シウダー gratuito? グラトゥイート
Ich möchte ~ sehen. 化 メヒテ ~ ゼーエン	Vorrei vedere~. ヴォレイ ヴェデーレ ~	Deseo ver ~. デセオ ベール ~
Ich möchte nach ~ gehen. 化 メヒテ ナッハ ~ ゲーエン	Vorrei andare a ~. ヴォレイ アンダーレ ア ~	Quiero ir a ~. キエロ イール ア ~
Ich möchte einen Führer 化 メヒテ アイネン フューラー haben, der (Japanisch) spricht. ハーベン デア (ヤパーニッシュ) シュプリヒト	Vorrei una guida che parli ヴォレイ ウーナ グイーダ ケ パルリ (giapponese). (ジャッポネーゼ)	Quisiera un guía que hable キシエーラ ウン ギィア ケ アブレ (japonés). (ハポネス)

191

7

日本語 JAPANESE	英 語 ENGLISH	フランス語 FRANÇAIS
❻1日いくらですか *Ichinichi ikura desu ka?*	What is the fee per day? ホアット イズザ フィーパー ディ	Quel est le prix pour une jour- ケ レ ル プリ プール ユヌ ジュルネ née?
観光バス *Kankō basu*	SIGHTSEEING BUS サイトスィーイング バス	AUTOCAR DE TOURISME オートカー ドゥ トゥリスム
❶市内観光バスはありますか *Shinai kankō basu wa arimasu ka?*	Are there any city sightseeing アー ゼア エニー スィティー サイトスィーイング buses? バスィズ	Est ce qu'il y a des excursions エ ス キ リアデ ゼクスキュルシオン **organisées de la ville en autocar?** オルガニゼ ドゥラ ヴィル アン ノートカー
❷1日〔半日〕のコースはあり *Ichinichi [hannichi] no kōsu wa* ますか *arimasu ka?*	Is there *an all-day* [a イズ ゼア アン オールディ [ア half-day] tour? ハーフディ] トゥアー	Avez-vous une excursion organi- アヴェ ヴー ユヌ エクスキュルシオン オルガニ sée pour la *journée* [demi-jour- ゼ プール ラ ジュルネ [ドゥミ ジュル née]? ネ]
❸午前〔午後, 夜〕のコースが *Gozen [Gogo, Yoru] no kōsu ga* ありますか *arimasu ka?*	Is there *a morning* [an after- イズ ゼア ア モーニング [アン アフタ noon, an evening] tour? ヌーン アン イヴニング] トゥアー	Avez-vous une excursion organi- アヴェ ヴー ユヌ エクスキュルシオン オルガニ sée pour *la matinée* [l'après-mi- ゼ プール ラ マティネ [ラプレ ミ di, le soir]? ディル ソワール]

192

ドイツ語 DEUTSCH	イタリア語 ITALIANO	スペイン語 ESPAÑOL
Wieviel kostet es pro Tag? ヴィフィール コステット エス プロ ターク	Quanto costa al giorno? クアント コスタ アル ジョルノ	¿Cuánto se le paga por día? クアント セ レ パーガ ポール ディア

BESICHTIGUNGS- ベズィヒティグングス OMNIBUS オムニブス	AUTOBUS PER GIRI アウトブス ベル ジーリ TURISTICI トゥリスティチ	AUTOBÚS DE TURISMO アウトブス デ トゥリスモ
Gibt es Busse, die ギープト エス ブッセ ディ Besichtigungsfahrten machen? ベズィヒティグングスファールテン マッヘン	C'è un autobus per i giri チェ ウン アウトブス ベル イ ジーリ turistici? トゥリスティチ	¿Hay algún autobús que haga アイ アルグン アウトブス ケ アーガ el recorrido turístico de la エル レコリード トゥリスティコ デ ラ ciudad? シウダー
Gibt es *Eintags*-[Halbtags-] ギープト エス アインタークス [ハルプタークス] Fahrten? ファールテン	C'è una gita per una *giornata* チェ ウナ ジータ ベル ウーナ ジョルナータ [mezza giornata]? [メッザ ジョルナータ]	¿Hay recorrido de *un día* アイ レコリード デ ウン ディーア [medio día]? [メディオ ディーア]
Haben Sie eine Rundfahrt ハーベン スィー アイネ ルントファールト *am Morgen* [am Nachmittag, アム モルゲン [アム ナッハミッターク am Abend]? アム アーベント]	C'è un giro di *mattina* チェ ウン ジーロ ディ マッティーナ [pomeriggio, notte]? [ポメリッジョ ノッテ]	¿Hay algún recorrido por アイ アルグン レコリード ポール *la mañana* [la tarde, la ラ マニャーナ [ラ タルデ ラ noche]? ノーチェ]

日本語 JAPANESE	英 語 ENGLISH	フランス語 FRANÇAIS
❹どこを回るのですか *Doko o mawaru no desu ka?*	What can I see on this tour? ホアット キャナイ スィー アン ズィス トゥアー	Qu'est-ce qu'on visite au cours de l'excursion? ケ ス コン ヴィジット オークール ドゥ レクスキュルジオン
❺何時間かかりますか *Nanjikan kakarimasu ka?*	How long does it take? ハウ ロング ダズ イット テイク	Combien de temps dure l'excursion? コンビアン ドゥ タン デュール レクスキュルジオン
❻食事付きですか *Shokujitsuki desu ka?*	Are any meals included? アー エニー ミールズ インクルーデッド	Les repas sont-ils compris? レ ルパ ソンティル コンプリ
❼何時発ですか *Nanji hatsu desu ka?*	What time does it start? ホアット タイム ダズ イット スタート	A quelle heure commence-t-elle? ア ケ ルール コマンス テル
❽何時に戻りますか *Nanji ni modorimasu ka?*	What time does it get back? ホアット タイム ダズ イット ゲットバック	A quelle heure se termine-t-elle? ア ケ ルール ス テルミーヌ テル
❾どこから出ますか *Doko kara demasu ka?*	Where does it start? ホェア ダズ イット スタート	D'où l'autocar part-il? ドゥー ロートカー パールティル
❿～ホテルから乗れますか *~ hoteru kara noremasu ka?*	Can I join the tour at the ~ Hotel? キャナイ ヂョインザ トゥアーアット ザ ~ ホテル	Puis-je prendre l'autocar à l'hôtel ~? ピュイ ジュ プランドル ロートカー ア ロ テル ~

ドイツ語 DEUTSCH	イタリア語 ITALIANO	スペイン語 ESPAÑOL
Was kann ich auf dieser ヴァス カン イヒ アウフ ディーザー **Rundfahrt sehen?** ルントファールト ゼーエン？	**Che cosa c'è da vedere in** ケ コーザ チェ ダ ヴェデーレ イン **questa gita?** クエスタ ジータ	**¿Qué cosas se ven en este** ケ コーサス セ ベン エン エステ **recorrido?** レコリード
Wie lange dauert diese ヴィー ランゲ ダウエルト ディーゼ **Rundfahrt?** ルントファールト	**Quanto tempo ci vuole?** クアント テンポ チ ヴォーレ	**¿Cuánto tiempo dura este** クアント ティエンポ ドゥラ エステ **recorrido?** レコリード
Ist das Essen eingeschlossen? イスト ダス エッセン アイングシュロッセン	**Con pranzo?** コン プランゾ	**¿Con comidas?** コン コミーダス
Wann beginnt sie? ヴァン ベギント ズィー	**A che ora parte?** ア ケ オーラ パルテ	**¿A qué hora empieza el** ア ケ オーラ エンピエサ エル **recorrido?** レコリード
Wann kommt der Bus zurück? ヴァン コムト デア ブス ツリュック	**A che ora ritorna?** ア ケ オーラ リトルナ	**¿A qué hora termina?** ア ケ オーラ テルミーナ
Wo fährt er ab? ヴォー フェールト エア アップ	**Da dove parte?** ダ ドヴェ パルテ	**¿De dónde sale?** デ ドンデ サーレ
Kann ich mich dieser Rundfahrt カン イヒ ミヒ ディーザー ルントファールト **am Hotel ～ anschließen?** アム ホテル ～ アンシュリーセン	**Posso prendere questo giro** ポッソ プレンデレ クエスト ジーロ **all Hotel ～?** アッ ロテル ～	**¿Puedo unirme a este recorrido** プエド ウニールメ ア エステ レコリード **en el hotel～?** エン エル オテル ～

195

日本語 JAPANESE	英 語 ENGLISH	フランス語 FRANÇAIS
⓫切符はどこで買えますか *Kippu wa doko de kaemasu ka?*	**Where can I buy a ticket?** ホエア キャナイ バイ ア ティケット	**Où puis-je acheter le billet?** ウー ピュイ ジュアシュテ ル ビエ
⓬～ホテルで降ろしてもらえま *～ hoteru de oroshite moraemasu* すか *ka?*	**Can I get off at the ~ Hotel?** キャナイ ゲット オフ アットザ ～ ホテル	**Pouvez-vous me déposer à l'hô-** プーヴェ ヴー ム デポゼ ア ロ **tel ~ ?** テル ～
⓭このツアーはいくらですか *Kono tsuā wa ikura desu ka?*	**How much is this tour?** ハウ マッチ イズ ズィス トゥアー	**Quel est le prix de cette excur-** ケ レ ル プリ ドゥ セット エクスキュル **sion?** シオン
⓮見物 *kenbutsu*	**sightseeing** サイトスィーイング	**la visite** ラ ヴィジット
⓯旧跡 *kyūseki*	**places of historical interest** プレイスィズ アヴ ヒストーリカル インタレスト	**le lieu d'intérêt historique** ル リュー ダンテレ イストリック
⓰名所 *meisho*	**famous spots** フェイマス スポッツ	**l'endroit célèbre** ランドロワ セレーブル
⓱市の中心 *shi no chūshin*	**city center** スィティー センター	**le centre de la ville** ル サントル ドゥ ラ ヴィル
⓲郊外 *kōgai*	**suburbs** サバーブズ	**la banlieue** ラ バンリュー
⓳美術館 *bijutsukan*	**art museum** アート ミューズィアム	**le musée des beaux-arts** ル ミュゼ デ ボー ザール

196

ドイツ語 DEUTSCH	イタリア語 ITALIANO	スペイン語 ESPAÑOL
Wo kann man die Fahrkarte ヴォー カン マン ディ ファールカルテ **kaufen?** カウフェン	**Dove si può comprare il** ドヴェ シ プオ コンプラーレ イル **biglietto?** ビリエット	**¿Dónde se puede comprar** ドンデ セ プエデ コンプラール **el *billete* [boleto]?** エル ビジェーテ［ボレート］
Kann ich am Hotel ~ カン イヒ アム ホテル ~ **aussteigen?** アウスシュタイゲン	**Mi fa scendere a l'Hotel ~?** ミ ファ シェンデレ ア ロテル ~	**¿Podría dejarme en frente** ポドゥリーア デハールメ エン フレンテ **del hotel~?** デル オテル ~
Wie teuer ist diese Fahrt? ヴィー トイアー イスト ディービ ファールト	**Quanto costa questa gita?** クアント コスタ クエスタ ジータ	**¿Cuánto cuesta este viaje de** クアント クエスタ エステ ビアッヘ デ **turismo?** トゥリスモ
die Besichtigung ディ ベズィヒティグング **Stellen von geschichtlichen** シュテレン フォン ゲシヒトリッヒェン **Interesse** インテレッセ **die berühmten Orte** ディ ベリュームテン オルテ	**il giro turistico** イル ジーロ トゥリスティコ **i luoghi d'interesse storico** イ ルオーギ ディンテレッセ ストーリコ **i luoghi famosi** イ ルオーギ ファモージ	**la visita turística** ラ ビシタ トゥリスティカ **los sitios de interés histórico** ロス シティオス デ インテレス イストリコ **los sitios célebres** ロス シティオス セレブレス
die Stadtmitte ディ シュタットミッテ **die Vororte** ディ フォアオルテ **das Kunstmuseum** ダス クンストムゼウム	**il centro città** イル チェントロ チッタ **i sobborghi** イ ソッボルギ **il museo dárte** イルムゼーオ ダルテ	**el centro de la ciudad** エル セントロ デ ラ シウダー **los suburbios／los alrededores** ロス スブルビオス ロス アルレデドーレス **la galería de artes** ラ ガルリーア デ アルテス

197

日本語 JAPANESE	英 語 ENGLISH	フランス語 FRANÇAIS
⑳博物館 *hakubutsukan*	museum ミューズィアム	le musée ル ミュゼ
㉑画廊 *garō*	art gallery アート ギャラリー	la galerie de peinture ラ ガルリー ドゥ パンテュール
㉒展覧会 *tenrankai*	exhibition エクスィビシュン	l'exposition レクスポジシオン
㉓博覧会 *hakurankai*	fair / exposition フェアー エクスポスィシュン	la foire ラ フォワール
㉔議事堂 *gijidō*	Parliament Building パーラマント ビルディング	le bâtiment de la Diète ル バティマン ドゥ ラ ディエート
㉕城 *shiro*	castle キャースル	le château ル シャトー
㉖宮殿 *kyūden*	palace パレス	le palais ル パレ
㉗教会 *kyōkai*	church チャーチ	l'église レグリーズ
㉘大寺院 *daijiin*	cathedral カスィードラル	la cathédrale ラ カテドラル
㉙彫像 *chōzō*	statue スタチュー	la statue ラ スタテュ
㉚池 *ike*	pond ポンド	l'étang レタン
㉛庭園 *teien*	garden ガードゥン	le jardin ル ジャルダン
㉜動物園 *dōbutsuen*	zoo ズー	le zoo ル ゾー

198

ドイツ語 DEUTSCH	イタリア語 ITALIANO	スペイン語 ESPAÑOL
das Museum ダス ムゼウム	il museo イル ムゼーオ	el museo エル ムセオ
die Gemäldegalerie ディ ゲメールデガレリー	la pinacoteca ラ ピナコテーカ	la galería de pinturas ラ ガレリーア デ ピントゥラス
die Ausstellung ディ アウスシュテルング	l'esposizione レスポジツィオーネ	la exposición ラ エスポシシオン
die Ausstellung / die Messe ディ アウスシュテルング ディ メッセ	la fiera ラ フィエーラ	la feria ラ フェリア
das Parlament ダス パーラメント	il palazzo del parlamento イル パラッツォ デル パルラメント	el edificio del Congreso / Parlamento エル エディフィシオ デル コングレソ パルラメント
das Schloß ダス シュロス	il castello イル カステッロ	el castillo エル カスティージョ
der Palast デア パラスト	il palazzo イル パラッツォ	el palacio エル パラシオ
die Kirche ディ キルヒェ	la chiesa ラ キエーザ	la iglesia ラ イグレシア
der Dom [die Kathedrale] デア ドーム [ディ カテドラーレ]	la cattedrale ラ カッテドラーレ	la catedral ラ カテドゥラール
die Statue ディ シュタトゥーエ	la statua ラ スタートゥア	la estatua ラ エスタトゥア
der Teich デア タイヒ	lo stagno ロ スターニョ	el estanque エル エスタンケ
der Garten デア ガルテン	il giardino イル ジャルディーノ	el jardín エル ハルディン
der Zoo デア ツォー	il giardino zoologico イル ジャルディーノ ゾオロジコ	el jardín zoológico エル ハルディン ソオロヒコ

日本語 JAPANESE	英語 ENGLISH	フランス語 FRANÇAIS
❸❸植物園 *shokubutsuen*	**botanical gardens** ボタニカル　ガードゥンズ	**le jardin botanique** ル　ジャルダン　ボタニック
❸❹水族館 *suizokukan*	**aquarium** アクウェアリアム	**l'aquarium** ラクワリオム
❸❺遊園地 *yūenchi*	**recreation ground** レクリエイシュン　グラウンド	**le parc d'attractions** ル　パルク　ダトラクシオン
❸❻墓地／墓 *bochi　haka*	**cemetery ／ tomb** セマテリー　　トゥーム	**le cimetière ／ la tombe** ル　シミティエール　　ラ　トンブ
❸❼記念碑 *kinenhi*	**monument** マニュマント	**le monument** ル　モニュマン
❸❽特別〔年中〕行事 *tokubetsu〔nenchū〕gyōji*	***special*〔annual〕event** スペシュル　〔アニュアル〕　イヴェント	**la fête *exceptionnelle*〔annuelle〕** ラ　フェート　エクセプシオネル　　〔アニュエル〕
❸❾祭 *matsuri*	**festival** フェスティヴァル	**la fête ／ le festival** ラ　フェート　ル　フェスティヴァル
❹⓿遊覧船 *yūransen*	**sightseeing boat** サイトスィーイング　ボウト	**le bateau d'excursion** ル　バトー　デクスキュルシオン
❹❶馬車 *basha*	**horse and buggy** ホース　アンド　バギー	**la voiture à cheval** ラ　ヴォワテュール　アシュヴァル
❹❷ケーブルカー *kēburu kā*	**cable car** ケイブル　カー	**le funiculaire** ル　フュニキュレール
❹❸ロープウェイ *rōpu uei*	**ropeway** ロウプウェイ	**le téléphérique** ル　テレフェリック

観光・プレイ

ドイツ語 DEUTSCH	イタリア語 ITALIANO	スペイン語 ESPAÑOL
der botanische Garten デア ボターニシェ ガルテン	**il giardino botanico** イル ジャルディーノ ボタニコ	**el jardín botánico** エル ハルディン ボタニコ
das Aquarium ダス アクヴァーリウム	**l'acquario** ラックアーリオ	**el acuario** エル アクアリオ
der Vergnügungspark デア フェアグニューグングスパルク	**il parco dei divertimenti** イル パルコ デイ ディヴェルティメンティ	**el parque de atracciones** エル パルケ デ アトラクシオネス
der Friedhof / das Grab デア フリートホーフ ダス グラブ	**il cimitero / la tomba** イル チミテーロ ラ トンバ	**el cementerio / la tumba** エル セメンテリオ ラ トゥンバ
das Denkmal ダス デンクマール	**il monumento** イル モヌメント	**el monumento** エル モヌメント
das *besondere* [jährliche] Ereignis ダス ベゾンデレ [イェールリッヒェ] エアアイクニス	**l'avvenimento *speciale* [annuale]** ラッヴェニメント スペチャーレ [アンヌアーレ]	**los actos *especiales* [anuales]** ロス アクトス エスペシアーレス [アヌアーレス]
das Fest ダス フェスト	**la festa** ラ フェスタ	**la fiesta** ラ フィエスタ
das Ausflugsschiff ダス アウスフルークスシッフ	**il battello turistico** イル バッテッロ トゥリステイコ	**el barco de turismo** エル バルコ デ トゥリスモ
die Kutsche ディ クッチェ	**la carrozza** ラ カルロッツァ	**el coche de caballos** エル コチェ デ カバージョス
die Drahtseilbahn ディ ドゥラートザイルバーン	**la funicolare** ラ フニコラーレ	**el funicular** エル フニクラール
die Seilbahn ディ ザイルバーン	**la funivia** ラ フニヴィーア	**el teleférico** エル テレフェリコ

201

日本語 JAPANESE	英 語 ENGLISH	フランス語 FRANÇAIS
地　図 *Chizu*	**MAP** マップ	**CARTE** カルト
❶国 *kuni*	country カントリー	le pays ル　ペイ
❷州 *shū*	state / province ステイト　プラヴィンス	la province ラ　プロヴァンス
❸市 *shi*	city スィティー	la ville ラ　ヴィル
❹町 *machi*	town タウン	la ville / le bourg ラ　ヴィル　ル　ブール
❺村 *mura*	village ヴィレッチ	le village ル　ヴィラージュ
❻海 ／陸 *umi riku*	sea / land スィー　ランド	la mer / la terre ラ　メール　ラ　テール
❼湾 *wan*	bay ベイ	la baie ラ　ベー
❽半島／岬 *hantō misaki*	peninsula / cape ペニンスラ　ケイプ	la presqu'île / le cap ラ　プレスキル　ル　カップ
❾島 *shima*	island アイランド	l'île リル
❿山 ／火山 *yama kazan*	mountain / volcano マウンテン　ヴォルケイノウ	la montagne / le volcan ラ　モンターニュ　ル　ヴォルカン
⓫川 *kawa*	river リヴァー	la rivière ラ　リヴィエール
⓬森 *mori*	forest フォレスト	la forêt ラ　フォレ

202

ドイツ語 DEUTSCH	イタリア語 ITALIANO	スペイン語 ESPAÑOL
LANDKARTE ラントカルテ	**CARTA GEOGRAFICA** カルタ ジェオグラーフィカ	**EL MAPA** エル マーパ
die Nation/das Land ディ ナツィオーン ダス ラント	**il paese** イル パエーゼ	**el país** エル パイース
das Land/die Provinz ダス ラント ディ プロヴィンツ	**la provincia** ラ プロヴィンチャ	**la provincia / el estado** ラ プロビンシア エル エスタード
die Stadt ディ シュタット	**la città** ラ チッタ	**la ciudad** ラ シウダー
die Stadt ディ シュタット	**la città** ラ チッタ	**el pueblo** エル プエブロ
das Dorf ダス ドルフ	**il villaggio** イル ヴィッラッジョ	**la aldea** ラ アルデーア
das Meer / das Land ダス メール ダス ラント	**il mare / la terra** イル マーレ ラ テルラ	**el mar / la tierra** エル マール ラ ティエラ
die Bucht ディ ブフト	**il golfo** イル ゴルフォ	**la bahía** ラ バイーア
die Halbinsel / das Kap ディ ハルプインゼル ダス カプ	**la penisola / la punta** ラ ペニーゾラ ラ プンタ	**la península / el cabo** ラ ペニンスラ エル カーボ
die Insel ディ インゼル	**l'isola** リーゾラ	**la isla** ラ イスラ
der Berg / der Vulkan デア ベルク デア ヴルカーン	**la montagna / il vulcano** ラ モンターニャ イル ヴルカーノ	**el monte / el volcán** エル モンテ エル ヴォルカン
der Fluß デア フルス	**il fiume** イル フューメ	**el río** エル リーオ
der Wald デア ヴァルト	**il bosco** イル ボスコ	**el bosque** エル ボスケ

日本語 JAPANESE	英 語 ENGLISH	フランス語 FRANÇAIS
⑬湖 *mizuumi*	**lake** レイク	**le lac** ル ラック
⑭滝 *taki*	**waterfall** ウォーターフォール	**la cascade** ラ カスカード
⑮砂漠 *sabaku*	**desert** デザート	**le désert** ル デゼール
⑯海岸 ／浜辺 *kaigan hamabe*	**seacoast ／ beach** スィーコウスト ビーチ	**la côte ／ la plage** ラ コート ラ プラージュ
写 真 *Shashin*	**PHOTOGRAPHS** フォットグラフス	**PHOTOGRAPHIE** フォトグラフィー
❶ここで写真を撮ってもいいで *Koko de shashin o tottemo ii desu* すか *ka?*	**May I take pictures here ?** メイ アイ テイク ピクチャーズ ヒア	**Puis-je prendre des photos ?** プュイ ジュ プランドル デ フォト
❷ストロボをたいてもいいです *Sutorobo o taitemo ii desu ka?* か	**May I use a flash ?** メイ アイ ユーズ ア フラッシュ	**Puis-je utiliser un flash électro-** プュイ ジュ ユティリゼ アン フラッシュ エレクトロ **nique ?** ニック
❸すみませんがシャッターを押 *Sumimasen ga shatta o oshite* して下さい *kudasai.*	**Would you mind taking a picture** ウッジュー マインド テイキング ア ピクチャー **for me ?** フォー ミー	**Voudriez-vous appuyer sur le bou-** ヴードリエ ヴー アピュイエ シュールル ブー **ton, s'il vous plaît ?** トン スィル ヴー プレ

204

ドイツ語 DEUTSCH	イタリア語 ITALIANO	スペイン語 ESPAÑOL	📷

der See デア ゼー	il lago イル ラーゴ	el lago エル ラーゴ
der Wasserfall デア ヴァッサーファル	la cascata ラ カスカータ	el salto / la cascada エル サルト　ラ カスカーダ
die Wüste ディ ヴュステ	il deserto イル デゼルト	el desierto エル デシエルト
die Seeküste / der Strand ディ ゼーキュステ　デア シュトラント	la costa / la spiaggia ラ コスタ　ラ スピアッジャ	la costa / la playa ラ コスタ　ラ プラージャ
FOTOGRAFIEREN フォトグラフィーレン	**FOTOGRAFIA** フォトグラフィーア	**FOTOGRAFÍA** フォトグラフィア
Darf ich hier fotografieren? ダルフ イヒ ヒーア フォトグラフィーレン	**Posso fotografare qui?** ポッソ フォトグラファーレ クイ	**¿Puedo _sacar_ [tomar] fotos** プエド　サカール　[トマール]　フォトス **aqui ?** アキィ
Darf ich Blitzlicht benutzen? ダルフ イヒ ブリッツリヒト ベヌッツェン	**Posso usare il flash?** ポッソ ウザーレ イル フラッシュ	**¿Puedo usar flash?** プエド　ウザール　フラッシュ
Würden Sie bitte für mich ヴュルデン　スィー ビッテ フューア ミヒ **den Auslöserknopf drücken?** デン アウスレーザークノップフ ドリュッケン	**Può scattare, per favore?** プオ スカッターレ ペル ファヴォーレ	**¿Podría apretar el botón del** ポドゥリーア アプレタール エル ボトン　デル **obturador?** オブトゥラドール

	日本語 JAPANESE	英 語 ENGLISH	フランス語 FRANÇAIS
観光・プレイ	**❹私と一緒にカメラに入って下さい** *Watashi to issho ni kamera ni haitte kudasai.*	**Please pose with me.** プリーズ ポウズ ウィズ ミー	**Puis-je me faire photographier** プュイ ジュ ム フェール フォトグラフィエ **avec vous ?** アベック ヴー
	❺あなたの写真をとってもいいですか *Anata no shashin o tottemo ii desu ka?*	**May I take your picture ?** メイ アイ テイク ユア ピクチャー	**Puis-je vous prendre en photo ?** プュイ ジュ ヴー プランドル アン フォト
	❻写真を送ってあげます。住所をここに書いて下さい *Shashin o okutte agemasu. Jūsho o koko ni kaite kudasai.*	**I'll send you a copy. Please write** アイル センド ユー ア カピー プリーズ ライト **your address here.** ユア アドレス ヒア	**Je vous enverrai la photo. Veui-** ジュ ヴー アンヴレ ラ フォト ヴュイ **llez écrire votre adresse ici.** エ エクリール ヴォートル アドレス イスィ
	❼撮影禁止 *satsuei kinshi*	**NO PHOTOGRAPHS** ノウ フォウトグラフス	**DÉFENSE DE PHOTOGRA-** デファンス ドゥ フォトグラ **PHIER** フィエ
	❽フラッシュ禁止 *furasshu kinshi*	**NO FLASHBULBS** ノウ フラッシュバルブズ	**DÉFENSE D'UTILISER UN** デファンス デュティリゼ アン **FLASH** フラシュ

ドイツ語 DEUTSCH	イタリア語 ITALIANO	スペイン語 ESPAÑOL
Würden Sie sich mit mir fotografieren lassen? ヴュルデン スィー スィッヒ ミット ミア フォトグラフィーレン ラッセン	**Vuol posare con me?** ヴォル ポザーレ コン メ	**¿Tendría inconveniente en retratarse conmigo?** テンドリーア インコンベニエンテ エン レトラタールセ コンミーゴ
Darf ich eine Aufnahme von Ihnen machen? ダルフ イヒ アイネ アウフナーメ フォン イーネン マッヘン	**Posso fotografar La?** ポッソ フォトグラファル ラ	**¿Me permite tomar su foto?** メ ペルミーテ トマール ス フォト
Ich schicke Ihnen einen Abzug. Schreiben sie bitte hier Ihre Anschrift auf. イヒ シッケ イーネン アイネン アップツーク シュライベン スィー ビッテ ヒーア イーレ アンシュリフト アウフ	**Gliela manderò. Metta qui il Suo indirizzo.** リエーラ マンデロ メッタ クイ イル スオ インディリッツォ	**Le enviaré la foto. Por favor, escriba aquí su dirección.** レ エンビアレ ラ フォト ポール ファボール エスクリーバ アキィ ス ディレクシオン
FOTOGRAFIEREN VERBOTEN! フォトグラフィーレン フェアボーテン	**VIETATO FOTOGRAFARE** ヴィエタート フォトグラファーレ	**SE PROHIBE TOMAR FOTOS** セ プロイーベ トマール フォトス
BLITZLICHT VERBOTEN! ブリッツリヒト フェアボーデン	**NON USARE IL FLASH** ノン ウザーレ イル フラッシュ	**SE PROHIBE USAR FLASH** セ プロイーベ ウサール フラッシュ

日本語 JAPANESE	英 語 ENGLISH	フランス語 FRANÇAIS
カメラ店 *Kamera ten*	**CAMERA SHOP** キャムラ　シャップ	**MAGASIN D'APPAREILS** マガザン　ダパレイユ **PHOTOS** フォト
❶35㎜のカラーフィルムを下さい *Sanjūgo miri no karā firumu o kudasai.*	**35 mm.　color film, please.** サーティファイヴ　ミリミータ カラー フィルム プリーズ	**Je voudrais acheter une pellicule** ジュ ヴードレ　アシュテ　ユヌ ペリキュル **en couleur de 35 mm.** アン クールール ドゥ トラント サン ミリメートル
❷シャッターの具合が悪い *Shattā no guai ga warui.*	**The shutter doesn't work well.** ザ　シャター　ダズント　ワーク　ウェル	**L'obturateur ne marche pas bien.** ロプテュラトゥール ヌ マルシュ パ ビアン
❸ちょっと見てもらえますか *Chotto mite moraemasu ka?*	**Can you check it for me?** キャニュー　チェック イット フォー ミー	**Pouvez-vous le vérifier?** プーヴェ　ヴー　ル　ヴェリフィエ
❹白黒フィルム *shirokuro firumu*	**black and white film** ブラック アンド ホワイト フィルム	**la pellicule en noir et blanc** ラ ペリキュール アン ノワールエ ブラン
❺スライド用 *suraido yō*	**color slide film** カラー　スライド フィルム	**la pellicule pour diapositives** ラ ペリキュール プール ディアポジティヴ
❻プリント用 *purinto yō*	**film for color prints** フィルム フォー カラー プリンツ	**la pellicule pour négatifs** ラ ペリキュール プール ネガティフ
❼電池 *denchi*	**battery** バタリー	**la pile** ラ ピル

ドイツ語 DEUTSCH	イタリア語 ITALIANO	スペイン語 ESPAÑOL
FOTOGESCHÄFT フォトゲシェフト	**NEGOZIO DI FOTO** ネゴーツィオ ディ フォト	**TIENDA DE CAMARAS** ティエンダ デ カマラス
Einen 35mm- アイネン　フュンフウントドライスィヒミリメーター **Farbfilm bitte.** ファルプフィルム ビッテ	**Mi da una pellicola a colori di** ミ ダ ウナ ペッリーコラ ア コローリ デイ **35mm?** トゥレンタチンクエ ミリーメートゥリ	**Déme un rollo de 35** デーメ　ウン ロージョ デ トゥレインタイシンコ **mm de color.** ミリーメトゥロス デ コロール
Der Verschluß geht nicht. デア フェアシュルス ゲート ニヒト	**Lo scatto non funziona bene.** ロ　スカット　ノン　フンツィオーナ ベーネ	**El obturador no funciona.** エル オブトゥラドール ノー フンシオーナ
Bitte sehen Sie sich das ビッテ　ゼーエン　ズィー　ズィヒ　ダス **einmal an.** アインマール アン	**Può guardare un po?** プオ　グァルダーレ　ウン ポ	**¿Podría examinar?** ポドゥリーア エクサミナール
der Schwarzweißfilm デア シュヴァルツヴァイスフィルム	**la pellicola monocroma** ラ　ペッリーコラ モノクローマ	**rollo de blanco y negro** ロージョ デ ブランコ イ ネグロ
der Farbfilm für Dias デア ファルプフィルム フューア ディアス	**la pellicola a colori per** ラ　ペッリーコラ　ア　コローリ　ペル **diapositiva** ディアポジティーヴァ	**rollo de color para dia-** ロージョ デ　コロール　パラ　ディア **positivas** ポシティーバス
der Farbfilm デア ファルプフィルム	**la pellicola stampa a colori** ラ ペッリーコラ スタンパ ア コローリ	**rollo de color para copias** ロージョ デ　コロール　パラ　コピアス
die Batterie ディ バッテリー	**la pila** ラ ピーラ	**la pila** ラ ピーラ

209

日本語 JAPANESE	英 語 ENGLISH	フランス語 FRANÇAIS
プレイ *Purei*	**ENTERTAINMENT** エンターテインメント	**DISTRACTIONS** ディストラクシオン
❶ ~を見たい *~ o mitai.*	I want to see ~. アイ ウォント トゥ スィー ~	Je voudrais aller voir ~. ジュ ヴードレ　アレ　ヴォワール ~
❷ ~をしたい *~ o shitai.*	I want to ~. アイ ウォント トゥ ~	Je voudrais ~. ジュ ヴードレ　　~
❸ ショーか劇を見るコースはあ *Shō ka geki o miru kōsu wa arimasu* りますか *ka?*	Is there a tour of some shows or イズ ゼァ　ア トゥァ アヴサム　ショウズ オー theaters? スィアターズ	Y-a-t-il un tour organisé per- ヤ　ティル アン トゥール オルガニゼ　ベル mettant　d'assister　à　des メッタン　　ダシステ　　ア　デ spectacles? スペクタークル
❹ 入場料は含まれていますか *Nyūjōryō wa fukumarete imasu ka?*	Are the admission fees included? アー　スィ アドミッション フィーズ インクルーデッド	Le billet d'entrée est-il compris ル ビエ　ダントレ　エティル コンプリ (dans le prix)? (ダン　ル　プリ)
❺ 入場料はいくらですか *Nyūjōryō wa ikura desu ka?*	How much is the admission fee? ハウ　マッチ イズ スィ アドミッション　フィー	Combien coûte le billet d'entrée? コンビアン　クート ル ビエ　ダントレ
❻ (オペラ) はどこで見られま *(opera) wa doko de miraremasu* すか *ka?*	Where can I see (an opera)? ホェア　キャナイ スィー (アン アプラ)	Où puis-je voir (un opéra)? ウー プュイ ジュ ヴォワール (アン ノペラ)

210

ドイツ語 DEUTSCH	イタリア語 ITALIANO	スペイン語 ESPAÑOL
VERANSTALTUNGEN フェルアンシュタルトゥンゲン	**SPETTACOLO** スペッターコロ	**PASATIEMPO** パサティエンポ
Ich möchte ~ sehen. イヒ メヒテ ～ ゼーエン	Vorrei vedere ~. ヴォレイ ヴェデーレ ～	Quiero ver ~. キエロ ベール ～
Ich möchte ~. イヒ メヒテ ～	Vorrei fare ~. ヴォレイ ファーレ ～	Quiero ~. キエロ ～
Haben Sie eine Rundfahrt, ハーベン ズィー アイネ ルントファールト die einige Shows oder Theater ディ アイニゲ ショーズ オーダー テアーター einschließt? アインシュリースト	C'è un giro per vedere チェ ウン ジーロ ベル ヴェデーレ spettacoli o teatri? スペッターコリ オ テアートゥリ	¿Hay algún recorrido que vaya アイ アルグン レコリード ケ バージャ a espectáculos o teatros? ア エスペクタクロス オ テアトロス
Ist der Eintrittspreis in dem イスト デア アイントリッツプライス イン デム Preis der Rundfahrt ein- プライス デア ルントファールト アイン geschlossen? ゲシュロッセン	L'ingresso è incluso nel prezzo リングレッソ エ インクルーゾ ネル プレッツォ della gita? デッラ ジータ	¿Están incluidas las entradas エスタン インクルイーダス ラス エントラーダス en el precio de este recorrido? エン エル プレシオ デ エステ レコリード
Wie hoch ist der Eintrittspreis? ヴィー ホーホ イスト デア アイントリッツプライス	Quanto costa l'ingresso? クアント コスタ リングレッソ	¿Cuánto cuesta la entrada? クアント クエスタ ラ エントラーダ
Wo kann ich (eine Oper) ヴォー カン イヒ （アイネ オーベル） sehen? ゼーエン	Dove si può vedere (un'opera ドヴェ シ プオ ヴェデーレ （ウノーペラ lirica)? リーリカ）	¿Dónde puedo ver (ópera)? ドンデ プエド ベール （オペラ）

211

❼今何をやっていますか *Ima nani o yatte imasu ka?*	**What is showing now?** ホアット イズ ショウイング ナウ	**Que joue-t-on au théâtre en ce** ク ジュ トン オー テアートル アンス **moment?** モマン
❽今何がはやっていますか *Ima nani ga hayatte imasu ka*	**What is popular now?** ホアット イズ パピュラー ナウ	**Quelle est la pièce qui a le** ケ レ ラ ピエース キ ア ル **plus de succès en ce moment?** プリュ ドゥ シュクセ アンス モマン
❾誰が出演していますか *Dare ga shutsuen shite imasu ka?*	**Who are the stars?** フー アー ザ スターズ	**Qui joue dans cette pièce?** キ ジュー ダン セット ピエース
❿開演〔終演〕は何時ですか *Kaien [shūen] wa nanji desu ka?*	**What time does the performance** ホアット タイム ダズ ザ パフォーマンス ***begin* [end]?** ビギン [エンド]	**A quelle heure *commence-t-on* [fi-** ア ケ ルール コマンス トン [フィ **nit-on]?** ニ トン]
⓫何日までやっていますか *Nannichi made yatte imasu ka?*	**How long will it run?** ハウ ロング ウィル イット ラン	**Jusqu'à quelle date joue-t-on?** ジスカ ケル ダート ジュ トン
⓬席を予約したい *Seki o yoyaku shitai.*	**I'd like to reserve seats.** アイド ライク トゥ リザーヴ スィーツ	**Je voudrais faire une réservation.** ジュ ヴードレ フェール ユヌ レゼルヴァシオン
⓭(案内係に)私の席に案内し *Watashi no seki ni* **て下さい** *annai shite kudasai.*	**Please show me to my seat.** プリーズ ショウ ミー トゥ マイ スィート	**Conduisez-moi à ma place, s'il** コンデュイゼ モワ ア マ プラス スィル **vous plaît.** ヴー プレ

観光・プレイ

212

ドイツ語 DEUTSCH	イタリア語 ITALIANO	スペイン語 ESPAÑOL
Was spielt man jetzt? ヴァス シュピールト マン イェッツト	Che danno adesso? ケ ダンノ アデッソ	¿Qué están representando ahora? ケ エスタン レプレセンタンド アオラ
Was ist jetzt am populärsten? ヴァス イスト イェッツト アム ポプレールステン	Che gode molta reputazione adesso? ケ ゴーデ モルタ レプタッツィオーネ アデッソ	¿Qué está adquiriendo una popularidad? ケ エスター アドキリエンド ウナ ポプラリダー
Wer sind die Hauptdarsteller? ヴェア ズィント ディ ハウプトダールシュテラー	Chi sono gli attori? キ ソーノ リ アットーリ	¿Quiénes son los actores? キエネス ソン ロス アクトーレス
Um wieviel Uhr *beginnt* [endet] die Vorstellung? ウム ヴィフィール ウーア ベギント [エンデット] ディ フォアシュテルング	A che ora *comincia* [finisce] lo spettacolo? ア ケ オーラ コミンチャ [フィニッシェ] ロ スペッターコロ	¿A qué hora *empieza* [termina] la función? ア ケ オーラ エンピエサ [テルミーナ] ラ フンシオン
Wie lange wird das Stück gegeben werden? ヴィー ランゲ ヴィルト ダス シュトゥック ゲゲーベン ヴェルデン	Fino a quando lo danno? フィーノ ア クアンド ロ ダンノ	¿Cuántos días durará? クアントス ディアス ドゥララ
Ich möchte Plätze reservieren. イヒ メヒテ プレッツェ レザヴィーレン	Vorrei prenotare un posto. ヴォレイ プレノターレ ウン ポスト	Quiero reservar un asiento. キエロ レセルバール ウン アシエント
Zeigen Sie mir bitte meinen Platz. ツァイゲン ズィー ミア ビッテ マイネン プラッツ	Mi mostri il mio posto, per favore. ミ モストゥリ イル ミオ ポスト ペル ファヴォーレ	Haga el favor de indicarme mi asiento. アーガ エル ファボール デ インディカールメ ミ アシエント

日本語 JAPANESE	英 語 ENGLISH	フランス語 FRANÇAIS
⓮大人／子供 *otona kodomo*	**adult** ／ **child** アダルト　チャイルド	**l'adulte** ／ **l'enfant** ラデュルト　ランファン
⓯指定席 *shiteiseki*	**reserved seating** リザーヴド　スィーティング	**la place réservée** ラ　プラス　レゼルヴェ
⓰自由席 *jiyūseki*	**free seating** フリー　スィーティング	**la place non-réservée** ラ　プラス　ノン　レゼルヴェ
⓱音楽会／音楽堂 *ongakukai ongakudō*	**concert** ／ **concert hall** カンサート　カンサート　ホール	**le concert** ／ **la salle de concert** ル　コンセール　ラ　サル　ドゥ　コンセール
⓲演劇 *engeki*	**play** プレイ	**la pièce de théâtre** ラ　ピエース　ドゥ　テアートル
⓳劇場 *gekijō*	**theater** スィアター	**le théâtre** ル　テアートル
⓴映画／映画館 *eiga eigakan*	**movie** ／ **movie theater** ムーヴィー　ムーヴィー　スィアター	**le film** ／ **le cinéma** ル　フィルム　ル　シネマ
㉑クラシック〔軽〕音楽 *classic〔kei〕ongaku*	*classical* [light] **music** クラスィカル　〔ライト〕　ミュースィック	**la musique** *classique* [légère] ラ　ミュジック　クラシック　〔レチェール〕
㉒民族音楽〔舞踊〕 *minzoku ongaku〔buyō〕*	**folk** *music* [dance] フォウク　ミュースィック〔ダンス〕	**la** *musique* [danse] **folklorique** ラ　ミュジック　〔ダンス〕　フォルクロリック

ドイツ語 DEUTSCH	イタリア語 ITALIANO	スペイン語 ESPAÑOL
der Erwachsene／die Kinder デア エアヴァックゼネ ディ キンダー	**l'adulto ／ il bambino** ラドゥルト イルバンビーノ	**los adultos ／ los niños** ロス アドゥルトス ロス ニーニョス
der Platz, den man vorher デア プラッツ デン マン フォアヘア **reservieren muß** レザヴィーレン ムス	**i posti prenotati** イ ポスティ プレノターティ	**el asiento reservado** エル アシエント レセルバード
der Platz, den man sich デア プラッツ デン マン ズィヒ **selbst wählen kann** ゼルプスト ヴェーレン カン	**i posti liberi** イ ポスティ リーベリ	**el asiento libre** エル アシエント リブレ
das Konzert ／ die Konzert- ダス コンツェルト ディ コンツェルト **halle** ハレ	**il concerto ／ la sala da** イル コンチェルト ラ サーラ ダ **concerto** コンチェルト	**el concierto ／ salón de** エル コンシエルト サロン デ **concierto** コンシエルト
das Stück ／ das Spiel ダス シュトゥック ダス シュピール	**il dramma** イル ドゥランマ	**la función** ラ フンシオン
das Theater ダス テアーター	**il teatro** イル テアートロ	**el teatro** エル テアトロ
der Film ／ das Kino デア フィルム ダス キノ	**il film ／ il cinematografo** イル フィルム イル チネマトーグラフォ	**la película ／ el cine** ラ ペリークラ エル シーネ
die *klassische* [leichte] Musik ディ クラッシェ [ライヒテ] ムズィーク	**la musica *classica* [leggera]** ラ ムージカ クラッシカ [レッジェーラ]	**la música *clásica* [ligera]** ラ ムシカ クラシカ [リヘーラ]
***die Volksmusik* [der Volks-** ディ フォルクスムズィーク [デア フォルクス **tanz]** タンツ]	***la musica folcloristica* [il** ラ ムージカ フォルクロリスティカ [イル **ballo folcloristico]** バッロ フォルクロリスティコ	***la música folklórica* [las danzas** ラ ムシカ フォルクロリカ [ラス ダンサス **folklóricas]** フォルクローリカス]

215

日本語 JAPANESE	英 語 ENGLISH	フランス語 FRANÇAIS
㉓サーカス sākasu	**circus** サーカス	**le cirque** ル シルク
㉔レビュー rebyū	**revue** リヴュー	**la revue** ラ ルヴュ
㉕ミュージカル myūjikaru	**musical** ミューズィカル	**la comédie musicale** ラ コメディ ミュジカル
㉖寄席・演芸 yose engei	**vaudeville**(米) / **variety**(英) ヴォードヴィル ヴァライアティー	**le vaudeville** ル ヴォードヴィル
㉗バレー barē	**ballet** バレイ	**le ballet** ル バレ
㉘ビアホール biahōru	**beer hall** ビア ホール	**la brasserie** ラ ブラッスリー
㉙キャバレー kyabarē	**cabaret** キャバレイ	**le cabaret** ル カバレ
㉚ダンスホール dansu hōru	**dance hall** ダンス ホール	**le dancing** ル ダンシング
㉛ナイトクラブ naito kurabu	**night club** ナイト クラブ	**la boîte de nuit** ラ ボワト ドゥ ニュイ
㉜席料 sekiryō	**cover charge** カヴァー チャーヂ	**le couvert** ル クーヴェール
㉝競馬 keiba	**horse races** ホース レイスィズ	**la course de chevaux** ラ クールス ドゥ シュヴォー
㉞カジノ kajino	**casino** カスィーノ	**le casino** ル カジノ
㉟ディスコ disuko	**disco** ディスコ	**le discothèque** ル ディスコテーク

ドイツ語 DEUTSCH	イタリア語 ITALIANO	スペイン語 ESPAÑOL
der Zirkus デア ツィルクス	il circo イル チルコ	el circo エル シルコ
die Revue ディ レヴュー	la rivista ラ リヴィスタ	la revista ラ レビスタ
die Operette ディ オペレッテ	la commedia musicale ラ コンメーディア ムジカーレ	la comedia musical ラ コメディア ムシカール
die Variéte ディ ヴァリエテ	l'operetta, la farsa ロペレッタ ラ ファルサ	la función de variedades ラ フンシオン デ バリエダーデス
das Ballett ダス バレット	il balletto イル バッレット	el ballet エル バレッ
die Bierhalle ディ ビーアハレ	la birreria ラ ビルレリーア	la cervecería ラ セルベセリーア
das Kabarett ダス カバレット	il cabaret イル カバレー	el cabaret エル カバレー
die Tanzhalle ディ タンツハレ	la sala da ballo ラ サーラ ダ バッロ	la sala de baile ラ サーラ デ バイレ
der Nachtklub デア ナハトクルップ	il night club イル ナイト クラブ	el club nocturno エル クルブ ノクトゥルノ
das Gedeck ダス ゲデック	il coperto イル コペルト	el precio de admisión エル プレシオ デ アドミシオン
das Pferderennen ダス プフェールデレネン	la corsa di cavalli ラ コルサ ディ カヴァッリ	la carrera de caballos ラ カレーラ デ カバージョス
das Casino ダス カジノ	il casino イル カジーノ	el casino エル カシーノ
die Disco-Bar ディ ディスコ バー	la discoteca ラ ディスコテーカ	la discoteca ラ ディスコテーカ

217

観光・プレイ

日本語 JAPANESE	英 語 ENGLISH	フランス語 FRANÇAIS
㊱ゴルフ *gorufu*	golf ガルフ	le golf ル ゴルフ
㊲ゴルフ場 *gorufujō*	golf course ガルフ コース	le terrain de golf ル テラン ドゥ ゴルフ
㊳水泳 *suiei*	swimming スウィミング	la natation ラ ナタシオン
㊴プール *pūru*	swimming pool スウィミング プール	la piscine ラ ピスィーヌ
㊵テニス *tenisu*	tennis テニス	le tennis ル テニス
㊶テニスコート *tenisu kōto*	tennis court テニス コート	le court de tennis ル クール ドゥ テニス
㊷ボート遊び *bōto asobi*	boating ボーティング	le canotage ル カノタージュ
㊸釣り *tsuri*	fishing フィッシング	la pêche à la ligne ラ ペーシュ ア ラ リーニュ
㊹サイクリング *saikuringu*	cycling サイクリング	le cyclisme ル シクリスム
㊺貸し自転車 *kashi jitensha*	bicycle rental バイスィクル レンタル	la bicyclette de location ラ ビシクレット ドゥ ロカシオン

ドイツ語 DEUTSCH	イタリア語 ITALIANO	スペイン語 ESPAÑOL
der Golf デア ゴルフ	il golf イル ゴルフ	el golf エル ゴルフ
der Golfplatz デア ゴルフプラッツ	il campo da gioco del golf イル カンポ ダ ジョーコ デル ゴルフ	el campo de golf エル カンポ デ ゴルフ
das Schwimmen ダス シュヴィンメン	il nuoto イル ヌオート	la natación ラ ナタシオン
das Schwimmbad ダス シュヴィムバート	la piscina ラ ピシーナ	*la piscina* [la alberca] ラ ピシーナ ［ラ アルベルカ］
der Tennis デア テニス	il tennis イル テンニス	el tenis エル テニス
der Tennisplatz デア テニスプラッツ	il campo da tennis イル カンポ ダ テンニス	la pista de tenis ラ ピスタ デ テニス
das Rudern ダス ルーデルン	il barcheggio イル バルケッジョ	el paseo en bote エル パセーオ エン ボーテ
das Angeln ダス アンゲルン	la pesca ラ ペスカ	la pesca ラ ペスカ
das Radfahren ダス ラドファーレン	il ciclismo イル チクリスモ	el ciclismo エル シクリスモ
das geliehende Fahrrad ダス ゲリーエンデ ファールラト	le biciclette a noleggio レ ビチクレッテ ア ノレッジョ	la bicicleta de alquiler ラ ビシクレータ デ アルキレール

♣**買物時間** 外国で買物をするときには，まず商店の営業時間に注意すること。各国まちまちだが，普通土曜の午後と日曜・祝日は休業する。ただし，各国とも旅行者向けのみやげ品店は，土・日曜，祝日でも開いている所がある。

♣**みやげ品** 不慣れな所を無目的に歩きまわっても，せっかくの貴重な時間を買物だけに費してしまうことになる。みやげを買っていく人の名前と予算を書いたリストを作っておくと便利。また，日本出発前に，各都市の名産やみやげ品，商店街の位置などを調べておくとよい。

♣**買物をするときは，次のことに注意が必要である。**

●店に入って，最初に声をかけてくれた店員になるべく注文する。

●ひやかすのはかまわないが，買う意志がないときはあまり商品に触れない。

●デパート，高級品店は別にして，一般のみやげ品店や露店では，値切っても失礼にはならない。のみの市のような所では，値切ってみるのが常識になっている。

●日本，韓国，香港製が今も多い。表示を確認すること。

●帰りの荷物のことを考え，あまりかさばらないものを選ぶ。

●有名ブランド志向もいいが，ちょっとしたみやげ品ならデパート，スーパーへ行くとよい。気のきいた小物がみつかる。

●時計，宝石類は，信用できる店で買うこと。

●酒，タバコなど税率の高いものは，免税店で買った方が得。

♣**免税店** 世界中のほとんどの空港では，国際線旅客のために免税品売場を設け，酒・香水・タバコ・宝石・貴金属などを販売している。また，一部の国では，市内に免税店があり，一般価格で買うと，帰国後免税額だけ返送してくれるシステムをとっている。その場合は，店員に旅券を提示する。

♣**帰国時の免税範囲**については，P.301を参照。

日本語 JAPANESE	英 語 ENGLISH	フランス語 FRANÇAIS
案 内 *Annai*	**INFORMATION** インフォメイシュン	**SERVICE DE** セルヴィス ドゥ **RENSEIGNEMENTS** ランセーニュマン
❶この町の商店街はどこですか *Kono machi no shōtengai wa doko desu ka?*	**Where is the shopping district** ホェア イズ ザ シャッピング ディストリクト **in this town?** イン スィス タウン	**Où se trouve la rue commerçante** ウー ストルーヴ ラ リュ コメルサント **de cette ville?** ドゥ セット ヴィル
❷デパートはありますか *Depāto wa arimasu ka?*	**Is there a department store?** イズ ゼア ア ディパートマント ストー	**Y-a-t-il des grands magasins?** ヤ ティル デ グラン マガザン
❸この町の特産品は何ですか *Kono machi no tokusanhin wa nan desu ka?*	**What are some special products** ホァット アー サム スペシュル プラダクツ **of this town?** アヴ スィス タウン	**Quel est la spécialité de cette** ケ レ ラ スペシアリテ ドゥ セット **ville?** ヴィル
❹(それ)はどこで買えますか *(Sore) wa doko de kaemasu ka?*	**Where can I buy (that)?** ホェア キャナイ バイ (ザット)	**Où peut-on l'acheter?** ウー プートン ラシュテ
❺免税店はありますか *Menzeiten wa arimasu ka?*	**Is there a tax-free shop?** イズ ゼア ア タックス フリー シャップ	**Y-a-t-il une boutique hors taxe?** ヤ ティル ユヌ ブーティック オール タックス
❻お店の営業時間は何時から何 時ですか *Omise no eigyō jikan wa nanji kara nanji desu ka?*	**What are the stores' hours?** ホァット アー ザ ストアーズ アワーズ	**Quelles sont les heures d'ouver-** ケル ソン レ ズール ドゥヴェル **ture des magasins?** テュール デ マガザン

ドイツ語 DEUTSCH	イタリア語 ITALIANO	スペイン語 ESPAÑOL
AUSKUNFT アウスクンフト	**INFORMAZIONE** インフォルマツィオーネ	**INFORMACIÓN** インフォルマシオン
Wo ist in dieser Stadt der ヴォー イスト イン ディーザー シュタット デア Einkaufsbezirk? アインカウフスベツィルク	Dov'è il centro commerciale ドヴェ イル チェントロ コンメルチャーレ di questa città? ディ クエスタ チッタ	¿Dónde está el centro comer- ドンデ エスター エル セントゥロ コメル cial de esta ciudad? シアル デ エスタ シウダー
Gibt es ein Warenhaus? ギープト エス アイン ヴァーレンハウス	C'è un grande magazzino? チェ ウン グランデ マガッジーノ	¿Hay almacenes? アイ アルマセーネス
Für welche Produkte ist diese フューア ヴェルヒェ プロドゥクテ イスト ディーゼ Stadt berühmt? シュタット ベリュームト	Qual'è il prodotto speciale di クアーレ イル プロドット スペチァーレ ディ questa città? クエスタ チッタ	¿Cuál es el producto especial クアル エス エル プロドゥクト エスペシアール de esta ciudad? デ エスタ シウダー
Wo kann ich (das) kaufen? ヴォー カン イヒ (ダス) カウフェン	Dove si può comprare (quello)? ドヴェ シ プオ コンプラーレ (クエッロ)	¿Dónde puedo comprar ～? ドンデ プエド コンプラール ～
Gibt es einen Zollfreien Laden? ギープト エス アイネン ツォルフライエン ラーデン	C'è un negozio esente da tassa? チェ ウン ネゴーツィオ エゼンテ ダ タッサ	¿Hay tienda libre de impuesto? アイ ティエンダ リブレ デ インプエスト
Von wann bis wann ist die フォン ヴァン ビス ヴァン イスト ディ Geschäftszeit? ゲシェフツツァイト	Da che ora fino a che ora sono ダ ケ オーラ フィーノ ア ケ オーラ ソーノ aperti i negozi? アペルティ イ ネゴーツィ	¿A qué hora abre y a qué hora アッケ オーラ アブレ イ アッケ オーラ cierra sus negocios? シエーラ スス ネゴーシオス

8

日本語 JAPANESE	英語 ENGLISH	フランス語 FRANÇAIS
品選び *Shinaerabi*	**CHOOSING A PURCHASE** チューズィング ア パーチャス	**CHOIX** ショワ
❶~売場はどこですか ~ *uriba wa doko desu ka?*	**Where do they sell ~ ?** ホェア ドゥ ゼイ セル~	**Où est le rayon de ~ ?** ウ エ ル レヨン ドゥ~
❷~を買いたい ~ *o kaitai.*	**I want to buy ~.** アイ ウォント トゥ バイ~	**Je voudrais acheter ~.** ジュ ヴードレ アシュテ ~
❸~を見せて下さい ~ *o misete kudasai.*	**Please show me ~.** プリーズ ショウ ミー~	**Montrez-moi ~.** モントレ モワ ~
❹ちょっと見てるだけです *Chotto miteru dake desu.*	**I'm just looking.** アイム チャスト ルッキング	**Je regarde seulement.** ジュ ルガールド スールマン
❺この寸法のものを見せて下さい *Kono sunpō no mono o misete* *kudasai.*	**Show me something in this size,** ショウ ミー サムスィング インズィス サイズ **please.** プリーズ	**Montrez-moi quelque chose de cette** モントレ モワ ケルク ショーズ ドゥセット **taille.** タイユ
❻これと同じものはありますか *Kore to onaji mono wa arimasu* *ka?*	**Do you have one like this ?** ドゥ ユー ハヴ ワン ライク ズィス	**En avez-vous un pareil ?** アン ナヴェ ヴー アン パレイユ
❼ほかのを見せて下さい *Hoka no o misete kudasai.*	**Show me another one, please.** ショウ ミー アナザー ワン プリーズ	**Montrez-m'en un autre.** モントレ マン アン ノートル

224

ドイツ語 DEUTSCH	イタリア語 ITALIANO	スペイン語 ESPAÑOL
KAUF カウフ	**SCEGLIERE LE MERCI** シェッリエレ　レ　メルチ	**SELECCIÓN DE ARTÍCULOS** セレクシオン　デ　アルティークロス
Wo wird ~ verkauft ? ヴォー ヴィルト ~ フェアカウフト？	**Dov'è il reparto di ~?** ドヴェ イル レパルト ディ ~	**¿Dónde está el cuarto de** ドンデ　エスター　エル　クアルト　デ **ventas ?** ベンタス
Ich möchte ~ kaufen. イヒ メヒテ ~ カウフェン	**Vorrei comprare ~.** ヴォレイ コンプラーレ ~	**Quiero comprar ~.** キエロ　コンプラール　~
Bitte zeigen Sie mir ~. ビッテ ツァイゲン ズィー ミア ~	**Mi mostri ~.** ミ モストゥリ ~	**Por favor, enséñeme ~.** ポール ファボール エンセーニェメ ~
Ich möchte mir nur die Sachen イヒ メヒテ ミア ヌア ディ ザッヘン **einmal ansehen.** アインマール アンゼーエン	**Sto solo guardando.** スト ソーロ グァルダンド	**Estoy solamente mirando.** エストイ ソラメンテ ミランド
Bitte zeigen Sie mir etwas ビッテ　ツァイゲン　ズィー　ミア　エトヴァス **in dieser Größe.** イン ディーザー グレーセ	**Me ne faccia vedere di questa** メ ネ ファッチャ ヴェデーレ ディ クエスタ **misura.** ミズーラ	**Enséñeme otro de este tamaño.** エンセーニェメ オートゥロ デ エステ タマーニョ
Haben Sie das gleiche wie dieses ? ハーベン ズィーダス グライヒェ ヴィーディーゼス	**Avete lo stesso di questo ?** アヴェーテ ロ ステッソ ディ クエスト	**¿No tiene otro igual a éste ?** ノー ティエネ オートゥロ イグアル ア エステ
Bitte zeigen Sie mir etwas ビッテ　ツァイゲン　ズィー　ミア　エトヴァス **anderes.** アンデレス	**Mi faccia vedere un altro.** ミ ファッチャ ヴェデーレ ウ ナルトロ	**Enséñeme otro.** エンセーニェメ オートゥロ

日本語 JAPANESE	英 語 ENGLISH	フランス語 FRANÇAIS
❽もっと大きい〔小さい〕のが ありますか *Motto ookii [chiisai] no ga arimasu ka?*	Do you have a *bigger* [smaller] one? ドゥ ユー ハヴ ア ビガー 〔スモーラー〕 ワン	Avez-vous quelque chose de plus *grand* [petit]? アヴェ ヴー ケルク ショーズ ドゥ プリュ グラン 〔プティ〕
❾もっと安いのがありますか *Motto yasui no ga arimasu ka?*	Do you have a cheaper one? ドゥ ユー ハヴ ア チーパー ワン	Avez-vous quelque chose de meilleur marché? アヴェ ヴー ケルク ショーズ ドゥ メイユール マルシェ
❿派手〔地味〕すぎます *Hade [Jimi] sugimasu.*	It's too *loud* [dark]. イッツ トゥー ラウド 〔ダーク〕	C'est trop *voyant* [discret]. セ トロ ボワイアン 〔ディスクレ〕
⓫この色〔タイプ〕は好きでは ありません *Kono iro [taipu] wa suki dewa arimasen.*	I don't like this *color* [type]. アイ ドゥント ライク ズィス カラー 〔タイプ〕	*Cette couleur* [Ce modèle] ne me plaît pas. セット クールール 〔ス モデル〕 ヌ ム プレ パ
⓬これと同じで色違いはありま すか *Kore to onaji de irochigai wa arimasu ka?*	Do you have this in another color? ドゥ ユー ハヴ ズィス インアナザー カラー	Avez-vous la même chose que cela mais de couleur différente? アヴェ ヴー ラ メーム ショーズ ク スラ メ ドゥ クールール ディフェラント
⓭手にとってもいいですか *Te ni tottemo ii desu ka?*	May I pick it up? メイ アイ ピック イット アップ	Puis-je le toucher? プュイ ジュル トゥシェ
⓮試着してみたいのですが *Shichaku shite mitaino desu ga.*	I'd like to try it on. アイド ライク トゥ トライ イット アン	Puis-je l'essayer? プュイ ジュ レッセィエ

226　　☞反意語 P.330　　色 P.258

ドイツ語 DEUTSCH	イタリア語 ITALIANO	スペイン語 ESPAÑOL
Haben Sie ein *größeres* [**kleineres**]**?** ハーベン　スィー　アイン　グレーセレス　[クライネレス]？	**Ne avete più** *grande* [**piccolo**]**?** ネ　アヴェーテ　ピュ　グランデ　[ピッコロ]	**¿Tiene uno más** *grande* [**pequeño**]**.** ティエーネ　ウノ　マス　グランデ　[ペケーニョ]
Zeigen Sie mir bitte etwas Billigeres. ツァイゲン　スィー　ミア　ビッテ　エトゥァス ビリゲレス	**Ne avete più a buon mercato?** ネ　アヴェーテ　ピュ　ア　ブオン　メルカート	**Enséñeme otro más barato.** エンセーニェメ　オートゥロ　マス　バラート
Das ist zu *auffällig* [**schlicht**]**.** ダス　イスト　ツー　アウフフェリヒ　[シュリヒト]	**È troppo** *vistoso* [**semplice**]**.** エ　トロッポ　ヴィストーソ　[センプリチェ]	**Es demasiado** *llamativo* [**apagado**]**.** エス　デマシアード　ジャマティーボ [アパガード]
Ich mag diese *Farbe* [**Art**] **nicht.** 化　マーク　ディーゼ　ファルベ　[アルト] ニヒト	**Non mi piace questo** *colore* [**tipo**]**.** ノン　ミ　ピアーチェ　クエスト　コローレ [ティーポ]	**A mí no me gusta este** *color* [**tipo**]**.** ア　ミー　ノー　メ　グスタ　エステ　コロール [ティーポ]
Haben Sie das gleiche in anderer Farbe? ハーベン　スィー　ダス　グライヒェ　イン アンデレル　ファルベ	**Ne avete di un altro colore?** ネ　アヴェーテ　ディ　ウ　ナルトロ　コローレ	**¿No tiene el mismo que éste en otro color?** ノー　ティエネ　エル　ミスモ　ケ　エステ エン　オートゥロ　コロール
Darf ich es einmal anfassen? ダルフ　化　エス　アインマール　アンファッセン	**Posso toccare?** ポッソ　トッカーレ	**¿Podría probarlo?** ポドゥリーア　プロバールロ
Ich möchte es einmal anprobieren. 化　メヒテ　エス　アインマール　アンプロビー レン	**Vorrei provare.** ヴォレイ　プロヴァーレ	**¿Podría probarlo?** ポドゥリーア　プロバールロ

日本語 JAPANESE	英 語 ENGLISH	フランス語 FRANÇAIS
⓯ここがきつい *Koko ga kitsui.*	It's too tight here. イッツ トゥー タイト ヒア	C'est trop serré ici. セ トロ セレ イシィ
⓰私には高すぎます。まかりま *Watashi niwa takasugimasu.* せんか *Makarimasen ka?*	It's too expensive for me. Can't イッツ トゥー エクスペンスィヴ フォー ミー キャント you make it cheaper? ユー メイク イット チーパー	C'est trop cher pour moi. Pou- セ トロ シェール プール モワ プー rriez-vous descendre le prix? リエ ヴー デサンドゥル ル プリ
⓱免税で買えますか *Menzei de kaemasu ka?*	Can I buy it tax-free? キャナイ バイ イット タックスフリー	Puis-je l'acheter en hors taxe? プュイ ジュ ラシュテ アン オール タックス
⓲その書類を作ってもらえます *Sono shorui o tsukutte moraemasu* か *ka?*	Can you make out the form for キャニュー メイク アウト ザ フォーム フォー me? ミー	Pourriez-vous me préparer les pa- プーリエ ヴー ム プレパル レ パ piers nécessaires? ピエ ネセセール
⓳これをもらいます *Kore o moraimasu.*	I'll take this. アイル テイク ズィス	Je vais prendre cela. ジュ ヴェ プランドゥル スラ
⓴贈物にします。きれいに包ん *Okurimono ni shimasu. Kirei ni* でもらえますか *tsutsunde moraemasu ka?*	It's a present. Can you gift-wrap イッツア プレズント キャニュー ギフト ラップ it for me? イット フォー ミー	C'est pour faire un cadeau. Pou- セ プール フェール アン カドー プー vez-vous faire un bel emballage? ヴェ ヴー フェール アン ベル アンバラージュ

228

ドイツ語 DEUTSCH	イタリア語 ITALIANO	スペイン語 ESPAÑOL
Hier ist es etwas zu eng. ヒーア イスト エス エトヴァス ツー エンク	È un po' stretto qui. エ ウン ポ ストゥレット クイ	Aquí me aprieta. アキィ メ アプリエタ
Das ist zu teuer. Können ダス イスト ツー トイアー ケネン Sie es nicht billiger verkaufen? ズィー エス ニヒト ビリガー フェアカウフェン	È troppo caro per me. Non エ トゥロッポ カーロ ペル メ ノン può farlo meno caro? プオ ファルロ メーノ カーロ	Es demasiado caro. ¿No puede エス デマジアード カーロ ノー プエデ Ud. rebajarlo un poco? ウステッ レバハールロ ウン ポコ
Kann ich das zollfrei kaufen? カン イヒ ダス ツォルフライ カウフェン	Si può comprarlo esente da シ プオ コンプラルロ エゼンテ ダ tassa? タッサ	¿Podría comprar sin impuesto? ポドゥリーア コンプラール シン インプエスト
Können Sie für mich das ケネン ズィー フューア ミヒ ダス Formular ausfüllen? フォームラール アウスフュレン	Può fare i documenti per プオ ファーレ イ ドクメンティ ペル questo. クエスト	¿Podría formular ese documento? ポドゥリーア フォルムラール エセ ドクメント
Ich nehme *diesen* [diese, イヒ ネーメ ディーゼン ［ディーゼ dieses]. ディーゼス］	Prenderò questo. プレンデロ クエスト	Me quedo con esto. メ ケード コン エスト
Das ist ein Geschenk. Können ダス イスト アイン ゲシェンク ケネン Sie es schön einpacken? ズィー エス シェーン アインパッケン	È un regalo. Può fare un bel エ ウン レガーロ プオ ファーレ ウン ベル pacchetto? パッケット	Es para un regalo. Por favor, エス パラ ウン レガーロ ポール ファボール envuélvalo bonito. エンブエルバロ ボニート

229

日本語 JAPANESE	英語 ENGLISH	フランス語 FRANÇAIS
配達 *Haitatsu*	**DELIVERY** ディリヴァリー	**LIVRAISON** リヴレゾン
❶ ～ホテルまで届けてもらえますか *~ hoteru made todokete moraemasu ka ?*	**Can you send it to the ~ Hotel for me?** キャニュー センド イットトゥザ ～ ホテル フォー ミー	**Pouvez-vous faire livrer cela à l'hôtel ~ ?** プーヴェ ヴー フェール リヴレ スラ ア ロテル ～
❷ 今日中〔明日まで〕に届けてほしい *Kyōjū [Asu made] ni todokete hoshii.*	**I'd like to have it *today* [by tomorrow].** アイド ライク トゥ ハヴ イット トゥディ〔バイ タ マロウ〕	**Faites-moi livrer cela *dans la journée* [jusqu'à demain].** フェット モワ リヴレ スラ ダン ラ ジュールネ〔ジュスカ ドゥマン〕
❸ 日本の私の住所宛に送ってもらえますか *Nihon no watashi no jūsho ateni okutte moraemasu ka ?*	**Can you send it to my address in Japan?** キャニュー センド イット トゥ マイ アドレス インチャパン	**Pouvez-vous envoyer cela à mon adresse au Japon ?** プーヴェ ヴー アンヴォワイエ スラ ア モン ナドレス オー ジャポン
❹ 船便〔航空便〕でお願いします *Funabin [Kōkūbin] de onegai shimasu.*	**By *sea* [air] mail, please.** バイ スィー〔エア〕メイル プリーズ	***Par bateau* [Par avion], s'il vous plaît.** パール バトー〔パール アヴィオン〕スィルヴー プレ
支払い *Shiharai*	**PAYING** ペイイング	**PAIEMENT** ペーマン
❶ 全部でいくらですか *Zenbu de ikura desu ka ?*	**How much is it all together ?** ハウ マッチ イズイット オールトゥゲザー	**C'est combien en tout ?** セ コンビアン アン トゥ

ドイツ語 DEUTSCH	イタリア語 ITALIANO	スペイン語 ESPAÑOL
LIEFERUNG リーフェルング	**DISTRIBUZIONE** ディストゥリブツィオーネ	**SERVICIO A DOMICILIO** セルビシオ ア ドミシーリオ
Schicken Sie es bitte zum シッケン ズィー エス ビッテ ツーム Hotel ~. ホテル ~	Me lo faccia mandare in al メ ロ ファッチャ マンダーレ イン アル bergo ~, per favore. ベルゴ ~ ペル ファヴォーレ	Envíelo al hotel ~, por favor. エンビーエロ アル オテル ~ ポール ファボール
Ich möchte *es heute* [bis イヒ メヒテ エス ホイテ [ビス morgen] haben. モルゲン] ハーベン	Me lo faccia mandare *oggi* メ ロ ファッチャ マンダーレ オッジ [domani]. [ドマーニ]	Por favor, envíelo a mi domicilio ポール ファボール エンビーエロ ア ミ ドミシーリオ *hoy mismo* [hasta mañana]. オイ ミスモ [アスタ マニャーナ]
Können Sie es an meine ケネン ズィー エス アン マイネ Adresse in Japan schicken? アドレッセ イン ヤーパン シッケン	Può spedire al mio indirizzo プオ スペディーレ アル ミオ インディリッツォ in Giappone? イン ジャッポーネ	¿Podría enviarlo a mi dirección ポドゥリーア エンビアールロ ア ミ ディレクシオン en Japón? エン ハポン
Mit Seepost [Mit Luftpost] ミット ゼーポスト ミット ルフトポスト bitte. ビッテ	Per *via mare* [via aerea], ペル ヴィーア マーレ [ヴィーア アエーレア] per favore. ペル ファヴォーレ	*Por barco* [Vía aerea] por ポール バルコ [ビア アエーレア] ポール favor. ファボール
BEZAHLEN ベツァーレン	**PAGAMENTO** パガメント	**PAGO** パーゴ
Wieviel kostet das zusammen? ヴィフィール コステット ダス ツザメン	Quanto è in tutto? クアント エ イン トゥット	¿Cuánto cuesta en total? クアント クエスタ エン トタル

231

日本語 JAPANESE	英 語 ENGLISH	フランス語 FRANÇAIS
❷計算が違っていませんか *Keisan ga chigatte imasen ka?*	**Isn't there a mistake in the bill?** イズント ゼア ア ミステイク インザ ビル	**N'y-a-t-il pas d'erreur dans la** ニ アティルパ デルール ダン ラ **facture?** ファクテュール
❸もう一度確かめて下さい *Mō ichido tashikamete kudasai.*	**Will you check it again?** ウィル ユー チェック イット アゲイン	**Voulez-vous la vérifier, s'il vous** ヴーレ ヴー ラ ベリフィエ スィルヴー **plaît.** プレ
❹おつりが違っています *Otsuri ga chigatte imasu.*	**You gave me the wrong change.** ユー ゲイヴ ミー ザ ロング チェインヂ	**Vous vous êtes trompé en me** ヴー ヴー ゼット トロンペ アン ム **rendant la monnaie.** ランダン ラ モネ
❺領収証を下さい *Ryōshūshō o kudasai.*	**A receipt, please.** ア リスィート プリーズ	**Donnez-moi un reçu, s'il vous plaît.** ドネ モワ アンルシュウ スィルヴー プレ
❻旅行小切手で支払いできます *Ryokō kogitte de shiharai dekimasu* か *ka?*	**Can I pay with a traveler's check?** キャナイ ペイ ウィズ アトラヴラーズ チェック	**Prenez-vous les chèques de** プルネ ヴー レ シェック ドゥ **voyage?** ヴォワイヤージュ
❼両替所はありますか *Ryōgaejo wa arimasu ka?*	**Is there a place to change money?** イズ ゼア ア プレイス トゥ チェインヂ マニー	**Y-a-t-il un bureau de change?** ヤ ティルアン ビュロー ドゥ シャンジュ
❽代金はもう払いましたよ *Daikin wa mō haraimashita yo.*	**I already paid!** アイ オールレディ ペイド	**J'ai déjà payé.** ジェ デジャ ペイエ

ドイツ語 DEUTSCH	イタリア語 ITALIANO	スペイン語 ESPAÑOL
Ist das nicht ein Versehen in der Rechnung? イスト ダス ニヒト アイン フェアゼーエン イン デア レヒヌング？	**Non c'è un errore in calcolo?** ノン チェ ウン エローレ イン カルコロ	**¿No está equivocada la cuenta?** ノー エスタ エキボカーダ ラ クエンタ
Bitte rechnen Sie einmal nach. ビッテ レヒネン ズィー アインマール ナッハ	**Vuol esaminarlo, per favore.** ヴォル エザミナルロ ペル ファヴォーレ	**¿Podría Ud. revisarla?** ポドゥリーア ウステッ レビサールラ
Sie haben mir *zuwenig* [zuviel] herausgegeben. ズィー ハーベン ミア ツーヴェーニヒ［ツーフィール］ ヘラウスゲゲーベン	**Il resto non è corretto.** イル レスト ノネ コルレット	**El cambio está equivocado.** エル カンビオ エスタ エキボカード
Eine Quittung bitte. アイネ クヴィットゥング ビッテ	**Mi da una ricevuta?** ミ ダ ウナ リチェヴータ	**Déme el recibo.** デーメ エル レシーボ
Kann ich mit Reiseschecks zahlen? カン イヒ ミット ライゼシェックス ツァーレン？	**Posso pagare in travellers cheques?** ポッソ パガーレ イン トラベラーズ シェックエ	**¿Podría pagar por cheque viajero?** ポドゥリーア パガール ポール チェケ ビアヘーロ
Kann ich irgendwo Geld wechseln? カン イヒ イルゲントヴォー ゲルト ヴェクセルン？	**C'è un ufficio cambio?** チェ ウンウッフィーチョ カンビオ	**¿Hay alguna casa de cambio?** アイ アルグーナ カサ デ カンビオ
Ich habe schon bezahlt! イヒ ハーベ ショーン ベツァールト	**Ho già pagato.** オ ジャ パガート	**Ya he pagado la cuenta.** ヤ エ パガード ラ クエンタ

日本語 JAPANESE	英語 ENGLISH	フランス語 FRANÇAIS
苦 情 *Kujō*	**COMPLAINTS** カンプレインツ	**RÉCLAMATION** レクラマシオン
❶これを取りかえてくれますか *Kore o torikaete kuremasu ka?*	**Can I exchange this?** キャナイ　エクスチェインヂ　ズィス	**Pouvez-vous échanger ceci?** プーヴェ　ヴー　エシャンジェ　スシ
❷これはこわれています *Kore wa kowarete imasu.*	**This is broken.** ズィス　イズ　ブロウクン	**C'est cassé.** セ　カッセ
❸これが領収証です *Kore ga ryōshūshō desu.*	**Here's my receipt.** ヒアズ　マイ　リスィート	**Voici le reçu.** ヴォワスィル　ルシュウ
デパート *Depāto*	**DEPARTMENT STORE** ディパートマント　ストー	**GRAND MAGASIN** グラン　マガザン
みやげ品店 *Miyagehinten*	**SOUVENIR SHOP** スーヴァニア　シャップ	**BOUTIQUE DE SOUVENIRS** ブーティック　ドゥ　スーヴニール
民芸品店 *Mingeihinten*	**FOLKCRAFT SHOP** フォウククラフト　シャップ	**MAGASIN DE PRODUITS** マガザン　ドゥ　プロデュイ **ARTISANAUX** アルティザノー
洋服店 *Yōfukuten*	**TAILOR** テイラー	**TAILLEUR** タイユール
婦人洋装店 *Fujin yōsōten*	**DRESSMAKER** ドレスメイカー	**COUTURIÈRE** クーテュリエール
毛皮店 *Kegawaten*	**FURRIER** ファーリアー	**FOURREUR** フールール

ドイツ語 DEUTSCH	イタリア語 ITALIANO	スペイン語 ESPAÑOL
BESCHWERDE ベシュヴェールデ	**RECLAMO** レクラーモ	**QUEJA** ケッハ
Kann ich das umtauschen? カン 化 ダス ウムタウシェン	**Può cambiarlo?** プオ カンビアルロ	**¿Podría cambiar esto?** ポドゥリーア カンビアール エスト
Das ist nicht in Ordnung. ダス イスト ニヒト イン オルドヌング	**Questo è rotto.** クエスト エ ロット	**Esto está roto.** エスト エスター ロト
Hier ist (die) Quittung. ヒア イスト（ディ）クヴィットゥング	**Ecco la ricevuta.** エッコ ラ リチェヴータ	**Este es el recibo.** エステ エス エル レシーボ
WARENHAUS ヴァーレンハウス	**GRAN MAGAZZINO** グラン マガッジーノ	**ALMACÉN** アルマセン
ANDENKENLADEN アンデンケンラーデン	**NEGOZIO DI RICORDI** ネゴーツィオ ディ リコルディ	**TIENDA DE RECUERDOS** ティエンダ デ レクエルドス
GESCHÄFT FÜR ゲシェフト フューア	**NEGOZIO DI PRODOTTI** ネゴーツィオ ディ プロドッティ	**TIENDA DE ARTÍCULOS DE** ティエンダ デ アルティークロス デ
VOLKSKUNSTARTIKEL フォルクスクンストアーティケル	**ARTIGIANI** アルティジャーニ	**ARTESANÍA** アルテサニーア
SCHNEIDER シュナイダー	**SARTORIA** サルトリーア	**SASTRERÍA** サストレリーア
DAMENSCHNEIDER ダーメンシュナイダー	**SARTORIA PER SIGNORA** サルトリーア ペル シニョーラ	**TIENDA DE NOVEDADES** ティエンダ デ ノバダーデス **PARA DAMAS** パラ ダマス
PELZGESCHÄFT ペルツゲシェフト	**PELLETTERIA** ペッレッテリーア	**PELETERÍA** ペレテリーア

日本語 JAPANESE	英　語 ENGLISH	フランス語 FRANÇAIS
❶ オーバー ōbā	overcoat オウヴァコート	le pardessus ル　パルドゥシュー
❷ コート kōto	coat コート	le manteau ル　マントー
❸ レインコート reinkōto	raincoat レインコート	l'imperméable ランペルメアーブル
❹ 背広上下 sebiro jōge	suit スーツ	le complet ル　コンプレ
❺ 上着 uwagi	jacket チャケット	le veston ／ la veste ル　ヴェストン　ラ　ヴェスト
❻ ズボン zubon	trousers トラウザーズ	le pantalon ル　パンタロン
❼ チョッキ chokki	vest ヴェスト	le gilet ル　ジレ
❽ ネクタイ nekutai	necktie ネクタイ	la cravate ラ　クラヴァット
❾ ワイシャツ waishatsu	shirt シャート	la chemise ラ　シュミーズ
❿ ブラウス burausu	blouse ブラウス	le chemisier ／ le corsage ル　シュミジェ　　ル　コルサージュ
⓫ スカート sukāto	skirt スカート	la jupe ラ　ジューブ
⓬ パンタロン pantaron	pantaloons パンタルーンズ	le pantalon ル　パンタロン
⓭ スラックス surakkusu	slacks スラックス	le pantalon ル　パンタロン

ドイツ語 DEUTSCH	イタリア語 ITALIANO	スペイン語 ESPAÑOL
der Mantel デア マンテル	il cappotto イル カッポット	el abrigo エル アブリーゴ
der Mantel デア マンテル	l'impermeabile リンペルメアービレ	el abrigo エル アブリーゴ
der Regenmantel デア レーゲンマンテル	l'impermeabile リンペルメアービレ	el impermeable エル インペルメアブレ
der Anzug デア アンツーク	il completo イル コンプレート	el traje エル トゥラッヘ
die Jacke ディ ヤッケ	la giacca ラ ジャッカ	la chaqueta / el saco ラ チャケータ　エル サーコ
die Hose ディ ホーゼ	i calzoni イ カルツォーニ	los pantalones ロス パンタローネス
die Weste ディ ヴェステ	il panciotto イル パンチョット	el chaleco エル チャレーコ
die Krawatte ディ クラヴァッテ	la cravatta ラ クラヴァッタ	la corbata ラ コルバータ
das Oberhemd ダス オーバーヘムト	la camicia ラ カミーチャ	la camisa ラ カミサ
die Bluse ディ ブルーゼ	la camicetta ラ カミチェッタ	la blusa ラ ブルーサ
der Rock デア ロック	la gonna ラ ゴンナ	la falda ラ ファルダ
die Pantalons ディ パンタローンズ	i pantaloni イ パンタローニ	los pantalones ロス パンタローネス
die lange Hose ディ ランゲ ホーゼ	i calzoni イ カルツォーニ	los pantalones ロス パンタローネス

日本語 JAPANESE	英 語 ENGLISH	フランス語 FRANÇAIS
⑭ワンピース *wanpīsu*	dress ドレス	la robe ラ ローブ
⑮ツーピース *tsūpīsu*	suit スート	l'ensemble ランサンブル
⑯セーター *sētā*	sweater スウェーター	le chandail ル シャンダイユ
⑰ポロシャツ *poroshatsu*	polo shirt ポロ シャート	la chemise sport / le polo ラ シュミーズ スポール　ル ポロ
⑱Tシャツ *tī shatsu*	T-shirt ティーシャート	le T-shirt ル ティーシャート
⑲ハンカチ *hankachi*	handkerchief ハンカチフ	le mouchoir ル ムーショワール
⑳スカーフ *sukāfu*	scarf スカーフ	l'écharpe レシャルプ
㉑下着 *shitagi*	underwear アンダウェア	le tricot de corps ル トリコ ドゥ コール
㉒もめん *momen*	cotton カトゥン	le coton ル コトン
㉓麻 *asa*	linen リネン	le lin ル ラン
㉔絹 *kinu*	silk スィルク	la soie ラ ソワ
㉕ウール *ūru*	wool ウール	la laine ラ レーヌ

ドイツ語 DEUTSCH	イタリア語 ITALIANO	スペイン語 ESPAÑOL
das Kleid ダス クライト	**l'abito** ラービト	**el vestido de una pieza** エル ベスティード デ ウナ ピエッサ
das Kostüm / das Jackenskleid ダス コステューム　ダス ヤッケンスクライト	**il due pezzi** イル ドゥーエ ペッツィ	**el traje de dos piezas** エル トゥラッヘ デ ドス ピエッサス
der Pullover デア プルオーヴァー	**il pullover** イル プルオーヴァー	**el suéter** エル スエーテル
das Polohemd ダス ポロヘムト	**la maglia girocollo** ラ マッリア ジロコッロ	**la camisa de polo** ラ カミサ デ ポーロ
das T-Shirt ダス ティーシャート	**la maglietta** ラ マリエッタ	**la camiseta deportiva** ラ カミセータ デポルティーバ
das Taschentuch ダス タッシェントゥーフ	**il fazzoletto** イル ファッツォレット	**el pañuelo** エル パニュエーロ
der Schal デア シャール	**il foulard** イル フラール	**el pañolón** エル パニョロン
die Unterwäsche ディ ウンターヴェッシェ	**la sottoveste** ラ ソットヴェステ	**la ropa interior** ラ ローパ インテリオール
die Baumwolle ディ バウムヴォレ	**il cotone** イル コトーネ	**el algodón** エル アルゴドン
das Leinen ダス ライネン	**il lino** イル リーノ	**el lino** エル リーノ
die Seide ディ ザイデ	**la seta** ラ セータ	**la seda** ラ セダ
die Wolle ディ ヴォレ	**la lana** ラ ラーナ	**la lana** ラ ラナ

日本語 JAPANESE	英 語 ENGLISH	フランス語 FRANÇAIS
㉖ ナイロン *nairon*	**nylon** ナイラン	**le nylon** ル ニロン
㉗ ポリエステル *poriesuteru*	**polyester** パリエスター	**le polyester** ル ポリエステール
㉘ 注文の *Chūmon no*	**made-to-order** メイド トゥ オーダー	**sur mesure** シュール ムジュール
㉙ 既製の *kisei no*	**ready-made** レディ メイド	**prêt-à-porter** プレ タ ポルテ
㉚ 手製の *tesei no*	**hand-made** ハンド メイド	**fait main** フェ マン
㉛ 刺しゅうした *shishū shita*	**embroidered** エンブロイダード	**brodé** ブロデ
㉜ 子供服 *kodomo fuku*	**children's clothing** チルドレンズ クロウズィング	**le vêtement pour enfants** ル ヴェートマン プール アンファン
皮革製品店 *Hikakuseihinten*	**LEATHER GOODS SHOP** レザー グッズ シャップ	**MAROQUINERIE** マロキヌリー
靴 店 *Kutsuten*	**SHOE STORE** シュー ストー	**MAGASIN DE CHAUSSURES** マガザン ドゥ ショシュール
❶ ハンドバッグ *hando baggu*	**handbag** ハンドバッグ	**le sac à main** ル サック ア マン
❷ ショルダーバッグ *shorudā baggu*	**shoulder bag** ショウルダー バッグ	**le sac en bandoulière** ル サック アン バンドゥーリエール
❸ かかえバッグ *kakae baggu*	**clutch bag** クラッチ バッグ	**la pochette** ラ ポシェット

240

ドイツ語 DEUTSCH	イタリア語 ITALIANO	スペイン語 ESPAÑOL
das Nylon ダス ナイロン	il nylon イル ニロン	el nylón エル ニロン
der Polyester デア ポリエステル	il polyestere イル ポリエステレ	el poliéster エル ポリエステル
auf Bestellung gemacht アウフ ベシュテルング ゲマハト	fatto su misura ファット ス ミズーラ	hecho a la medida エチョ ア ラ メディーダ
angefertigt アンゲフェアティヒト	confezionato コンフェツィオナート	confeccionado コンフェクシオナード
handgemacht ハントゲマハト	fatto a mano ファット ア マーノ	hecho a mano エチョ ア マーノ
gestickt ゲシュティックト	ricamato リカマート	bordado ボルダード
die Kinderbekleidung ディ キンダーベクライドゥング	l'indumento per bambini リンドゥメント ペル バンビーニ	la ropa paraniños ラ ローパ パラニーニョス
LEDERWARENGESCHÄFT レーダーヴァーレンゲシェフト	NEGOZIO DEGLI ARTICOLI ネゴーツィオ デッリ アルティーコリ DI PELLE ディ ペッレ	TIENDA DE ARTÍCULOS DE ティエンダ デ アルティークロス デ CUERO クエロ
SCHUHLADEN シューラーデン	CALZOLAIO カルツォライオ	ZAPATERÍA サパテリーア
die Handtasche ディ ハントタッシェ	la borsa ラ ボルサ	el bolso エル ボルソ
die Schultertasche ディ シュルタータッシェ	la borsa a tracolla ラ ボルサ ア トラコッラ	el bolso de bandolera エル ボルソ デ バンドレーラ
die Handtasche ディ ハントタッシェ	la cartella ラ カルテッラ	el bolso sin asa エル ボルソ シン アサ

日本語 JAPANESE	英語 ENGLISH	フランス語 FRANÇAIS
❹書類かばん *shorui kaban*	**briefcase** ブリーフケイス	**la serviette** ラ セルヴィエット
❺旅行かばん *ryokō kaban*	**overnight case** オウヴァナイト ケイス	**le sac de voyage** ル サック ドゥ ヴォワイヤージュ
❻トランク *toranku*	**trunk** トランク	**la valise** ラ ヴァリーズ
❼札入れ *satsuire*	**billfold** ビルフォウルド	**la portefeuille** ラ ポルトフイユ
❽財布 *saifu*	**wallet** ワレット	**le porte-monnaie** ル ポルト モネ
❾小銭入れ *kozeni ire*	**coin purse** コイン パース	**le petit porte-monnaie** ル プティ ポルト モネ
❿手袋 *tebukuro*	**gloves** グラヴズ	**les gants** レ ガン
⓫ベルト *beruto*	**belt** ベルト	**la ceinture** ラ サンテュール
⓬牛皮 *gyūhi*	**cowhide** カウハイド	**le veau** ル ヴォー
⓭ワニ皮 *wanigawa*	**alligator** アリゲイター	**le crocodile** ル クロコディル
⓮ダチョウ皮 *dachōgawa*	**ostrich (skin)** オストリッチ（スキン）	**l'autruche** ロートリュシュ
⓯バックスキン *bakkusukin*	**buckskin** バックスキン	**la peau de daim** ラ ポー ドゥ ダン
⓰紳士靴 *shinshigutsu*	**men's shoes** メンズ シューズ	**des chaussures d'hommes** デ ショシュール ドム

242

ドイツ語 DEUTSCH	イタリア語 ITALIANO	スペイン語 ESPAÑOL
die Aktentasche ディ アクテンタッシェ	la cartella ラ カルテッラ	la cartera ラ カルテーラ
die Reisetasche ディ ライゼタッシェ	la borsa da viaggio ラ ボルサ ダ ヴィアッジョ	la maleta ラ マレータ
der Koffer デア コッファー	la valigia ラ ヴァリージャ	el baúl エル バウール
die Brieftasche ディ ブリーフタッシェ	il portacarte イル ポルタカルテ	la cartera ラ カルテーラ
das Portemonnaie ダス ポルテモネー	il portafogli イル ポルタフォッリ	la bolsa ラ ボルサ
die Kleingeldbörse ディ クラインゲルトベルゼ	il portamonete イル ポルタモネーテ	el portamonedas エル ポルタモネーダス
die Handschuhe ディ ハントシューエ	i guanti イ グアンティ	los guantes ロス グアンテス
der Gürtel デア ギュルテル	la cintura ラ チントゥーラ	el cinturón エル シントゥロン
das Rindleder ダス リントレーダー	la pelle di bue ラ ペッレ ディ ブーエ	la piel de vaca ラ ピエル デ バカ
das Krokodilleder ダス クロコディールレーダー	la pelle di coccodrillo ラ ペッレ ディ コッコドゥリッロ	la piel de cocodrilo ラ ピエル デ ココドゥリーロ
das Straußenleder ダス シュトラウセンレーダー	la pelle di struzzo ラ ペッレ ディ ストゥルッツォ	la piel de avestruz ラ ピエル デ アベストゥルース
das Buckskin ダス バックスキン	la pelle di camoscio ラ ペッレ ディ カモッショ	la piel de ante ラ ピエル デ アンテ
die Herrenschuhe ディ ヘレンシューエ	le scarpe da uomo レ スカルペ ダ ウオーモ	los zapatos de caballero ロス サパートス デ カバジェーロ

243

日本語 JAPANESE	英 語 ENGLISH	フランス語 FRANÇAIS
⑰婦人靴 *fujingutsu*	ladies' shoes レイディズ シューズ	des chaussures de dames デ ショシュール ドゥ ダム
⑱ハイヒール *haihīru*	high heels ハイ ヒールズ	des souliers à talons hauts デ スーリエ ア タロン オー
⑲ローヒール *rōhīru*	low heels ロウ ヒールズ	des souliers bas デ スーリエ バ
⑳ブーツ *būtsu*	boots ブーツ	des bottes デ ボット
宝石店 *Hōsekiten*	**JEWELRY SHOP** チューアルリー シャップ	**BIJOUTERIE** ビージュートリー
時計店 *Tokeiten*	**WATCH SHOP** ウォッチ シャップ	**HORLOGERIE** オールロチュリー
装飾店 *Sōshokuten*	**DECORATOR'S SHOP** デコレイターズ シャップ	**MAGASIN D'ARTICLES** マガザン ダルティクル **FANTAISIE** ファンテジー
❶指輪 *yubiwa*	ring リング	la bague ラ バーグ
❷ネックレス *nekkuresu*	necklace ネクレス	le collier ル コリエ
❸ブレスレット *buresuretto*	bracelet ブレイスレット	le bracelet ル ブラスレ
❹ブローチ *burōchi*	brooch ブロウチ	la broche ラ ブローシュ

244

ドイツ語 DEUTSCH	イタリア語 ITALIANO	スペイン語 ESPAÑOL
die Damenschuhe ディ ダーメンシューエ	le scarpe da donna レ スカルペ ダ ドンナ	los zapatos de señora ロス サパートス デ セニョーラ
die Schuhe mit hohen Absätzen ディ シューエ ミット ホーエン アップゼッツェン	le scarpe con tacchi alti レ スカルパ コン タッキ アルティ	los zapatos con tacón alto ロス サパートス コン タコン アルト
die Schuhe mit flachen Absätzen ディ シューエ ミット フラッヘン アップゼッツェン	le scarpe con tacchi bassi レ スカルパ コン タッキ バッシ	los zapatos con tacón bajo ロス サパートス コン タコン バッホ
der Stiefel デア シュティーフェル	gli stivali リ スティヴァーリ	las botas ラス ボータス
JUWELIERLADEN ユヴェリールラーデン **UHRENLADEN** ウーレンラーデン **SCHMUCKGESCHÄFT** シュムックゲシェフト	**GIOIELLERIA** ジョイエッレリーア **OROLOGIAIO** オロロジャイオ **TAPPEZZERIA** タッペッツェリーア	**JOYERÍA** ホジェリーア **RELOJERÍA** レロヘリーア **TIENDA DE ARTÍCULOS DE** ティエンダ デ アルティークロス デ **DECORACIÓN** デコラシオン
der Ring デア リング	l'anello ラネッロ	el anillo エル アニージョ
die Halskette ディ ハルスケッテ	la collana ラ コッラーナ	el collar エル コジャール
das Armband ダス アームバント	il bracciale イル ブラッチャーレ	la pulsera ラ プルセーラ
die Brosche ディ ブロッシェ	la spilla ラ スピッラ	el broche エル ブローチェ

245

日本語 JAPANESE	英 語 ENGLISH	フランス語 FRANÇAIS
❺ペンダント *pendanto*	pendant ペンダント	le pendentif ル パンダンティフ
❻イヤリング *iyaringu*	earrings イアリングズ	la boucle d'oreille ラ ブークル ドレイユ
❼タイピン *taipin*	tie pin タイ ピン	l'épingle à cravate レパングル ア クラヴァット
❽カフスボタン *kafusu botan*	cuff links カフ リンクス	les boutons de manchette レ ブートン ドゥ マンシェット
❾宝石 *hōseki*	jewel / gem ヂューアル チェム	le bijou ル ビジュー
❿プラチナ *purachina*	platinum プラティナム	le platine ル プラティーヌ
⓫金／純金 *kin junkin*	gold / pure gold ゴウルド ピュア ゴウルド	l'or / l'or pur ロール ロール ピュール
⓬銀 *gin*	silver スィルヴァ	l'argent ラルジャン
⓭腕時計 *udedokei*	wristwatch リストウォッチ	la montre ラ モントル
⓮置時計 *okidokei*	clock クラック	la pendule (de cheminée) ラ パンデュル ドゥ シュミネ
化粧品店 *Keshōhinten*	COSMETICS SHOP カズメティクス シャップ	PARFUMERIE パルフュムリー
❶香水 *kōsui*	perfume パフューム	le parfum ル パルファン

ドイツ語 DEUTSCH	イタリア語 ITALIANO	スペイン語 ESPAÑOL
der Anhänger デア アンヘンガー	il pendente イル ペンデンテ	el pendiente エル ペンディエンテ
die Ohrringe ディ オールリンゲ	l'orecchino ロレッキーノ	los aretes ロス アレーテス
die Krawattennadel ディ クラヴァッテンナーデル	il fermacravatta イル フェルマクラヴァッタ	el alfiler de corbata エル アルフィレール デ コルバータ
die Manschettenknöpfe ディ マンシェッテンクネップフェ	i gemelli イ ジェメッリ	los gemelos ロス ヘメロス
der Edelstein デア エーデルシュタイン	i gioielli イ ジョイエッリ	la joya ラ ホージャ
das Platin ダス プラティン	il platino イル プラティーノ	el platino エル プラティーノ
das Gold / das reine Gold ダス ゴールト ダス ライネ ゴールト	l'oro / l'oro puro ロ-ロ ロ-ロ プ-ロ	el oro / el oro puro エル オロ エル オロ プーロ
das Silber ダス スィルバー	l'argento ラルジェント	la plata ラ プラタ
die Armbanduhr ディ アルムバントウーア	l'orologio da polso ロロロ-ジョ ダ ポルソ	el reloj de pulsera エル レロッホ デ プルセーラ
die Tischuhr ディ ティッシュウーア	l'orologio da tavolo ロロロ-ジョ ダ ターヴォロ	el reloj de mesa エル レロッホ デ メーサ
PARFÜMERIE パフューメリー	**NEGOZIO COSMETICI** ネゴーツィオ コスメーティチ	**TIENDA DE COSMÉTICOS** ティエンダ デ コスメティコス
das Parfüm ダス パーフューム	il profumo イル プロフーモ	el perfume エル ペルフーメ

日本語 JAPANESE	英 語 ENGLISH	フランス語 FRANÇAIS
❷オーデコロン *ōdekoron*	**eau-de-cologne** オー デ コロン	**l'eau de cologne** ロー ドゥ コローニュ
❸口紅 *kuchibeni*	**lipstick** リップスティック	**le rouge à lèvres** ル ルージュ ア レーブル
❹石けん *sekken*	**soap** ソウプ	**le savon** ル サボン
❺歯ブラシ *haburashi*	**toothbrush** トゥースブラッシュ	**la brosse à dents** ラ ブロス ア ダン
❻歯みがき *hamigaki*	**toothpaste** トゥースペイスト	**le dentifrice** ル ダンティフリス
❼ヘアリキッド *hea rikiddo*	**brilliantine** ブリリャンティーン	**le liquide pour cheveux** ル リキードゥ プール シュヴー
❽ヘアトニック *hea tonikku*	**hair tonic** ヘア タニック	**la lotion tonique capillaire** ラ ローシオン トニック カピレール
❾ひげそりの替刃 *higesori no kaeba*	**razor blades** レイザー ブレイズ	**la lame de rasoir de sûreté** ラ ラム ドゥ ラゾワール ドゥ シュールテ
❿日焼け止めクリーム *hiyahedome kurimu*	**suntan lotion** サンタン ロウシュン	**la crème solaire** ラ クレーム ソレール
家具店 *Kaguten*	**FURNITURE STORE** ファニチャー ストー	**MARCHAND DE MEUBLES** マルシャン ドゥ ムーブル
❶テーブル *tēburu*	**table** テイブル	**la table** ラ ターブル

ドイツ語 DEUTSCH	イタリア語 ITALIANO	スペイン語 ESPAÑOL
das Kölnische Wasser ダス ケルニッシェ ヴァッサー	l'acqua di colonia ラックア ディ コロニア	el agua de colonia エル アグア デ コロニア
der Lippenstift デア リッペンシュティフト	il rossetto イル ロッセット	el lápiz de labios エル ラピス デ ラビオス
die Seife ディ ザイフェ	il sapone イル サポーネ	el jabón エル ハボン
die Zahnbürste ディ ツァーンビュルステ	lo spazzolino da denti ロ スパッツォリーノ ダ デンティ	el cepillo de dientes エル セピージョ デ ディエンテス
die Zahnpasta ディ ツァーンパスタ	il dentifricio イル デンティフリーチョ	la pasta dentífrica ラ パスタ デンティーフリカ
die flüssige Haarcreme ディ フリュッスィゲ ハールクレーメ	la brillantina ラ ブリッランティーナ	el líquido para el cabello エル リーキド パラ エル カベージョ
das Haartonikum ダス ハールトーニクム	il tonico per capelli イル トニコ ペル カペッリ	el tónico para el cabello エル トーニコ パラ エル カベージョ
die Rasierklinge ディ ラズィーアクリンゲ	la lametta per rasoio ラ ラメッタ ペル ラゾイオ	la hoja de afeitar ラ オッハ デ アフェイタール
die Sonnenschutzcreme ディ ゾンネンシュッツクレーメ	la crema solare protettiva ラ クレーマ ソラーレ プロテッティーヴァ	la crema contra quemaduras ラ クレーマ コントゥラ ケマドゥーラス del sol デル ソール
MÖBELGESCHÄFT メーベルゲシェフト	**NEGOZIO DI MOBILI** ネゴーツィオ ディ モービリ	**TIENDA DE MUEBLES** ティエンダ デ ムエブレス
der Tisch デア ティッシュ	la tavola ラ ターヴォラ	la mesa ラ メサ

日本語 JAPANESE	英 語 ENGLISH	フランス語 FRANÇAIS
❷机 *tsukue*	**desk** デスク	**le bureau** ル ビュロー
❸椅子 *isu*	**chair** チェアー	**la chaise** ラ シェーズ
❹ひじ掛椅子 *hijikake isu*	**armchair** アームチェアー	**le fauteuil** ル フォートウイユ
❺電気スタンド *denki sutando*	**lamp** ランプ	**la lampe de bureau** ラ ランプ ドゥ ビュロー
❻カーペット *kāpetto*	**carpet** カーペット	**la moquette ／ le tapis** ラ モケット ル タピ
❼テーブルクロス *tēburu kurosu*	**table cloth** テイブル クロス	**la nappe** ラ ナップ
❽カーテン *kāten*	**curtain** カーテン	**le rideau** ル リドー
❾壁紙 *kabegami*	**wallpaper** ウォールペイパー	**les papiers peints** レ パピエ パーン
こっとう品店 *Kottōhinten*	**ANTIQUE SHOP** アンティーク シャップ	**ANTIQUAIRE** アンティケール
市 場 *Ichiba*	**MARKETPLACE** マーケットプレイス	**MARCHÉ** マルシェ
❶置物 *okimono*	**decorative object** デコラティヴ オブジェクト	**l'objet décoratif** ロブジェ デコラティフ
❷花びん *kabin*	**vase** ヴェイス	**la vase à fleurs** ラ ヴァズ ア フルール
❸絵皿 *ezara*	**decorative plate** デコラティヴ プレイト	**le plat décoratif** ル プラ デコラティフ

250

ドイツ語 DEUTSCH	イタリア語 ITALIANO	スペイン語 ESPAÑOL
der Schreibtisch デア シュライプティッシュ	la scrivania ラ スクリヴァニーア	el escritorio / el pupitre エル エスクリトリオ　　エル プピートゥレ
der Stuhl デア シュトゥール	la seggiola ラ セッジョラ	la silla ラ シージャ
der Armstuhl デア アルムシュトゥール	la poltrona ラ ポルトゥローナ	el sillón エル ジジョン
die Stehlampe ディ シュテーランペ	la lampada a stelo ラ ランパダ ア ステーロ	la lámpara de mesa ラ ランパラ デ メサ
der Teppich デア テッピッヒ	il tappeto イル タッペート	la alfombra ラ アルフォンブラ
die Tischdecke ディ ティッシュデッケ	la tovaglia ラ トヴァッリア	el mantel エル マンテール
der Vorhang デア フォアハング	la tenda ラ テンダ	la cortina ラ コルティーナ
die Tapete ディ タペーテ	la carta da tappezzeria ラ カルタ ダ タッペッツェリーア	el papel de entapizar エル パペル デ エンタピサール

das Ziergerät ダス ツィールゲレート	l'oggetto decorativo ロッジェット デコラティーヴォ	la figura decorativa ラ フィグーラ デコラティーバ
die Vase ディ ヴァーゼ	il vaso イル ヴァーゾ	el florero エル フロレーロ
der Schmuckteller デア シュムックテラー	il piatto decorativo イル ピアット デコラティーヴォ	el plato pintado エル プラト ピンタード

251

日本語 JAPANESE	英 語 ENGLISH	フランス語 FRANÇAIS
❹彫刻 *chōkoku*	sculpture スカルプチャー	la sculpture ラ スキュルテュール
❺像 *zō*	statue スタチュー	la statue ／ le portrait ラ スタテュ　ル ポルトレ
❻壁掛け *kabekake*	tapestry タペストリー	la tapisserie ラ タピスリー
❼絵画 *kaiga*	painting ペインティング	le tableau ル タブロー
文房具店 *Bunbōguten*	**STATIONERY SHOP** ステイショネリー　　シャップ	**PAPETERIE** パプトゥリー
❶鉛筆 *enpitsu*	pencil ペンスル	le crayon ル クレイヨン
❷ボールペン *bōrupen*	ball point pen ボール ポイント ペン	le stylo à bille ル スティロ ア ビル
❸万年筆 *mannenhitsu*	fountain pen ファウンテン ペン	le stylo ル スティロ
❹シャープペンシル *shāpu penshiru*	mechanical pencil メキャニカル ペンスル	le porte-mine ル ポルト ミーヌ
❺手帳 *techō*	memo book メモ ブック	l'agenda ラジャンダ
❻便箋 *binsen*	letter paper レター ペイパー	le papier à lettre ル パピエ ア レットル
❼封筒 *fūto*	envelope エンヴァロウプ	l'enveloppe ランヴロップ

252

ドイツ語 DEUTSCH	イタリア語 ITALIANO	スペイン語 ESPAÑOL
die Skulptur ディ スクルプトゥァ	la scultura ラ スクルトゥーラ	el grabado エル グラバード
die Statue ディ シュタトゥーエ	la statua ラ スタートゥァ	la estatua ラ エスタトゥァ
der Wandbehang デァ ヴァントベハング	l'arazzo ララッツォ	el tapiz de pared エル タピス デ パレー
das Gemälde ダス ゲメールデ	il quadro イル クアドロ	la pintura ラ ピントゥーラ
SCHREIBWARENGESCHÄFT シュライプヴァーレンゲシェフト	**CARTOLERIA** カルトレリーア	**PAPELERÍA** パペレリーア
der Bleistift デァ ブライシュティフト	la matita ラ マティータ	el lápiz エル ラピス
der Kugelschreiber デァ クーゲルシュライバー	la penna a sfera ラ ペンナ ア スフェーラ	el bolígrafo エル ボリーグラフォ
der Füller デァ フュラー	la penna stilografica ラ ペンナ スティログラーフィカ	la pluma *estilográfica* ラ プルーマ エスティログラーフィカ [fuente] [フエンテ]
der Drehbleistift デァ ドレーブライシュティフト	la matita automatica ラ マティータ アウトマーティカ	el portaminas / el lapicero エル ポルタミナス　エル ラピセーロ
das Notizbuch ダス ノティッツブーフ	l'agenda ラジェンダ	la agenda ラ アヘンダ
das Briefpapier ダス ブリーフパピア	il foglio di carta da lettera イル フォッリオ ディ カルタ ダ レッテラ	el papel de cartas エル パペル デ カルタス
der Umschlag デァ ウムシュラーク	la busta ラ ブスタ	el sobre エル ソブレ

日本語 JAPANESE	英 語 ENGLISH	フランス語 FRANÇAIS
❽ペーパーナイフ *pēpā naifu*	**paper knife** ペイパー ナイフ	**le coupe-papier** ル クープ パピエ
❾ハサミ *hasami*	**scissors** スィザーズ	**les ciseaux** レ シゾー
❿インク *inku*	**ink** インク	**l'encre** ランクル
⓫ホッチキス *hotchikisu*	**stapler** ステイプラー	**l'agrafeuse** ラグラフーズ
⓬消しゴム *keshigomu*	**eraser** イレイサー	**la gomme** ラ ゴム
おもちゃ店 *Omochaten*	**TOY STORE** トイ ストー	**MAGASIN DE JOUETS** マガザン ドゥ ジュエ
❶トランプ *toranpu*	**playing cards** プレイイング カーズ	**les cartes à jouer** レ カルト ア ジュエ
❷チェス *chesu*	**chess** チェス	**le jeu d'échecs** ル ジュ デシェック
❸人形 *ningyo*	**doll** ダル	**la poupée** ラ プーペ
❹動物のぬいぐるみ *dōbutsu no nuigurumi*	**stuffed animal** スタフト アニマル	**l'animal en peluche** ラニマル アン ペリュシュ
❺積み木 *tsumiki*	**blocks** ブラックス	**le jeu de cubes en bois** ル ジュ ドゥ キュブ アン ボワ
❻オルゴール *orugōru*	**music box** ミューズィック バックス	**la boîte à musique** ラ ボワット ア ミュジック
❼ミニカー *mini kā*	**miniature car** ミニアチャー カー	**la voiture miniature** ラ ヴォワテュールミニアチュール

ドイツ語 DEUTSCH	イタリア語 ITALIANO	スペイン語 ESPAÑOL
das Papiermesser ダス パピーアメッサー	il tagliacarte イル タッリアカルテ	el cortapapeles エル コルタパペレス
die Schere ディ シェーレ	le forbici レ フォルビチ	las tijeras ラス ティヘーラス
die Tinte ディ ティンテ	l'inchiostro リンキオストロ	la tinta ラ ティンタ
der Hefter デア ヘフター	la cucitrice ラ クチトゥリーチェ	la grapadora ラ グラパドーラ
der Radiergummi デア ラディーアグミ	la gomma da matita ラ ゴンマ ダ マティータ	la goma de borrar ラ ゴマ デ ボラール
SPIELZEUGGESCHÄFT シュピールツォイグゲシェフト	**NEGOZIO DEI GIOCATTOLI** ネゴーツィオ デイ ジョカットリ	**JUGUETERÍA** フゲテリーア
die Spielkarten ディ シュピールカルテン	le carte da gioco レ カルテ ダ ジョーコ	la baraja ／ la carta ／ el naipe ラ バラッハ ラ カルタ エル ナイペ
der Schach デア シャハ	gli scacchi リ スカッキ	el ajedrez エル アヘドゥレス
die Puppe ディ プッペ	la bambola ラ バンボラ	la muñeca ラ ムニェーカ
der Stofftier デア シュトッフティア	l'animale in peluche ラニマーレ イン ペルーシュ	el animal de felpa エル アニマル デ フェルパ
die Bauklötze ディ バウクレッツェ	i cubetti per costruzioni イ クベッティ ペル コストゥルツィオーニ	los pequeños bloques de madera ロス ペケーニョス ブロケス デ マデラ
die Musikdose ディ ムズィークドーゼ	il carillon イル カリヨン	la caja de música ラ カッハ デ ムーシカ
das Miniaturauto ダス ミニアトゥアアウト	l'auto in miniatura ラウト イン ミニアトゥーラ	el coche miniatura エル コチェ ミニアトゥーラ

日本語 JAPANESE	英 語 ENGLISH	フランス語 FRANÇAIS
免税店 *Menzeiten*	TAX-FREE SHOP タックス フリー シャップ	BOUTIQUE HORS-TAXE ブーティック オール タックス
タバコ店 *Tabakoten*	TOBACCONIST タバコニスト	BUREAU DE TABAC ビュロー ドゥ タバ
酒 店 *Saketen*	LIQUOR STORE リカー ストー	ÉPICERIE エピスリー
❶紙巻タバコ *kamimaki tabako*	cigarettes スィガレッツ	la cigarette ラ スィガレット
❷葉巻 *hamaki*	cigar スィガー	le cigare ル スィガール
❸パイプタバコ *paipu tabako*	pipe tobacco パイプ タバコゥ	le tabac pour pipe ル タバ プール ピープ
❹パイプ *paipu*	pipe パイプ	la pipe ラ ピープ
❺ライター *raitā*	lighter ライター	le briquet ル ブリケ
❻マッチ *matchi*	matches マッチズ	l'allumette ラリュメット
❼灰皿 *haizara*	ashtray アッシュトレイ	le cendrier ル サンドリエ
❽ウイスキー *uisukī*	whisky ウイスキー	le whisky ル ウイスキー

ドイツ語 DEUTSCH	イタリア語 ITALIANO	スペイン語 ESPAÑOL
ZOLLFREIGESCHÄFT ツォルフライゲシェフト	**NEGOZIO ESENTE DA TASSA** ネゴーツィオ エゼンテ ダ タッサ	**TIENDA LIBRE DE** ティエンダ リブレ デ **IMPUESTOS** インプエストス
TABAKLADEN ターバクラーデン **SPIRITUOSENHANDLUNG** シュピリトゥオーゼンハントルング	**TABACCAIO** タバッカイオ **IL NEGOZIO DEI LIQUORI** イル ネゴーツィオ デイ リクオーリ	**ESTANCO** エスタンコ **LA TIENDA DE VINOS Y** ラ ティエンダ デ ビーノス イ **LICORES** リコーレス
die Zigarette ディ ツィガレッテ	la sigaretta ラ シガレッタ	el cigarrillo エル シガリージョ
die Zigarre ディ ツィガーレ	il sigaro イル シーガロ	el cigarro / el puro エル シガーロ エル プーロ
der Pfeifentabak デア プファイフェンターバック	il tabacco da fumo イル タバッコ ダ フーモ	el tabaco para pipa エル タバコ パラ ピーパ
die Pfeife ディ プファイフェ	la pipa ラ ピーパ	la pipa ラ ピーパ
das Feuerzeug ダス フォイアーツォイク	l'accendino ラッチェンディーノ	el encendedor エル エンセンデドール
das Streichholz ダス シュトライヒホルツ	il fiammifero イル フィアンミーフェロ	el cerillo / el fósforo エル セリージョ エル フォスフォロ
der Aschenbecher デア アッシェンベッヒャー	il portacenere イル ポルタチェネレ	el cenicero エル セニセーロ
der Whisky デア ウィスキー	il whisky イル ウィスキー	el whisky エル ウィスキー

257

日本語 JAPANESE	英 語 ENGLISH	フランス語 FRANÇAIS
❾ワイン *wain*	**wine** ワイン	**le vin** ル ヴァン
❿ブランデー *burandē*	**brandy** ブランディ	**le cognac** ル コニャック
⓫せん抜き *sennuki*	**bottle opener** バトル オウプナー	**le tire-bouchon** ル ティール ブーション

色 *Iro*	COLORS カラーズ	COULEUR クールール
❶黒 *kuro*	**black** ブラック	**noir** ノワール
❷白 *shiro*	**white** ホワイト	**blanc / blanche** ブラン　　ブランシュ
❸赤 *aka*	**red** レッド	**rouge** ルージュ
❹青 *ao*	**blue** ブルー	**bleu / bleue** ブルー　　ブルー
❺黄色 *kiiro*	**yellow** イェロウ	**jaune** ジョーヌ
❻茶色 *chairo*	**brown** ブラウン	**brun / brune** ブラン　　ブリュンヌ
❼灰色 *haiiro*	**gray** グレイ	**gris / grise** グリ　　グリーズ
❽緑 *midori*	**green** グリーン	**vert / verte** ヴェール　ヴェールト
❾ピンク *pinku*	**pink** ピンク	**rosé / rosée** ローゼ　　ローゼ

258

ドイツ語 DEUTSCH	イタリア語 ITALIANO	スペイン語 ESPAÑOL
der Wein デア ヴァイン	il vino イル ヴィーノ	el vino エル ビーノ
der Branntwein デア ブラントヴァイン	il brandy イル ブランディー	el brandy ／ el coñac エル ブランディー　エル コニャック
der Flaschenöffner デア フラッシェンエフナー	l'apribottiglia ラープリボッティッリア	*el sacacorchos* [el abridor] エル サカコルチョス ［エル アブリドール］
FARBEN ファルベン	COLORI コローリ	COLORES コローレス
schwarz シュヴァルツ	nero ネーロ	negro ネグロ
weiß ヴァイス	bianco ビアンコ	blanco ブランコ
rot ロート	rosso ロッソ	rojo ロッホ
blau ブラウ	azzurro アッズッロ	azul アスール
gelb ゲルプ	giallo ジャッロ	amarillo アマリージョ
braun ブラウン	marrone マローネ	marrón マロン
grau グラウ	grigio グリージョ	gris グリース
grün グリュン	verde ヴェルデ	verde ベルデ
rosa ローザ	rosa ローザ	rosa ロサ

衣料品サイズ一覧

男性用	ワイシャツ	日　　本	36	37	38	39〜40		41	42	43	44
		英・米	14	14½	15	15½		16	16½	17	17½
		欧　　州	36	37	38	39	40	41	42		
	靴	日　　本	24	24½	25	25½	26	26½	27	27½	28
		アメリカ	6½	7	7½	8	8½	9	9½	10	10½
		イギリス	5½	6	6½	7	7½	8	8½	9	9½
		フランス	38	39	40	41	42	43	44	45	46
	靴下	日　　本	23	24½	25½	27	28	29	30		
		英・米	9	9½	10	10½	11	11½	12		
		欧　　州	23	24½	25½	26¾	28	29¼			
	帽子	日　　本	53	54	55	56	57	58	59	60	
		英・米	6½	6¾	6⅞	7	7⅛	7¼	7⅜	7½	
		欧　　州	53	54	55	56	57	58	59	60	

女性用	洋服	日　本	7	9	11	13	15				
		アメリカ	8	10	12	14	16	18	20		
		イギリス	32	34	36	38	40	42	44		
		フランス	36	38	40	42	44	46	48		
	靴	日　本	22	22½	23	23½	24	24½	25	25½	26
		アメリカ	4 ½	5	5 ½	6	6 ½	7	7 ½	8	8 ½
		イギリス	3 ½	4	4 ½	5	5 ½	6	6 ½	7	7 ½
		フランス	34	35	36	37	38	39	40	41	42
	靴下	日　本	20¼	21½	23	24½	25½	27			
		英・米	8	8 ½	9	9 ½	10	10½			
		欧　州	20¼	21½	22¾	24	25¼	26½			
	帽子	日　本	53	54	55	56	57	58	59	60	
		英・米	21	21¼	21½	22	22½	23	23¼	23½	
		欧　州	53	54	55	56	57	58	59	60	

♣**郵便** たとえ絵はがき1枚でも，海外に行った知人から便りが届くのはうれしいもの。便箋，封筒類は，ホテルの部屋にあるものを使えばよい。切手は，大きなホテルなら自動販売機があるし，なければフロントで買える。あて名と住所は，ローマ字でも，漢字でもよいが，どちらの場合でも，英語でJAPANと大きく，はっきりわかるように書いておくこと。また，航空便の場合は，AIR MAILと赤で書いておくこと。忘れると，船便扱いにされるので注意したい。

♣**郵便ポスト**の形は国によって千差万別，アメリカでポストと屑入れを間違えて投函したという例もあるので，注意すること。ホテルのフロントに頼むのが一ばん便利。

♣**電報** 電文は，ローマ字書きなら日本語でも打つことができる。電報には，普通電報と至急電報，それに翌日配達の書信電報がある。料金は，語数によって計算されるが，受取人の住所・氏名も語数に数えられるので，できるだけ文章は短く工夫した方がよい。1語の制限字数は15字。これをオーバーすると2語に数えられる。

♣**公衆電話** 国によってシステムが違う。イギリスの場合は，まず番号を回し，相手が出てからコインを投入する。フランスやイタリアでは，コインを使う電話機と，別にジュトンまたはジェットーネという，コインに似たメダルを使う電話機とがある。いずれもダイヤルして相手が出たら電話機にあるボタンを押す。

♣**国際電話** まず時差を調べ，日本の現在時間を確認してからかけること。通話には，料金受信人払い通話，指名人が不在だと，料金がかからない指名通話，普通通話がある。ホテルから交換手を通じてかける場合は，自分の部屋番号，氏名，相手の国名，都市名，電話番号および通話の種類（指名通話の場合は受信人氏名も）を告げる。最近は，部屋からダイヤル直通でかけられるホテルも増えている。この場合，部屋にある説明書を，よく読んでからダイヤルすること。

トラベル・メモ

9

日本語 JAPANESE	英 語 ENGLISH	フランス語 FRANÇAIS
郵 便 *Yūbin*	**MAIL** メイル	**POSTE** ポスト
❶郵便局はどこですか *Yūbinkyoku wa doko desu ka?*	**Where is the post office?** ホェア　イズ　ザ　ポウスト　オフィス	**Où se trouve le bureau de poste?** ウ　ス　トルーヴ　ル　ビュロー　ドゥ　ポスト
❷この手紙〔はがき〕を航空〔船〕 *Kono tegami [hagaki] o kōkū* 便でお願いします *[funa] bin de onegai shimasu.*	**I'd like to send this** *letter* **[post-** アイド　ライク　トゥ　センド　ズィス　レター　〔ポウスト **card] by** *air* **[sea] mail.** カード〕　バイ　エア　〔スィー〕　メイル	**Voulez-vous envoyer cette** *lettre* ヴーレ　ヴー　アンヴォワイエ　セット　レットル **[carte postale] par** *avion* **[bateau].** 〔カルト　ポスタル〕　パール　アヴィオン〔バトー〕
❸何日で日本へ着きますか *Nannichi de nihon e tsukimasu ka?*	**How long will it take to reach** ハウ　ロング　ウィル　イット　テイク　トゥ　リーチ **Japan?** チャパン	**Dans combien de jours cette le-** ダン　コンビアン　ドゥ　ジュール　セット　レッ **ttre arrivera-t-elle au Japon?** トル　アリヴラ　テル　オー　ジャポン
❹この手紙〔小包〕を書留にし *Kono tegami [kozutsumi] o* て下さい *kakitome ni shite kudasai.*	**Please register this** *letter* **[par-** プリーズ　レヂスター　ズィス　レター　〔パー **cel].** スル〕	**Je voudrais expédier** *cette lettre* ジュ　ヴードレ　エクスペディエ　セット　レットル **[ce colis] en recommandé.** 〔ス　コリ〕　アン　ルコマンデ
❺いくらですか *Ikura desu ka?*	**How much is it?** ハウ　マッチ　イズ　イット	**Combien cela fait-il?** コンビアン　スラ　フェティル

 ☞ 道を尋ねる P.144

ドイツ語 DEUTSCH	イタリア語 ITALIANO	スペイン語 ESPAÑOL
POST ポスト	**POSTA** ポスタ	**CORREO** コレーオ
Wo ist das Postamt ? ヴォー イスト ダス ポストアムト	**Dov'è l'ufficio postale ?** ドヴェ ルッフィーチョ ポスターレ	**¿Dónde está la oficina de** ドンデ エスタ ラ オフィシーナ デ **correos ?** コレーオス
Bitte, schicken Sie *diesen* ビッテ シッケン ズィー ディーゼン ***Brief* [diese Postkarte] mit** ブリーフ ［ディーゼ ポストカルテ］ ミット ***Luftpost* [Seepost].** ルフトポスト ［ゼーポスト］	**Per favore, spedite questa** ペル ファヴォーレ スペディーテ クエスタ ***lettera* [cartolina] per via** レッテラ ［カルトリーナ］ ペル ヴィーア ***aerea* [mare].** アエーレア ［マーレ］	**Por favor, mande esta** *carta* ポール ファボール マンデ エスタ カルタ **[tarjeta postal]** por *avión* ［タルヘータ ポスタル］ ポール アビオン **[barco].** ［バルコ］
Wie lange dauert es von hier ヴィー ランゲ ダウエルト エス フォン ヒーア **bis nach Japan ?** ビス ナッハ ヤーパン	**Quanto tempo ci vuole per** クアント テンポ チ ヴォーレ ペル **arrivare in Giappone ?** アリヴァーレ イン ジャッポーネ	**¿Cuánto tiempo se tardará en** クアント ティエンポ セ タルダラー エン **llegar a Japón ?** ジェガール ア ハポン
Bitte, schicken Sie *diesen* ビッテ シッケン ズィー ディーゼン ***Brief* [dieses Paket] einge-** ブリーフ ［ディーゼス パケット］ アインゲ **schrieben.** シュリーベン	**Spedisca** *questa lettera* **[questo** スペディスカ クエスタ レッテラ ［クエスト **pacco]** *raccomandata* パッコ］ ラッコマンダータ **[raccomandato].** ［ラッコマンダート］	**Haga el favor de enviar** アーガ エル ファボール デ エンビアール ***esta carta* [este paquete]** エスタ カルタ ［エステ パケテ］ **por correo certificado.** ポール コレオ セルティフィカード
Was kostet das ? ヴァス コステット ダス	**Quanto costa ?** クアント コスタ	**¿Cuánto cuesta ?** クアント クエスタ

9

265

日本語 JAPANESE	英 語 ENGLISH	フランス語 FRANÇAIS
電 報 *Denpō*	TELEGRAM テラグラム	TÉLÉGRAMME テレグラム
❶頼信紙を下さい *Raishinshi o kudasai.*	A telegram blank, please. ア テラグラム ブランク プリーズ	Donnez-moi une formule de télé- ドネ モワ ユヌ フォルミュル ドゥ テレ gramme. グラム
❷この電報を打って下さい *Kono denpō o utte kudasai.*	Send this telegram, please. センド スィス テラグラム プリーズ	Expédiez ce télégramme, s'il vous エクスペディエ ス テレグラム スィル ヴ plaît. プレ
❸絵はがき *ehagaki*	picture postcard ピクチャー ポウストカード	la carte postale ラ カルト ポスタル
❹郵便切手 *yūbin kitte*	postage stamp ポウステッチ スタンプ	le timbre-poste ル タンブル ポスト
❺記念切手 *kinen kitte*	commemorative stamp カメモラティヴ スタンプ	le timbre commémoratif ル タンブル コメモラティフ
❻封筒 *fūtō*	envelope エンヴァロウプ	l'enveloppe ランヴロップ
❼便箋 *binsen*	letter paper レター ペイパー	le papier à lettre ル パピエ ア レットル
❽エア・レター（航空書簡） *ea retā (kōkū shokan)*	aerogram エアログラム	l'aérogramme ラエログラム
❾印刷物 *insatsubutsu*	printed matter プリンテッド マター	l'imprimé ランプリメ

ドイツ語 DEUTSCH	イタリア語 ITALIANO	スペイン語 ESPAÑOL
TELEGRAMM テレグラム	**TELEGRAMMA** テレグランマ	**TELEGRAMAS** テレグラーマス
Bitte, geben Sie mir ein ビッテ ゲーベン ズィー ミア アイン **Telegrammformular.** テレグラムフォームラール	**Mi dia un modulo per** ミ ディーア ウン モードゥロ ペル **telegramma.** テレグランマ	**Por favor, una hoja para** ポール ファボール ウナ オッハ パラ **telegrama ?** テレグラーマ
Bitte, schicken Sie dieses ビッテ シッケン ズィー ディーゼス **Telegramm.** テレグラム	**Mandi questo telegramma,** マンディ クエスト テレグランマ **per favore** ペル ファヴォーレ	**Por favor, envíe este** ポール ファボール エンビーエ エステ **telegrama.** テレグラーマ
die Ansichtskarte ディ アンズィヒツカルテ	**la cartolina illustrata** ラ カルトリーナ イッルストゥラータ	**la tarjeta postal ilustrada** ラ タルヘータ ポスタル イルストラーダ
die Briefmarke ディ ブリーフマルケ	**il francobollo** イル フランコボッロ	**los sellos** ロス セージョス
die Sonderbriefmarke ディ ゾンダーブリーフマルケ	**il francobollo commemorativo** イル フランコボッロ コンメモラティーヴォ	**el sello conmemorativo** エル セージョ コンメモラティーボ
der Umschlag デア ウムシュラーク	**la busta** ラ ブスタ	**el sobre** エル ソブレ
das Briefpapier ダス ブリーフパピーア	**il foglio di carta da lettera** イル フォッリオ ディ カルタ ダ レッテラ	**el papel de carta** エル パペル デ カルタ
der Luftpostleichtbrief デア ルフトポストライヒトブリーフ	**l'aerogramma** ラエログランマ	**el aerograma** エル アエログラーマ
die Drucksache ディ ドゥルックザッヘ	**stampato** スタンパート	**el impreso** エル インプレッソ

日本語 JAPANESE	英 語 ENGLISH	フランス語 FRANÇAIS
⑩速達 *sokutatsu*	express / special delivery エクスプレス　スペシュル　ディリヴァリー	l'exprès / le pneumatique レクスプレ　　ル　プヌーマティック
⑪郵便ポスト *yūbin posuto*	mailbox メイルバックス	la boîte aux lettres ラ　ボワット　オー　レットル
⑫普通電報 *futsū denpō*	ordinary telegram オーダネリー　テラグラム	le télégramme ル　テレグラム
⑬至急電報 *shikyū denpō*	urgent telegram アーチェント　テラグラム	le télégramme en urgence ル　テレグラム　　アン　ユルチャンス
⑭宛先 *atesaki*	address アドレス	l'adresse ラドレス
⑮発信人 *hasshinnin*	sender センダー	l'expéditeur レクスペディトゥール
⑯受信人 *jushinnin*	addressee アドレスィー	le déstinataire ル　デスティナテール
電　話 *Denwa*	TELEPHONE テレフォウン	TÉLÉPHONE テレフォン
❶この番号に電話する方法を教 *Kono bangō ni denwa suru hōhō o* えて下さい *oshiete kudasai.*	Please tell me how to call this プリーズ　テル　ミー　ハウ　トゥ　コール　スィス number. ナンバー	Dites-moi comment on doit app- ディット　モワ　コマン　オン　ドワ　アプ eler ce numéro, s'il vous plaît. レ　ス　ヌメロ　　スィル　ヴー　プレ
❷もしもし，～さんですか *Moshi moshi , ~ sandesu ka ?*	Hello! Is this *Mr.* [Mrs., Miss] ~? ハロウ　イズ　スィス　ミスター［ミセス　ミス］　～	Allô! Est-ce *Monsieur* [Madame, アロー　エ　ス　ムッシュー　［マダム Mademoiselle] ~? マドモワゼル］　～

ドイツ語 DEUTSCH	イタリア語 ITALIANO	スペイン語 ESPAÑOL
die Eilpost ディ アイルポスト	espresso エスプレッソ	el correo urgente ╱ エル コレーオ ウルヘンテ la entrega inmediata ラ エントレーガ イメディアータ
der Briefkasten デア ブリーフカステン	la buca per lettere ラ ブーカ ペル レッテレ	el buzón エル ブソン
das gewöhnliche Telegramm ダス ゲヴェーンリヒェ テレグラム	il telegramma ordinario イル テレグランマ オルディナーリオ	el telegrama ordinario エル テレグラーマ オルディナーリオ
das Expreßtelegramm ダス エクスプレステレグラム	il telegramma urgente イル テレグランマ ウルジェンテ	el telegrama urgente エル テレグラーマ ウルヘンテ
die Adresse ディ アドレッセ	l'indirizzo リンディリッツォ	la dirección ラ ディレクシオン
der Absender デア アプゼンダー	il mittente イル ミッテンテ	el remitente エル レミテンテ
der Empfänger デア エムプフェンガー	il destinatario イル デスティナターリオ	el destinatario エル デスティナタリオ
TELEFON テレフォーン	**TELEFONO** テレーフォノ	**TELÉFONO** テレッフォノ
Bitte, sagen Sie mir, wie ich ビッテ ザーゲン ズィー ミア ヴィー イヒ diese Nummer anrufen kann. ディーゼ ヌマー アンルーフェン カン	Mi dica come chiamare questo ミ ディーカ コメ キアマーレ クエスト numero. ヌーメロ	Por favor, indíqueme cómo ポール ファボール インディーケメ コモ llamar a este número. ジャマール ア エステ ヌメロ
Hallo! Spreche ich mit *Herrn* ハロー シュプレッヒェ イヒ ミット ヘルン [*Frau, Fräulein*] ~? [フラウ フロイライン] ~	Pronto, parlo con *Sig.* プロント パルロ コン シニョール [*Sig.ra, Sig.na*] ~? [シニョーラ シニョリーナ] ~	Oigame, ¿estoy hablando con *el* オイガメ エストイ アブランド コン エル *señor* [la señora, la señorita] ~? セニョール [ラ セニョーラ ラ セニョリータ] ~

269

郵便・電話

❸こちらは～です
kochira wa ~ desu.

This is ~.
ズィス イズ ～

C'est (Monsieur) ~ qui vous parle.
セ (ムッシュー) ～ キ ヴー パ ルル

❹～さんをお願いします
~ san o onegai shimasu.

Mr. [Mrs. , Miss] ~, please.
ミスター [ミセズ ミス] ～ プリーズ

Je voudrais parler avec *Monsieur* [Madame, Madmoiselle] ~.
ジュ ヴードレ パルレ アヴェック ムッシュー [マダム マドモアゼル] ～

❺英語で話していいですか
Eigo de hanashite ii desu ka?

May I speak in English ?
メイ アイ スピーク イン イングリッシュ

Puis-je parler en anglais ?
ピュイ ジュ パルレ アン ナングレ

❻もっとゆっくり言って下さい
Motto yukkuri itte kudasai.

Please speak more slowly.
プリーズ スピーク モースロウリー

Parlez plus lentement, s'il vous plaît.
パルレ プリュ ラントマン スィル ヴー プレ

❼日本語〔英語〕の話せる人を
Nihongo 〔eigo〕 no hanaseru hito o
出して下さい
dashite kudasai.

Please give me someone who speaks *Japanese* [English].
プリーズ ギヴ ミー サムワン フー スピークス チャパニーズ [イングリッシュ]

Pouvez-vous me passer quelqu'un qui parle *japonais* [anglais].
プーヴェ ヴー ム パッセ ケルカン キ パルル ジャポネ [アングレ]

❽また後で電話します
Mata ato de denwa shimasu.

I'll call again later.
アイル コール アゲン レイター

Je *le* [la] rappelerai plus tard.
ジュ ル [ラ] ラプレレ プリュ タール

ドイツ語 DEUTSCH	イタリア語 ITALIANO	スペイン語 ESPAÑOL
Hier spricht ~. ヒーア シュプリヒト ~	**Qui parla ~.** クイ パルラ ~	**Aquí habla ~.** アキィ アブラ ~
Ich möchte mit *Herrn* [Frau, イヒ メヒテ ミット ヘルン [フラウ **Fräulein]** ~ **sprechen.** フロイライン] ~ シュプレッヒェン	**Vorrei parlare con** *Sig.* ヴォレイ パルラーレ コン シニョール **[Sig.ra, Sig.na]** ~. [シニョーラ シニョリーナ] ~	**Quisiera hablar con** *el señor* キシエラ アブラール コン エル セニョール **[la señora, la señorita]** ~. [ラ セニョーラ ラ セニョリータ] ~
Darf ich auf English sprechen? ダルフ イヒ アウフ エングリッシュ シュプレッヒェン	**Posso parlare in inglese?** ポッソ パルラーレ イン イングレーゼ	**¿Podría hablar en inglés?** ポドゥリーア アブラール エン イングレス
Sprechen Sie bitte noch シュプレッヒェン ズィー ビッテ ノホ **langsamer.** ラングザーマー	**Parli più lentamente.** パルリ ピュ レンタメンテ	**Por favor, hable más despacio.** ポル ファボール アブレ マス デスパシオ
Ich möchte mit jemandem イヒ メヒテ ミット イェーマンデム **sprechen, der** *Japanisch* シュプレッヒェン デア ヤパーニッシュ **[Englisch] spricht.** [エングリッシュ] シュプリヒト	**Qualcuno che parli** *giapponese* クアルクーノ ケ パルリ ジャッポネーゼ **[inglese], per favore.** [イングレーゼ] ペル ファヴォーレ	**Quisiera hablar con alguien** キシエラ アブラール コン アルギエン **que hable** *japonés* [inglés]. ケ アブレ ハポネス [イングレス]
Ich werde später noch イヒ ヴェルデ シュペーター ノホ **einmal anrufen.** アインマール アンルーフェン	**Le chiamo più tardi.** レ キアーモ ピュ タルディ	**Volveré a llamarle más tarde.** ボルベレー ア ジャマールレ マス タルデ

271

❾私に電話するよう伝えて下さい
Watashi ni denwa suru yō tsutaete kudasai.

Please tell *him* [her] to call me.
プリーズ テル ヒム [ハー] トゥ コール ミー

Voulez-vous lui dire *qu'il* [qu'elle] me rappelle, s'il vous plaît.
ヴーレ ヴー リュイ ディール キル [ケル] ム ラペル、 スィルヴー プレ

❿~から電話があったと伝えて下さい
~ kara denwa ga atta to tsutaete kudasai.

Please tell *him* [her] that ~ called.
プリーズ テル ヒム [ハー] ザット ~ コールド

Voulez-vous lui dire qu'il y a eu un coup de téléphone de la part de ~.
ヴーレ ヴー ルイ ディール キリ ア ユ アン クー ドゥ テレフォン ドゥ ラ パール ドゥ ~.

⓫ごめんなさい。まちがえました
Gomennasai. Machigaemashita.

I'm sorry. I have the wrong number.
アイム サリー アイ ハヴ ザ ロング ナンバー

Excusez-moi. Je me suis trompé de numéro.
エクスキュゼ モワ ジ ム スイ トロンペ ドゥ ヌメロ

⓬長距離通話を願います
Chōkyori tsūwa o negaimasu.

I'd like to make a long-distance call.
アイド ライク トゥ メイク ア ロング ディスタンス コール

Je voudrais téléphoner a l'extérieur de la ville.
ジュ ヴードレ テレフォネ ア レクステリュール ドゥラ ヴィル

⓭日本へ電話したい
Nihon e denwa shitai.

I want to call Japan.
アイ ウォント トゥ コール チャパン

Je voudrais téléphoner au Japon.
ジュ ヴードレ テレフォネ オー ジャポン

272

ドイツ語 DEUTSCH	イタリア語 ITALIANO	スペイン語 ESPAÑOL
Sagen Sie _ihm_ [ihr] bitte, ザーゲン スィー イーム [イーア] ビッテ **_er_ [sie] möge mich anrufen.** エア[スィー]メーゲ ミヒ アンルーフェン	**Gli dica di chiamarmi, per** リ ディーカ ディ キアマルミ ペル **favore.** ファヴォーレ	**Por favor, dígale que me** ポール ファボール ディーガレ ケ メ **telefonee.** テレフォネーエ
Sagen Sie _ihm_ [ihr] bitte, ザーゲン スィー イーム [イーア] ビッテ **daß ~ angerufen hat.** ダス ~ アンゲルーフェン ハット	**Gli dica che c'era una** リ ディーカ ケ チェーラ ウナ **chiamata da ~.** キアマータ ダ ~	**Por favor, dígale que le** ポール ファボール ディーガレ ケ レ **he llamado.** エ ジャマード
Entschudigen Sie bitte. Ich エントシュルディゲン スィー ビッテ 化 **habe mich verwählt.** ハーベ ミヒ フェルヴェールト	**Mi scusi. Ho sbagliato.** ミ スクージ オ ズバッリアート	**Perdón. Equivocado.** ペルドン エキボカード
Ich möchte ein Ferngespräch 化 メヒテ アイン フェルンゲシュプレーヒ **anmelden.** アンメルデン	**Una chiamata interurbana,** ウナ キアマータ インテルウルバーナ **per favore.** ペル ファヴォーレ	**Por favor, una conferencia** ポール ファボール ウナ コンフェレンシア **interurbana.** インテルウルバーナ
Ich möchte nach Japan 化 メヒテ ナッハ ヤーパン **telefonieren.** テレフォニーレン	**Vorrei chiamare il Giappone** ヴォレイ キアマーレ イル ジャッポーネ	**Quisiera una conferencia** キシエラ ウナ コンフェレンシア **telefónica con Japón.** テレフォニカ コン ハポン

273

日本語 JAPANESE	英 語 ENGLISH	フランス語 FRANÇAIS
⑭時間はどのくらいかかりますか *Jikan wa donokurai kakarimasu ka ?*	How long will it take ? ハウ ロング ウィル イット テイク	Combien de temps faut-il pour コンビアン ドゥ タン フォーティル プール **avoir la communication ?** アヴォワール ラ コミュニカシオン
⑮料金は相手払いにして下さい *Ryōkin wa aite barai ni shite kudasai.*	Make this a collect call. メイク ズイス ア コレクト コール	Faites cet appel en P.C.V. , s'il フェット セッタ ペル アン ペ セー ヴェ スィル **vous plaît.** ヴー プレ
⑯料金は私が払います *Ryōkin wa watashi ga haraimasu.*	I'll pay for it here. アイル ペイ フォー イット ヒア	C'est moi qui paye la communica- セ モワ キ ペイ ラ コミュニカ **tion.** シオン
⑰（火災や事故の時）緊急です *Kinkyū desu.*	This is an emergency. ズイス イズ アン イマーチェンスィー	C'est un appel urgent. セ タン ナペル ユルチャン
⑱そのまま切らずにお待ち下さい *Sonomama kirazuni omachi kudasai.*	Please hold the line. プリーズ ホウルド ザ ライン	Ne quittez pas. ヌ キテ パ
⑲いったん切ってお待ち下さい *Ittan kitte omachi kudasai.*	Hang up and wait, please. ハング アップ アンド ウェイト プリーズ	Raccrochez et attendez s'il vous ラクロシェ エ アタンデ スィルヴー **plaît.** プレ

☞ 紛失・盗難 P.282

ドイツ語 DEUTSCH	イタリア語 ITALIANO	スペイン語 ESPAÑOL
Wie lange wird es dauern, bis ヴィー ランゲ ヴィルト エス ダウェルン ビス **die Verbindung hergestellt ist?** ディ フェアビンドゥング ヘアゲシュテルト イスト	**Quanto tempo ci vuole?** クアント テンポ チ ヴオーレ	**¿Cuánto tiempo se taradará** クアント ティエンポ セ タルダラー **en comunicarme?** エン コムニカールメ
Bitte, machen Sie dieses ビッテ マッヒェン ズィー ディーゼス **Gespräch zu Lasten des** ゲシュプレーヒ ツー ラステン デス **Teilnehmers.** タイルネーマース	**Faccia questa telefonata a** ファッチャ クエスタ テレフォナータ ア **pagamento del destinatario.** パガメント デル デスティナターリオ	**Por favor, cobre esta** ポール ファボール コブレ エスタ **llamada del destinatario.** ジャマーダ デル デスティナターリオ
Dieses Gespräch bezahle ich. ディーゼス ゲシュプレーヒ ベツァーレ 化	**Faccio io il pagamento.** ファッチョ イオ イル パガメント	**Pagaré yo la tarifa.** パガレー ジョ ラ タリーファ
Dieser Anruf ist *dringend* ディーザー アンルーフ イスト ドリンゲント **[ein Notanruf].** [アイン ノートアンルーフ]	**È una chiamata urgente.** エ ウナ キアマータ ウルジェンテ	**Esta es una llamada urgente.** エスタ エスウナ ジャマーダ ウルヘンテ
Bleiben Sie bitte am Apparat. ブライベン ズィービッテ アム アパラート	**Attenda senza chiudere.** アッテンダ センツァ キューデレ	**Por favor, espere sin colgar.** ポール ファボール エスペーレ シン コルガール
Legen Sie den Hörer auf und レーゲン ズィー デン ヘーラー アウフ ウント **warten Sie bitte.** ヴァルテン ズィービッテ	**Chiuda e attenda.** キューダ エ アッテンダ	**Por favor, cuelgue y espere.** ポール ファボール クエルゲ イ エスペーレ

275

日本語 JAPANESE	英 語 ENGLISH	フランス語 FRANÇAIS
⑳話し中です *Hanashichū desu.*	The line is busy. ザ ライン イズ ビズィー	La ligne est occupée. ラ リーニュ エ トキュペ
㉑外出してます *Gaishutsushite masu.*	*He* [She] is out now. ヒー [シー] イズ アウト ナウ	*Il* [Elle] n'est pas là. イル[エル] ネ パ ラ
㉒電話帳 *denwachō*	telephone *book* [directory] テレフォウン ブック [ディレクトリー]	l'annuaire téléphonique ラニュエール テレフォニック
㉓電話ボックス *denwa bokkusu*	phone booth フォウン ブース	la cabine téléphonique ラ キャビーヌ テレフォニック
㉔受話器 *juwaki*	receiver リスィーヴァー	l'écouteur レクトゥール
㉕ダイアル *daiaru*	dial ダイアル	le cadran ル カドラン
㉖内線 *naisen*	extension エクステンシュン	le poste ル ポスト
㉗料金受信人払い通話 *ryōkin jushinnin barai tsūwa*	collect call コレクト コール	P.C.V. / paiement contre véri- ペセーヴェ ペーマン コントル ヴェリ fication フィカシオン
㉘指名通話 *shimei tsūwa*	person-to-person call パースン トゥ パースン コール	Avis d'appel / la conversation アヴィ ダペル ラ コンヴェルサシオン de personne à personne ドゥ ペルソンヌ ア ペルソンヌ
㉙普通通話 *futsū tsūwa*	station call ステイシュン コール	la communication normale ラ コミュニカシオン ノルマル

ドイツ語 DEUTSCH	イタリア語 ITALIANO	スペイン語 ESPAÑOL
Die Linie ist besetzt. ディ リーニエ イスト ベゼット	**La linea è occupata.** ラ リーネア エ オックパータ	**Está ocupado.** エスター オクパード
Er [Sie] **ist gerade nicht da.** エア ［ズィー］ イスト グラーデ ニヒト ダ	**È fuori di casa.** エ フオーリ ディ カーザ	**Está fuera.** エスタ フエラ
das Telefonbuch ダス テレフォンブーフ **die Telefonzelle** ディ テレフォンツェレ **der Hörer** デア ヘーラー	**l'elenco telefonico** レレンコ テレフォーニコ **la cabina di telefono** ラ カビーナ ディ テレーフォノ **il ricevitore** イル リチェヴィトーレ	**la guia telefónica** ラ ギィア テレフォニカ **la cabina del teléfono** ラ カビーナ デル テレッフォノ **el aparato receptor** エル アパラート レセプトール
die Wählscheibe ディ ヴェールシャイベ **der Nebenanschluß** デア ネーベンアンシュルス **das R-Gespräch** ダス エルゲシュプレーヒ	**il disco combinatore** イル ディスコ コンビナトーレ **interno** インテルノ **la chiamata a pagamento** ラ キアマータ ア パガメント **del destinatario** デル デスティナターリオ	**el disco** エル ディスコ **la extensión** ラ エステンシオン **llamada a cobrar** ジャマーダ ア コブラール
das Person-zu-Person-Gespräch ダス ペルゾーン ツー ペルゾーン ゲシュプレーヒ	**la chiamata personale** ラ キアマータ ペルソナーレ	**la conferencia de persona a** ラ コンフェレンシア デ ペルソーナ ア **persona** ペルソーナ
das gewöhnliche Gespräch ダス ゲヴェーンリヒェ ゲシュプレーヒ	**la chiamata ordinaria** ラ キアマータ オルディナーリア	**la conferencia ordinaria** ラ コンフェレンシア オルディナーリア

277

日本語 JAPANESE	英 語 ENGLISH	フランス語 FRANÇAIS
⑳市内通話 *shinai tsūwa*	local call ロウカル コール	la communication téléphonique à ラ コミュニカシオン テレフォニック ア l'intérieur de la ville ランテリウール ドゥ ラ ヴィル
㉛市外局番 *shigai kyokuban*	area code エアリア コウド	l'indicatif téléphonique régional ランディカティフ テレフォニック レジオナル et interurbain エ アンテリュルバン
㉜外線接続番号 *gaisen setsuzoku bangō*	number for an outside line ナンバー フォー アン アウトサイド ライン	l'indicatif téléphonique des lignes ランディカティフ テレフォニック デ リーニュ directes ディレクト
㉝国番号 *kuni bangō*	country code カントリー コウド	l'indicatif téléphonique des pays ランディカティフ テレフォニック デ ペイ étrangers エトランジェ

ドイツ語 DEUTSCH	イタリア語 ITALIANO	スペイン語 ESPAÑOL
das Ortsgespräch ダス オルツゲシュプレーヒ	**la chiamata urbana** ラ キアマータ ウルバーナ	**la conferencia urbana** ラ コンフェレンシア ウルバーナ
die Vorwählnummer ディ フォアヴェールヌマー	**il prefisso** イル プレフィッソ	**el indicativo telefónico** エル インディカティーボ テレフォーニコ **interurbano** インテルウルバーノ
die Vorwählziffer ディ フォアヴェールツィファー	**il numero per avere la linea** イル ヌーメロ ペル アヴェーレ ラ リーネア	**el número de conexión con** エル ヌーメロ デ コネクシオン コン **la línea exterior** ラ リーネア エステリオール
die Landeskennziffer ディ ランデスケンツィファー	**il prefisso del paese** イル プレフィッソ デル パエーゼ	**el número del país** エル ヌーメロ デル パイース

279

紛失・病気

♣**紛失・盗難** パスポートは常に携行し，貴重品類は必ずフロントに預けるように心がけたい。

♣**パスポート**を紛失したら，最寄りの日本大使館または領事館まで届ける。写真2枚を添えて，旅券番号，発行月日，交付地を記した申請書を提出。日本に照会するので，再発行に1～2週間かかる。

♣**旅行小切手**を紛失したら，発行銀行の最寄り店に連絡する。紛失小切手の金額，番号，発行支店名などを告げ，再発行してもらう。

♣**盗難**にあったら，ホテル内ならフロントへ，町なら警察へ届ける。盗難保険に入っている人は，盗難証明書が必要になるが，保険会社によって手続きが異なるので，契約書をよく読んでおくこと。

♣**病気** 海外に出ると，生活環境が急変して身体の調子をくずしたり，ぎっしり詰った日程のために疲労が重なって，とかく健康を害しがちである。楽しく旅行するためには出発前に具合の悪い所は完全に治療しておく。慢性の病気がある場合は，医師に英文の処方せんを作ってもらっておく。

♣**旅行中**は，次のことに注意する。

①暴飲暴食を慎み偏食しない。野菜類をつとめて食べる。

②生水はできるだけ避ける。

③わずかな時間をさいてでも休養を取り，充分な睡眠をとるように心がける。

♣**胃腸薬・風邪薬**などは，携行していった方がよい。ただし，紙に包んだ粉末薬は，税関などで麻薬と疑われる恐れがあるので注意したい。

♣**不幸**にして病気になったら，ホテルのフロントに頼んでホテル専属の医師を呼んでもらう。そして医師のくれた処方せんを持って薬局へ行き，薬を調合してもらう。

♣**海外旅行傷害保険**をかけておくと安心。ケガ，病気，携行品など各種の保険がある。出発前に保険金の請求方法を調べておいた方がよい。

トラベル・メモ

10

日本語 JAPANESE	英 語 ENGLISH	フランス語 FRANÇAIS
紛失・盗難 *Funshitsu, Tōnan*	LOST ARTICLES, THEFT ロスト アーティクルズ セフト	PERTE, VOL ペルト ヴォル
❶緊急です／ *Kinkyū desu!*	It's an emergency! イッツ アン イマーチェンスィー	C'est urgent! セ テュルヂャン
❷助けて／ *Tasukete!*	Help! ヘルプ	Au secours! オー スクール
❸一緒に来て／ *Issho ni kite!*	Come with me! カム ウィズ ミー	Venez avec moi! ヴネ アヴェック モワ
❹開けて／ *Akete!*	Open up! オウプン アップ	Ouvrez! ウーヴレ
❺出ていけ／ *Deteike!*	Get out! ゲット アウト	Allez-vous en! アレ ヴー ザン
❻〜をなくしました *〜 o nakushimashita.*	I lost 〜. アイ ロスト 〜	J'ai perdu 〜. ジェ ペルデュ 〜
❼〜を盗まれました *〜 o nusumaremashita.*	My 〜 was stolen. マイ 〜 ワズ ストウルン	On m'a volé 〜. オン マ ヴォレ 〜
❽（タクシーに）〜を置き忘れま した *(Takushī ni) 〜 o okiwasuremashita.*	I left 〜 (in a taxi). アイ レフト 〜 (イン ア タクスィー)	J'ai oublié 〜 (dans un taxi). ジェ ウーブリエ 〜 (ダン ザン タクシー)
❾誰に知らせたらいいですか *Dare ni shirasetara ii desu ka?*	Whom should I inform? フーム シュッド アイ インフォーム	A qui dois-je m'adresser? ア キ ドワ ジュ マドレッセ

ドイツ語 DEUTSCH	イタリア語 ITALIANO	スペイン語 ESPAÑOL
DIEBSTAHL, VERLUST ディープシュタール　フェアルスト	**FURTO, PERDITA** フルト　　ペルディタ	**PÉRDIDA, ROBO** ペールディダ　　ローボ
Dringend! ドゥリンゲント	**Urgente!** ウルジェンテ	**¡Es de urgencia!** エス　デ　ウルヘンシア
Hilfe! ヒルフェ	**Aiuto!** アイウート	**¡Socorro!** ソコーロ
Mitkommen! ミットコメン	**Vieni con me!** ヴィエーニ　コン　メ	**¡Que venga conmigo!** ケ　ベンガ　コンミーゴ
Aufmachen! アウフマッヘン	**Aprite!** アプリーテ	**¡Abra, por favor!** アブラ　ポール　ファボール
Raus! ラウス	**Fuori! / Vattene!** フオーリ　　ヴァッテネ	**¡Afuera!** アフエーラ
Ich habe ~ verloren. イヒ　ハーベ　～　フェアローレン	**Ho perduto ~.** オ　ペルドゥート　～	**He perdido ~.** エ　ペルディード　～
Man hat mir ~ gestohlen. マン　ハット　ミア　～　ゲシュトーレン	**Mi ha rubato ~.** ミ　ア　ルバート　～	**Me han robado ~.** メ　アン　ロバード　～
Ich habe ~ (im Taxi) liegenlassen. イヒ　ハーベ　～　（イム　タクシー） リーゲンラッセン	**Ho lasciato ~ (in tassì).** オ　ラシャート　～　（イン　タッシー）	**Dejé (en el taxi) ~.** デヘー　（エン　ネル　タクシー）～
Wem muß ich es melden? ヴェーム　ムス　イヒ　エス　メルデン	**Chi devo avvisare?** キ　デーヴォ　アッヴィサーレ	**¿A quién tengo que comunicar?** ア　キエン　テンゴ　ケ　コムニカール

10

283

日本語 JAPANESE	英 語 ENGLISH	フランス語 FRANÇAIS
⑩遺失物係はどこですか *Ishitsubutsu gakari wa doko desu ka?*	Where is the lost-and-found? ホエア イズ ザ ロスト アンド ファウンド	Où se trouve le bureau des objets trouvés? ウー ス トルーヴ ル ビュロー デ ゾブジェ トルーヴェ
⑪旅行小切手をなくしました *Ryokō kogitte o nakushimashita.*	I lost my traveler's checks. アイ ロスト マイ トラヴラーズ チェックス	J'ai perdu mes chèques de voyage. ジェ ペルデュ メ シェック ドゥ ヴォワイヤージュ
⑫再発行してもらえますか *Saihakkō shite moraemasu ka?*	Can I have them reissued? キャナイ ハヴ ゼム リイシュード	Pourriez-vous m'en faire refaire? プーリエ ヴー マン フェール ルフェール
⑬事故証明書を下さい *Jiko shōmeisho o kudasai.*	May I have a copy of the accident report? メイ アイ ハヴ ア カピー アヴ スィ アクスィデント リポート	Donnez-moi l'attestation d'accident. ドネ モワ ラテスタスィオン ダクシダン
⑭盗難証明書を作って下さい *Tōnan shōmeisho o tsukutte kudasai.*	Please make out a theft report. プリーズ メイク アウト ア セフト リポート	Donnez-moi le certificat de déclaration de vol. ドネ モワ ル セルティフィカ ドゥ デクララスィオン ドゥ ヴォル
⑮警察 *keisatsu*	police ポリース	le commissariat de police ル コミサリア ドゥ ポリス
⑯警察官 *keisatsukan*	policeman ポリースマン	l'agent de police ラジャン ドゥ ポリス
⑰交番 *kōban*	police box ポリース バックス	le poste de police ル ポスト ドゥ ポリス

284

ドイツ語 DEUTSCH	イタリア語 ITALIANO	スペイン語 ESPAÑOL
Wo ist das Fundbüro? ヴォー イスト ダス フントビュロー	**Dov'è l'ufficio smarrimento?** ドヴェ ルッフィーチョ ズマルリメント	**¿Donde está la oficina de objetos perdidos?** ドンデ エスター ラ オフィシーナ デ オブヘートス ペルディードス
Ich habe meine Reiseschecks verloren. イヒ ハーベ マイネ ライゼシェックス フェアローレン	**Ho perduto i miei travellers cheques.** オ ペルドゥート イ ミエイ トラベラーズ シェックエ	**He perdido los cheques viajero.** エ ペルディード ロス チェケス ビアヘーロ
Kann ich neue Schecks haben? カン イヒ ノイエ シェックス ハーベン	**Può rilasciarmeli di nuovo?** プオ リラッシャルメリ ディ ヌオーヴォ	**¿Podría emitirlos de nuevo?** ポドゥリーア エミティールロス デ ヌエボ
Geben Sie mir bitte eine Unfallbescheinigung? ゲーベン ズィー ミーア ビッテ アイネ ウンファルベシャイニグング	**Mi dia un certificato dell'incidente.** ミ ディーア ウン チェルティフィカート デッリンチデンテ	**Por favor, déme el certificado de accidente.** ポール ファボール デーメ エル セルティフィカード デ アクシデンテ
Stellen Sie mir bitte eine Bescheinigung über den Diebstahl aus. シュテレン ズィー ミーア ビッテ アイネ ベシャイニグング ユーバー デン ディープシュタール アウス	**Mi può fare un certificato di furto?** ミ プオ ファーレ ウン チェルティフィカート ディ フルト	**Por favor, hágame el certificado de robado.** ポール ファボール アーガメ エル セルティフィカード デ ロバード
die Polizei ディ ポリツァイ	**la polizia** ラ ポリツィーア	**la policía** ラ ポリシーア
der Polizist デア ポリツィスト	**il poliziotto** イル ポリツィオット	**el agente de policía** エル アヘンテ デ ポリシーア
die Polizeiwache ディ ポリツァイヴァッヘ	**il commissariato di polizia** イル コンミッサリアート ・ ディ ポリツィーア	**el puesto de policía** エル プエスト デ ポリシーア

日本語 JAPANESE	英 語 ENGLISH	フランス語 FRANÇAIS
⑱パトカー *patokā*	patrol car パトロウル カー	la voiture de police ラ ヴォワテュール ドゥ ポリス
⑲日本大使館 *nihon taishikan*	Japanese Embassy チャパニーズ エンバスィー	l'Ambassade du Japon ランバサード デュ ジャポン
⑳日本領事館 *nihon ryōjikan*	Japanese Consulate チャパニーズ カンサリット	le consulat du Japon ル コンシュラ デュ ジャポン
㉑現金 *genkin*	cash キャッシュ	l'argent liquide ラルジャン リキード
㉒貴金属 *kikinzoku*	precious metals プレシャス メトルズ	les métaux précieux レ メトー プレシュー
㉓パスポート *pasupōto*	passport パスポート	le passeport ル パスポール
㉔財布 *saifu*	purse／wallet パース ワレット	la portefeuille ラ ポルトフイユ
病 気 *Byōki*	**ILLNESS** イルネス	**MALADIE** マラディー
❶病院へ連れて行って下さい *Byōin e tsurete itte kudasai.*	Please take me to the hospital. プリーズ テイク ミー トゥ ザ ハスピタル	Conduisez-moi à l'hôpital, s'il vous plaît. コンデュイゼ モワ ア ロピタル スィル ヴー プレ
❷医師を呼んで下さい *Ishi o yonde kudasai.*	Call a doctor, please. コール ア ダクター プリーズ	Veuillez appeler un médecin. ヴィエ アプレ アン メドサン

ドイツ語 DEUTSCH	イタリア語 ITALIANO	スペイン語 ESPAÑOL
der Streifenwagen デア シュトライフェンヴァーゲン	**la macchina della pattuglia** ラ マッキナ デッラ パットゥリア	**el coche patrulla de policía** エル コチェ パトゥルージャ デ ポリシーア
die japanische Botschaft ディ ヤパーニッシェ ボートシャフト	**l'ambasciata del Giappone** ランバシャータ デル ジャッポーネ	**la Embajada de Japón** ラ エンバハーダ デ ハポン
das japanische Konsulat ダス ヤパーニッシェ コンズラート	**il consolato del Giappone** イル コンソラート デル ジャッポーネ	**el Consulado de Japón** エル コンスラード デ ハポン
das Bargeld ダス バーゲルト	**il denaro contante** イル デナーロ コンタンテ	**el efectivo** エル エフェクティーボ
die Edelmetalle ディ エーデルメタレ	**Metalli preziosi** メタッリ プレツィオッシ	**los metales preciosos** ロス メターレス プレシオーソス
der Reisepaß デア ライゼパス	**il passaporto** イル パッサポルト	**el pasaporte** エル パサポルテ
die Geldtasche ディ ゲルトタッシェ	**il portafogli** イル ポルタフォッリ	**la cartera** ラ カルテーラ
KRANKHEIT クランクハイト	**MALATTIA** マラッティーア	**ENFERMEDADES** エンフェルメダーデス
Bitte, bringen Sie mich ビッテ ブリンゲン ズィー ミヒ **zum Krankenhaus.** ツーム クランケンハウス	**Mi porti all'ospedale.** ミ ポルティ アッロスペダーレ	**Lléveme al hospital, por** ジェーベメ アル オスピタル ポール **favor.** ファボール
Rufen Sie bitte einen Arzt. ルーフェン スィー ビッテ アイネン アルツト	**Mi chiami un dottore.** ミ キアーミ ウン ドットーレ	**Llame a un médico, por favor.** ジャーメ ア ウン メディコ ポール ファボール

紛失・病気

❸気分が悪い
Kibun ga warui.
| I feel sick.
アイ フィール スィック
| Je me sens mal.
ジュ ム サン マル

❹熱がある
Netsu ga aru.
| I have a fever.
アイ ハヴ ア フィーヴァー
| J'ai de la fièvre.
ジェ ドゥ ラ フィエーヴル

❺頭〔胃・歯〕がいたい
Atama [i, ha] ga itai.
| I have a *headache* [stomachache,
アイ ハヴ ア ヘディク 〔スタマックイク
toothache].
トゥースエイク〕
| J'ai mal *à la tête* [à l'éstomac,
ジェ マ ラ ラ テート 〔ア レストマ
aux dents]
オー ダン〕

❻目まいがする
Memai ga suru.
| I feel dizzy.
アイ フィール ディスィ
| La tête me tourne.
ラ テート ム トゥールヌ

❼ここが痛い
Koko ga itai.
| I have a pain here.
アイ ハヴ ア ペイン ヒア
| J'ai une douleur ici.
ジェ ユヌ ドゥルール イスィ

❽寒けがする
Samuke ga suru.
| I have chills.
アイ ハヴ チルズ
| J'ai des frissons.
ジェ デ フリソン

❾下痢をした
Geri o shita.
| I have diarrhea.
アイ ハヴ ダイアリア
| J'ai la diarrhée.
ジェ ラ ディアレ

❿風邪をひいた
Kaze o hiita.
| I have a cold.
アイ ハヴ ア コウルド
| J'ai un rhume.
ジェ アン リューム

⓫私の血液型は ～ です
Watashi no ketsuekigata wa ～ desu.
| My blood type is ～.
マイ ブラッド タイプ イズ ～
| Je suis du groupe sanguin ～.
ジュ スイ デュ グループ サンギュアン ～

⓬私はアレルギー体質です
Watashi wa arerugi taishitsu desu.
| I have allergies.
アイ ハヴ アレルチーズ
| J'ai une tendance à l'allergie.
ジェ ユヌ タンダンス ア ラレルジ

ドイツ語 DEUTSCH	イタリア語 ITALIANO	スペイン語 ESPAÑOL ✚
Ich fühle mich nicht wohl. イヒ フューレ ミヒ ニヒト ヴォール	**Mi sento male.** ミ セント マーレ	**Me siento mal** メ シエント マル
Ich habe Fieber. イヒ ハーベ フィーバー	**Ho febbre.** オ フェッブレ	**Tengo fiebre.** テンゴ フィエブレ
Ich habe *Kopfschmerzen* [Leib- イヒ ハーベ コップフシュメルツェン [ライブ **schmerzen, Zahnschmerzen].** シュメルツェン ツァーンシュメルツェン]	**Ho mal di *testa* [stomaco,** オ マル ディ テスタ [ストマコ **denti].** デンティ]	**Tengo dolor de *cabeza*** テンゴ ドロール デ カベッサ **[estómago, muelas].** [エストマゴ ムエラス]
Ich fühle mich schwindelig. イヒ フューレ ミヒ シュヴィンデリッヒ	**Ho le vertigini.** オ レ ヴェルティージニ	**Siento vértigo.** シエント ベルティゴ
Es schmerzt hier. エス シュメルツト ヒア	**Mi fa male qui.** ミ ファ マーレ クイ	**Me duele aquí.** メ ドゥエレ アキィ
Ich habe Schüttelfrost. イヒ ハーベ シュッテルフロスト	**Ho freddo.** オ フレッド	**Siento escalofríos.** シエント エスカロフリオス
Ich habe Durchfall. イヒ ハーベ ドゥルヒファル	**Ho la diarrea.** オ ラ ディアレーア	**Tengo diarrea.** テンゴ ディアレア
Ich habe mich erkältet. イヒ ハーベ ミヒ エアケルテット	**Sono raffreddato.** ソーノ ラッフレッダート	**Estoy *resfriado* [resfriada].** エストイ レスフリアード [レスフリアーダ]
Ich bin Blutgruppe ~. イヒ ビン ブルートグルッペ ~	**Il mio gruppo sanguigno è ~.** イル ミオ グルッポ サングイーニョ エ ~	**Mi grupo sanguíneo es ~.** ミ グルーポ サンギーネオ エス~
Ich habe eine Allergie gegen~. イヒ ハーベ アイネ アレルギー ゲーゲン ~	**Sono allergico.** ソーノ アッルルジコ	**Tengo predisposición alérgica.** テンゴ プレディスポシシオン アレルヒカ

⓭入院しなければいけませんか
Nyūin shinakereba ikemasen ka?

Must I enter the hospital?
マスト アイ エンター ザ ハスピタル

Dois-je entrer à l'hôpital?
ドゥ ジュアントレ ア ロピタル

⓮旅行を続けてもよろしいです か
Ryokō o tsuzuketemo yoroshii desu ka?

Can I continue my trip?
キャナイ カンティニュー マイトリップ

Puis-je continuer mon voyage?
ピュイ ジュ コンティニュエ モン ヴォワイヤージュ

⓯何日くらい安静が必要ですか
Nannichi kurai ansei ga hitsuyō desu ka?

How long must I rest?
ハウ ロング マスト アイレスト

Combien de jours faut-il garder le lit?
コンビアン ドゥ ジュール フォーティル ガルデ ル リ

⓰どのくらいで全快しますか
Dono kurai de zenkai shimasu ka?

How long will it take to recover?
ハウ ロング ウィル イット テイクトゥ リカヴァー

Combien de temps vais-je mettre pour me rétablir?
コンビアン ドゥ タン ヴェ ジュメットル プール ム レタブリール

⓱相かわらずよくない
Aikawarazu yokunai.

I still don't feel well.
アイ スティルドウント フィールウェル

Je ne me sens toujours pas mieux.
ジュヌ ム サン トゥジュールパ ミュー

⓲少し〔大変〕よくなりました
Sukoshi 〔Taihen〕 yoku narimashita.

I feel *a little* [much] better.
アイ フィールアリトル 〔マッチ〕 ベター

Je me sens *un peu* [beaucoup] mieux.
ジュ ム サン アン プー 〔ボークー〕 ミュー

ドイツ語 DEUTSCH	イタリア語 ITALIANO	スペイン語 ESPAÑOL
Muß ich ins Krankenhaus gehen? ムス 化 インス クランケンハウス ゲーエン？	**Dovrei entrare all'ospedale?** ドヴレイ エントゥラーレ アッロスペダーレ	**¿Tengo que hospitalizarme** テンゴ ケ オスピタリサールメー
Kann ich meine Reise fortsetzen? カン 化 マイネ ライゼ フォルトゼッツェン？	**Posso continuare il viaggio?** ポッソ コンティヌアーレ イル ヴィアッジョ	**¿Puedo continuar mi viaje?** プエド コンチヌアール ミ ビアッヘ
Wie lange muß ich mich ruhig verhalten? ヴィー ランゲ ムス 化 ミヒ ルーイヒ フェアハルテン？	**Per quanto tempo devo stare fermo?** ペル クアント テンポ デーヴォ スターレ フェルモ	**¿Cuánto tiempo tengo que guardar reposo?** クアント ティエンポ テンゴ ケ グアルダール レポーソ
Wie lange wird es dauern, bis ich wieder hergestellt bin? ヴィー ランゲ ヴィルト エス ダウエルン ビス 化 ヴィーダー ヘアゲシュテルト ビン	**Quanto tempo mi ci vuole per guarire completamente?** クアント テンポ ミ チ ヴォーレ ペル グアリーレ コンプレタメンテ	**¿Cuánto tardará en curarme?** クアント タルダラー エン クラールメ
Ich fühle mich noch nicht wohl. 化 フューレ ミヒ ノホ ニヒト ヴォール	**Non mi sento ancora bene.** ノン ミ セント アンコーラ ベーネ	**No me encuentro todavía bien.** ノー メ エンクエントロ トダビア ビエン
Ich fühle mich *etwas* [viel] besser. 化 フューレ ミヒ エトヴァス ［フィール］ベッサー	**Mi sento *un po'* [molto] meglio.** ミ セント ウン ポ ［モルト］ メッリオ	**Me encuentro *un poco* [mucho] mejor.** メ エンクエントロ ウン ポコ ［ムーチョ］ メホール

291

日本語 JAPANESE	英 語 ENGLISH	フランス語 FRANÇAIS
⓲薬は何回飲むのですか *Kusuri wa nankai nomu no desu ka?*	How often do I take the medicine? ハウ オフン ドゥ アイ テイク ザ メディスン？	Combien de fois dois-je prendre les médicaments？ コンビアン ドゥ ホワ ドゥ ジュ プランドル レ メディカマン
⓴領収証 *ryōshushō*	receipt リスィート	le reçu ル ルッシュー
㉑診断書 *shindansho*	health certificate ヘルス サティフィケット	le certificat médical ル セルティフィカ メディカル
㉒救急車 *kyūkyūsha*	ambulance アンビュランス	l'ambulance ランビュランス
㉓医師 *ishi*	doctor ダクター	le médecin ル メドサン
㉔内科医 *naikai*	physician フィズィシャン	le médecin des maladies internes ル メドサン デ マラディー アンテルヌ
㉕外科医 *gekai*	surgeon サーチャン	le chirurgien ル シルルジアン
㉖眼科医 *gankai*	oculist アキュリスト	l'ophtalmologiste ロプタルモロジスト
㉗歯科医 *shikai*	dentist デンティスト	le dentiste ル ダンティスト
㉘婦人科医 *fujinkai*	gynecologist ガイニコラジスト	le gynécologue ル ジネコローグ
㉙看護婦 *kangofu*	nurse ナース	l'infirmière ランフィルミエール
㉚注射 *chūsha*	injection インチェクシュン	la piqûre ラ ピキュール

ドイツ語 DEUTSCH	イタリア語 ITALIANO	スペイン語 ESPAÑOL
Wie oft muß ich diese ヴィー オフト ムス 化 ディーゼ **Medizin nehmen?** メディツィン ネーメン?	**Quante volte devo prendere** クアンテ ヴォルテ デーヴォ プレンデレ **la medicina?** ラ メディチーナ?	**¿Cuántas veces tengo que** クアンタス ベッセス テンゴ ケ **tomar la medicina?** トマール ラ メディシーナ
die Quittung ディ グヴィットゥング	**la ricevuta** ラ リチェヴータ	**el recibo** エル レシーボ
die schriftliche Diagnose ディ シュリフトリヒェ ディアグノーゼ	**il certificato diagnostico** イル チェルティフィカート ディアニョスティコ	**el certificado del médico** エル セルティフィカード デル メーディコ
der Krankenwagen デア クランケンヴァーゲン	**l'ambulanza** ランブランツァ	**la ambulancia** ラ アンブランシア
der Arzt デア アルツト	**il dottore / il medico** イル ドットーレ イル メーディコ	**el médico** エル メーディコ
der Internist デア インテルニスト	**l'internista** リンテルニスタ	*el* [la] **internista** エル [ラ] インテルニスタ
der Chirurg デア ヒルルク	**il chirurgo** イル キルルゴ	**el cirujano / la cirujana** エル シルハーノ ラ シルハーナ
der Augenarzt デア アウゲンアルツト	**l'oculista** ロクリスタ	*el* [la] **oculista** エル [ラ] オクリスタ
der Zahnarzt デア ツァーンアルツト	**il dentista** イル デンティスタ	*el* [la] **dentista** エル [ラ] デンティスタ
der Frauenarzt デア フラウエンアルツト	**il ginecologo** イル ジネコロゴ	**el ginecólogo / la ginecóloga** エル ヒネコロゴ ラ ヒネコロガ
die Krankenschwester ディ クランケンシュヴェスター	**l'infermiera** リンフェルミエーラ	**la enfermera** ラ エンフェルメラ
die Injektion ディ インイェクツィオーン	**l'iniezione** リニエツィオーネ	**la inyección** ラ インジェクシオン

293

日本語 JAPANESE	英 語 ENGLISH	フランス語 FRANÇAIS
㉛薬 *kusuri*	medicine メディスン	le médicament ル メディカマン
㉜処方箋 *shohōsen*	prescription プリスクリプション	l'ordonnance ロルドナンス
㉝食あたり *shokuatari*	indigestion / food poisoning インディチェスチュン　フード ポイズニング	l'intoxication alimentaire ラントクシカシオン　アリマンテール
㉞肺炎 *haien*	pneumonia ニューモウニア	la pneumonie ラ プヌーモニー
㉟盲腸炎 *mōchōen*	appendicitis アペンディサイティス	l'appendicite ラパンディシット
㊱手術 *shujutsu*	operation アパレイシュン	l'opération ロペラシオン
㊲じんましん *jinmashin*	hives ハイヴズ	l'urticaire リュルティケール
㊳神経痛 *shinkeitsū*	neuralgia ニュラルヂァ	la névralgie ラ ネヴラルヂー
㊴心臓 ／肝臓 *shinzō　kanzō*	heart / liver ハート　リヴァー	le coeur / le foie ル クール　ル ホワ
㊵口 ／のど *kuchi　nodo*	mouth / throat マウス　スロウト	la bouche / la gorge ラ ブッシュ　ラ ゴルジュ
㊶鼻 ／耳 *hana　mimi*	nose / ear ノウズ　イア	le nez / l'oreille ル ネ　ロレイユ
㊷頭 *atama*	head ヘッド	la tête ラ テート
㊸手／腕 *te　ude*	hand / arm ハンド　アーム	la main / le bras ラ マン　ル ブラ

ドイツ語 DEUTSCH	イタリア語 ITALIANO	スペイン語 ESPAÑOL
die Medizin ディ メディツィン	**la medicina** ラ メディチーナ	**la medicina** ラ メディシィナ
das Rezept ダス レツェプト	**la ricetta** ラ リチェッタ	**la prescripción / la receta** ラ プレスクリプシオン　ラ レセータ
die Lebensmittelvergiftung ディ レーベンスミッテルフェアギフトゥング	**l'intossicazione alimentare** リントッシカツィオーネ　アリメンターレ	**la intoxicación por la comida** ラ イントシカシオン　ポール ラ コミーダ
die Lungenentzündung ディ ルンゲンエントツュンドゥング	**la polmonite** ラ ポルモニーテ	**la pulmonía** ラ プルモニーア
die Blinddarmentzündung ディ ブリントダルムエントツュンドゥング	**l'appendicite** ラッペンディーチテ	**la apendicitis** ラ アペンディシティス
die Operation ディ オペラツィオーン	**l'operazione** ロペラツィオーネ	**la operación** ラ オペラシオン
der Nesselausschlag デア ネッセルアウスシュラーク	**l'urticaria** ルルティカーリア	**la urticaria** ラ ウルティカリア
der Nervenschmerz デア ネルフェンシュメルツ	**la nevralgia** ラ ネヴラルジーア	**la neuralgia** ラ ネウラルヒア
das Herz / die Leber ダス ヘルツ　ディ レーバー	**il cuore / il fegato** イル クオーレ　イル フェーガト	**el corazón / el hígado** エル コラソン　エル イガード
der Mund / die Kehle デア ムント　ディ ケーレ	**la bocca / la gola** ラ ボッカ　ラ ゴーラ	**la boca / la garganta** ラ ボーカ　ラ ガルガンタ
die Nase / das Ohr ディ ナーゼ　ダス オール	**il naso / l'orecchio** イル ナーゾ　ロレッキオ	**la nariz / las orejas** ラ ナリース　ラス オレッハス
der Kopf デア コップフ	**la testa** ラ テスタ	**la cabeza** ラ カベッサ
die Hand / der Arm ディ ハント　デア アルム	**la mano / il braccio** ラ マーノ　イル ブラッチョ	**la mano / el brazo** ラ マーノ　エル ブラーソ

日本語 JAPANESE	英 語 ENGLISH	フランス語 FRANÇAIS
㊹足／脚 *ashi　ashi*	**foot ／ leg** フット　レッグ	**le pied ／ la jambe** ル ピエ　ラ ジャンブ
㊺背中 *senaka*	**back** バック	**le dos** ル ド
㊻腰 *koshi*	**waist** ウェイスト	**la hanche** ラ アンシュ
㊼胸 *mune*	**chest** チェスト	**la poitrine** ラ ポワトリーヌ
㊽血圧 *ketsuatsu*	**blood pressure** ブラッド プレッシャー	**la tension artérielle** ラ タンシオン アルテリエル
㊾脈はく *myakuhaku*	**pulse** パルス	**le pouls** ル プー
㊿体温 *taion*	**temperature** テンプラチュア	**la température du corps** ラ タンペラテュール デュ コール
薬 局 *Yakkyoku*	**PHARMACY** ファーマスィー	**PHARMACIE** ファルマシー
❶この処方箋で薬を下さい *Kono shohōsen de kusuri o kudasai.*	**Please fill this prescription.** プリーズ フィル スィス プリスクリプシュン	**Voulez-vous me donner les mé-** ヴーレ ヴー ム ドネ レ メ **dicaments de cette ordonnance?** ディカマン ドゥ セット オルドナンス
❷風邪〔腹〕薬を下さい。処方 *Kaze〔Hara〕gusuri o kudasai.* 箋はありませんが *Shohōsen wa arimasen ga.*	**Some *cold* [stomach] medicine,** サム コウルド [スタマック] メディスン **please. I don't have a prescrip-** プリーズ アイ ドゥント ハヴ ア プリスクリプ **tion.** シュン	**Puis-je me procurer des médica-** ピュイ ジュム プロキュレ デ メディカ **ments *contre le rhume* [pour** マン コントル ル リュム [プール **l'intestin] sans ordonnance?** ランテスタン] サン ゾルドナンス

ドイツ語 DEUTSCH	イタリア語 ITALIANO	スペイン語 ESPAÑOL
der Fuß / **das Bein** デア フース　ダス バイン	**il piede** / **la gamba** イル ピエーデ　ラ ガンバ	**el pie** / **la pierna** エル ピエ　ラ ピエルナ
der Rücken デア リュッケン	**la schiena** ラ スキエーナ	**la espalda** ラ エスパルダ
die Hüfte ディ ヒュフテ	**il fianco** イル フィアンコ	**la cintura** ラ シントゥラ
die Brust ディ ブルスト	**il petto** イル ペット	**el pecho** エル ペチョ
der Blutdruck デア ブルートドルック	**la pressione sanguigna** ラ プレッシオーネ サングィーニャ	**la presión arterial** ラ プレシオン アルテリアル
der Puls デア プルス	**il polso** イル ポルソ	**el pulso** エル プルソ
die Temperatur ディ テムペラトゥール	**la temperatura** ラ テンペラトゥーラ	**la temperatura del cuerpo** ラ テンペラトゥラ　デル クエルポ

APOTHEKE アポテーケ	FARMACIA ファルマチーア	FARMACIA ファルマシア
Bitte, geben Sie mir dieses ビッテ　ゲーベン スィー ミーア ディーゼス **Rezept.** レツェプト	**Mi da una medicina con** ミ ダ ウナ メディチーナ コン **questa ricetta ?** クエスタ リチェッタ	**Por favor, déme la medicina** ポール ファボール デーメ ラ メディシーナ **de esta receta.** デ エスタ レセータ
Ein Mittel gegen _Erkältung_ アイン ミッテル ゲーゲン エアケルトゥング **[Bauchschmerzen] bitte. Ich** [バウフシュメルツェン]　ビッテ　イヒ **habe kein Rezept.** ハーベ カイン レツェプト	**Mi dia una medicina _contro_** ミ ディーア ウナ メディチーナ コントロ **[la diarrea], benchè non ho** [ラ ディアレーア]　ベンケ　ノ ノ **ricetta.** リチェッタ	**Déme medicina para el** デーメ メディシーナ パラ エル **_resfriado_ [intestinos]. Aunque** レスフリアード [インテスティーノス] アウンケ **no tengo receta.** ノー テンゴ レセータ

297

日本語 JAPANESE	英 語 ENGLISH	フランス語 FRANÇAIS
❸脱脂綿 *dasshimen*	**absorbent cotton** アブソーベント カトゥン	**le coton hydrophile** ル コトン イドロフィル
❹絆創膏 *bansōkō*	**adhesive tape** アドヒースィヴ テイプ	**le sparadrap** ル スパラドラ
❺包帯／ガーゼ *hōtai gāze*	**bandage ／ gauze** バンデッヂ ゴーズ	**le pansement ／ la gaze** ル パンスマン ラ ガーズ
❻ヨードチンキ *yōdo chinki*	**tincture of iodine** ティンクチャー アヴ アイアダイン	**la teinture d'iode** ラ タンテュール ディオード
❼軟膏 *nankō*	**salve** サーヴ	**la pommade** ラ ポマード
❽アスピリン *asupirin*	**aspirin** アスパリン	**l'aspirine** ラスピリーヌ
❾風邪薬 *kazegusuri*	**cold medicine** コウルド メディスン	**le médicament contre le rhume** ル メディカマン コントル ル リュム
❿睡眠薬 *suimin-yaku*	**sleeping pill** スリーピング ピル	**le somnifère** ル ソムニフェール
⓫鎮痛剤 *chintsūzai*	**pain-killer** ペイン キラー	**le calmant** ル カルマン
⓬目薬 *megusuri*	**eyedrops** アイドラップス	**les gouttes pour les yeux** レ グート プール レ ジュー
⓭胃腸薬 *ichōyaku*	**stomach medicine** スタマック メディスン	**le médicament pour l'estomac et** ル メディカマン プール レストマ エ **les intestins** レ ザンテスタン

ドイツ語 DEUTSCH	イタリア語 ITALIANO	スペイン語 ESPAÑOL ✚
die Watte ディ ヴァッテ	il cotone イル コトーネ	el algodón absorbente エル アルゴドン アブソルベンテ
das Leukoplast ダス ロイコプラスト	il cerotto イル チェロット	el esparadrapo エル エスパラドラーポ
die Binde / die Gaze ディ ビンデ　ディ ガーゼ	la fascia / la garza ラ ファッシャ　ラ ガルツァ	la venda / la gasa ラ ベンダ　ラ ガーサ
die Jodtinktur ディ ヨードティンクトゥール	la tintura d'iodio ラ ティントゥーラ ディオーディオ	la tintura de yodo ラ ティントゥラ デ ジョード
die Salbe ディ ザルベ	l'unguento ルングエント	la pomada ラ ポマーダ
das Aspirin ダス アスピリン	l'aspirina ラスピリーナ	la aspirina ラ アスピリーナ
die Medizin gegen Erkältung ディ メディツィン ゲーゲン エアケルトゥング	la medicina contro il raffreddore ラ メディチーナ コントロ イル ラッフレッドーレ	la medicina contra el resfriado ラ メディシィナ コントラ エル レスフリアード
das Schlafmittel ダス シュラーフミッテル	il sonnifero イル ソンニーフェロ	las pastillas para dormir ラス パスティージャス パラ ドルミール
die schmerzstillende Medizin ディ シュメルツシュティレンデ メディツィン	il tranquillante イル トランクイッランテ	el calmante エル カルマンテ
die Augentropfen ディ アウゲントロップフェン	il collirio per occhi イル コッリーリオ ペル オッキ	la loción para los ojos ラ ロシオン パラ ロス オッホス
die Medizin für Magen und Darm ディ メディツィン フューア マーゲン ウント ダルム	la medicina per lo stomaco e l'intestino ラ メディチーナ ペル ロ ストマコ エ リンテスティーノ	la medicina para el estómago y el intestino ラ メディシィナ パラ エル エストマゴ イ エル インテスティーノ

♣**荷物整理** 帰国前夜には，必ず荷物整理をしておくこと。日本の税関で荷物を調べられるとき恥をかかなくて済むし，忘れ物のチェックにもなる。

● パスポート，現金，貴重品類は，絶対スーツケースには入れない。

● みやげ類は，税関の係員が調べやすいように，ひとまとめにしておく。

● 機内持ち込み荷物は，できるだけ一つにまとめておく。

● 貴重品類の有無を確認する。

♣**日本帰国時の免税範囲**は次の通り。

● 酒類　760cc程度のもの３本まで。

● 香水　２オンス。

♣**税関申告書**が機内で配られる。免税の範囲内のものも含めて，正直に記入すること。税関を通る時には，携帯品が免税範囲内なら緑ランプの検査台へ，免税範囲を超えたり，不確かな場合は赤ランプの方へ並ぶ。

● 外国製タバコ　紙巻タバコ200本。葉巻だと50本。刻みタバコは250gまで。２種類以上のタバコを持ち込むときは，合計で250gまで。なお，日本製タバコは外国製タバコとは別に，前述の数量まで持ち込める。

● その他の品目　１品目１万円を超えるものの合計が，20万円まで。たとえば，ネクタイ４本で１万円なら，申告する必要はない。スカーフ３枚で１万2000円の場合は，税関申告書に記入しなければならない。なお，海外市価とは，海外での標準小売価格をいう。ただし，現実には実際支払った額を申告すればよい。また，未成年者の場合は，酒・タバコ類が免税の範囲内であっても課税される。

♣**特恵税率適用品**が，国により定められている。これは，その国の経済発展を支援するためのもので，韓国の高麗ニンジン，タイのルビー，中国のじゅうたん，陶磁器などがこれにあたる。これらは，免税範囲を超えていても，無税かごくわずかの税額を納めるだけで，日本に持ち帰れる。税関などに問い合わせて，調べておくとよい。

トラベル・メモ

11

日本語 JAPANESE	英語 ENGLISH	フランス語 FRANÇAIS
数字 *Sūji*	**NUMBERS** ナンバーズ	**CHIFFRES** シッフル
❶基数 *kisū*	cardinal numbers カーディナル ナンバーズ	nombres cardinaux ノンブル カルディノー
❷序数 *josū*	ordinal numbers オーディナル ナンバーズ	nombres ordinaux ノンブル オルディノー
❸ 0 *rei*	zero ズィロウ	zéro ゼロ
❹ 1／第 1 *ichi dai ichi*	one ／ first ワン ファースト	un ／ premier アン プルミエ
❺ 2／第 2 *ni dai ni*	two ／ second トゥー セカンド	deux ／ deuxième ドゥー ドゥージエーム
❻ 3／第 3 *san dai san*	three ／ third スリー サード	trois ／ troisième トロワ トロワジエーム
❼ 4／第 4 *yon dai yon*	four ／ fourth フォー フォース	quatre ／ quatrième カトル カトリエーム
❽ 5／第 5 *go dai go*	five ／ fifth ファイヴ フィフス	cinq ／ cinquième サンク サンキエーム
❾ 6／第 6 *roku dai roku*	six ／ sixth スィックス スィックスス	six ／ sixième シス シジエーム
❿ 7 ／第 7 *nana dai nana*	seven ／ seventh セヴン セヴンス	sept ／ septième セット セッティエーム
⓫ 8 ／第 8 *hachi dai hachi*	eight ／ eighth エイト エイツ	huit ／ huitième ユイット ユイッティエーム
⓬ 9 ／第 9 *kyū dai ku*	nine ／ ninth ナイン ナインス	neuf ／ neuvième ヌフ ヌヴィエーム

ドイツ語 DEUTSCH	イタリア語 ITALIANO	スペイン語 ESPAÑOL
ZAHLEN ツァーレン	**NUMERI** ヌーメリ	**NÚMEROS** ヌーメロス
Grundzahlen グルントツァーレン	**numeri cardinari** ヌーメリ　カルディナーリ	**números cardinales** ヌーメロス　カルディナーレス
Ordnungszahlen オルドヌングスツァーレン	**numeri ordinari** ヌーメリ　オルディナーリ	**números ordinales** ヌーメロス　オルディナーレス
null ヌル	**zero** ゼーロ	**cero** セロ
eins / **(der, die, das) erste** アインス　（デア　ディ　ダス）エルステ	**uno** / **primo** ウーノ　プリモ	**uno** / **primero** ウノ　プリメロ
zwei / **zweite** ツヴァイ　ツヴァイテ	**due** / **secondo** ドゥーエ　セコンド	**dos** / **segundo** ドス　セグンド
drei / **dritte** ドライ　ドリッテ	**tre** / **terzo** トゥレ　テルツォ	**tres** / **tercero** トゥレス　テルセーロ
vier / **vierte** フィーア　フィーアテ	**quattro** / **quarto** クアットロ　クワルト	**cuatro** / **cuarto** クアトゥロ　クアルト
fünf / **fünfte** フュンフ　フュンフテ	**cinque** / **quinto** チンクエ　クイント	**cinco** / **quinto** シンコ　キント
sechs / **sechste** ゼクス　ゼクステ	**sei** / **sesto** セーイ　セスト	**seis** / **sexto** セイス　セスト
sieben / **siebte** ズィーベン　ズィーブテ	**sette** / **settimo** セッテ　セッティモ	**siete** / **séptimo** シエテ　セプティモ
acht / **achte** アハト　アハテ	**otto** / **ottavo** オット　オッターヴォ	**ocho** / **octavo** オッチョ　オクターボ
neun / **neunte** ノイン　ノインテ	**nove** / **nono** ノーヴェ　ノーノ	**nueve** / **noveno** ヌエベ　ノベノ

11

基本用語

日本語 JAPANESE	英 語 ENGLISH	フランス語 FRANÇAIS
⑬ 10 ／第10 *jū dai jū*	**ten** ／ **tenth** テン　　テンス	**dix** ／ **dixième** ディス　ディジエーム
⑭ 11 ／第11 *jūichi dai jūichi*	**eleven** ／ **eleventh** イレヴン　イレヴンス	**onze** ／ **onzième** オーンズ　オーンジエーム
⑮ 12 ／第12 *jūni dai jūni*	**twelve** ／ **twelfth** トウェルヴ　トウェルフス	**douze** ／ **douzième** ドゥーズ　ドゥージエーム
⑯ 13 ／第13 *jūsan dai jūsan*	**thirteen** ／ **thirteenth** サーティーン　サーティーンス	**treize** ／ **treizième** トゥレーズ　トゥレージエーム
⑰ 14 ／第14 *jūshi dai jūyon*	**fourteen** ／ **fourteenth** フォーティーン　フォーティーンス	**quatorze** ／ **quatorzième** カトールズ　カトールジエーム
⑱ 15 ／第15 *jūgo dai jūgo*	**fifteen** ／ **fifteenth** フィフティーン　フィフティーンス	**quinze** ／ **quinzième** カーンズ　カーンジエーム
⑲ 16 ／第16 *jūroku dai jūroku*	**sixteen** ／ **sixteenth** スィックスティーン　スィックスティーンス	**seize** ／ **seizième** セーズ　セージエーム
⑳ 17 ／第17 *jūnana dai jūnana*	**seventeen** ／ **seventeenth** セヴンティーン　セヴンティーンス	**dix-sept** ／ **dix-septième** ディセット　ディセッティエーム
㉑ 18 ／第18 *jūhachi dai jūhachi*	**eighteen** ／ **eighteenth** エイティーン　エイティーンス	**dix-huit** ／ **dix-huitième** ディジュイット　ディジュイッティエーム
㉒ 19 ／第19 *jūku dai jūku*	**nineteen** ／ **nineteenth** ナインティーン　ナインティーンス	**dix-neuf** ／ **dix-neuvième** ディズヌフ　ディズヌーヴィエーム
㉓ 20 ／第20 *nijū dai nijū*	**twenty** ／ **twentieth** トウェンティ　トウェンティエス	**vingt** ／ **vingtième** ヴァン　ヴァンティエーム
㉔ 30 ／第30 *sanjū dai sanjū*	**thirty** ／ **thirtieth** サーティ　サーティエス	**trente** ／ **trentième** トラント　トランティエーム

ドイツ語 DEUTSCH	イタリア語 ITALIANO	スペイン語 ESPAÑOL
zehn / zehnte ツェーン　ツェーンテ	dieci / decimo ディエーチ　デチモ	diez / décimo ディエス　デシモ
elf / elfte エルフ　エルフテ	undici / undicesimo ウンディチ　ウンディチェージモ	once / undécimo オンセ　ウンデシモ
zwölf / zwölfte ツヴェルフ　ツヴェルフテ	dodici / dodicesimo ドーディチ　ドディチェージモ	doce / duodécimo ドーセ　ドゥオデシモ
dreizehn / dreizehnte ドライツェーン　ドライツェーンテ	tredici / tredicesimo トゥレーディチ　トゥレディチェージモ	trece / décimo tercero トレセ　デシモ　テルセーロ
vierzehn / vierzehnte フィーアツェーン　フィーアツェーンテ	quattordici / quattordicesimo クアットルディチ　クアットルディチェージモ	catorce / décimo cuarto カトルセ　デシモ　クアルト
fünfzehn / fünfzehnte フュンフツェーン　フュンフツェーンテ	quindici / quindicesimo クインディチ　クインディチェージモ	quince / décimo quinto キンセ　デシモ　キント
sechzehn / sechzehnte ゼヒツェーン　ゼヒツェーンテ	sedici / sedicesimo セーディチ　セディチェージモ	dieciséis / décimo sexto ディエシセイス　デシモ　ゼスト
siebzehn / siebzehnte ズィープツェーン　ズィープツェーンテ	diciasette / diciasettesimo ディチャセッテ　ディチャセッテージモ	diecisiete / décimo séptimo ディエシシエテ　デシモ　セプティモ
achtzehn / achtzehnte アハツェーン　アハツェーンテ	diciotto / diciottesimo ディチョット　ディチョッテージモ	dieciocho / décimo octavo ディエシオーチョ　デシモ　オクターボ
neunzehn / neunzehnte ノインツェーン　ノインツェーンテ	diciannove / diciannovesimo ディチャンノーヴェ　ディチャンノヴェージモ	diecinueve / décimo nono ディエシヌエベ　デシモ　ノーノ
zwanzig / zwanzigste ツヴァンツィヒ　ツヴァンツィヒステ	venti / ventesimo ヴェンティ　ヴェンテージモ	veinte / vigésimo ベインテ　ビヘシモ
dreißig / dreißigste ドライスィヒ　ドライスィヒステ	trenta / trentesimo トゥレンタ　トゥレンテージモ	treinta / trigésimo トゥレインタ　トゥリヘシモ

日本語 JAPANESE	英 語 ENGLISH	フランス語 FRANÇAIS
㉕31 ／第31 *sanjūichi dai sanjūichi*	**thirty-one** ／ **thirty-first** サーティ ワン　　サーティ ファースト	**trente-et-un** ／ **trente-et-unième** トラン テ アン　トラン テ ユニエーム
㉖40 ／第40 *yonjū dai yonjū*	**forty** ／ **fortieth** フォーティ　フォーティエス	**quarante** ／ **quarantième** カラント　　カランティエーム
㉗50 ／第50 *gojū dai gojū*	**fifty** ／ **fiftieth** フィフティ　フィフティエス	**cinquante** ／ **cinquantième** サンカント　　サンカンティエーム
㉘60 ／第60 *rokujū dai rokujū*	**sixty** ／ **sixtieth** スィックスティ スィックスティエス	**soixante** ／ **soixantième** ソワサント　　ソワサンティエーム
㉙70 ／第70 *nanajū dai nanajū*	**seventy** ／ **seventieth** セヴンティ　セヴンティエス	**soixante-dix** ／ **soixante-dixième** ソワサント ディス　ソワサント ディジエーム
㉚80 ／第80 *hachijū dai hachijū*	**eighty** ／ **eightieth** エイティ　エイティエス	**quatre-vingts** ／ **quatre-vingtième** カトル ヴァン　　カトル ヴァンティエーム
㉛90 ／第90 *kyūjū dai kyūjū*	**ninety** ／ **ninetieth** ナインティ　ナインティエス	**quatre-vingt-dix** ／ **quatre-vingt-** カトル ヴァン ディス カトル ヴァン **dixième** ディジエーム
㉜100 ／第100 *hyaku dai hyaku*	**hundred** ／ **hundredth** ハンドレッド　ハンドレッツ	**cent** ／ **centième** サン　　サンティエーム
㉝1000 *sen*	**thousand** サウゼンド	**mille** ミル
㉞10000 *ichiman*	**ten thousand** テン サウゼンド	**dix-mille** ディ ミル
㉟100000 *jūman*	**hundred thousand** ハンドレッド サウゼンド	**cent-mille** サン ミル

ドイツ語 DEUTSCH	イタリア語 ITALIANO	スペイン語 ESPAÑOL
einunddreißig / **einunddreißig-** アインウントドライスィヒ　アインウントドライスィヒ **ste** ステ	**trentuno** / **trentunesimo** トゥレントゥーノ　トゥレントゥネージモ	**treinta y uno** / **trigesimo** トゥレインタ イ ウノ　トゥリヘシモ **primero** プリメーロ
vierzig / **vierzigste** フィーアツィヒ　フィーアツィヒステ	**quaranta** / **quarantesimo** クアランタ　クアランテージモ	**cuarenta** / **cuadragésimo** クアレンタ　クアドラヘシモ
fünfzig / **fünfzigste** フュンフツィヒ　フュンフツィヒステ	**cinquanta** / **cinquantesimo** チンクアンタ　チンクアンテージモ	**cincuenta** / **quincuagésimo** シンクエンタ　キンクアヘシモ
sechzig / **sechzigste** ゼヒツィヒ　ゼヒツィヒステ	**sessanta** / **sessantesimo** セッサンタ　セッサンテージモ	**sesenta** / **sexagésimo** セセンタ　セクサヘシモ
siebzig / **siebzigste** ズィープツィヒ　ズィープツィヒステ	**settanta** / **settantesimo** セッタンタ　セッタンテージモ	**setenta** / **septuagésimo** セテンタ　セプトゥアヘシモ
achtzig / **achtzigste** アハツィヒ　アハツィヒステ	**ottanta** / **ottantesimo** オッタンタ　オッタンテージモ	**ochenta** / **octogésimo** オチェンタ　オクトヘシモ
neunzig / **neunzigste** ノインツィヒ　ノインツィヒステ	**novanta** / **novantesimo** ノヴァンタ　ノヴァンテージモ	**noventa** / **nonagésimo** ノベンタ　ノナヘシモ
hundert / **hundertste** フンデルト　フンデルツテ **tausend** タウゼント	**cento** / **centesimo** チェント　チェンテージモ **mille** ミッレ	**ciento** / **centésimo** シエント　センテシモ **mil** ミル
zehntausend ツェーンタウゼント	**diecimila** ディエーチミーラ	**diez mil** ディエス ミル
hunderttausend フンデルトタウゼント	**centomila** チェントミーラ	**cien mil** シエン ミル

基本用語

日本語 JAPANESE	英 語 ENGLISH	フランス語 FRANÇAIS
㊱ 2倍 *nibai*	twice トワイス	le double ル ドゥーブル
㊲ 3倍 *sanbai*	triple / three times トリプル スリー タイムズ	le triple ル トリップル
㊳ 1/2 *ni bun no ichi*	half ハーフ	la moitié ラ モワティエ
㊴ 1/4 *yon bun no ichi*	one-fourth / one quarter ワン フォース ワン クォーター	un quart アン カール
㊵ 1度／2度／3度 *ichido nido sando*	once / twice / three times ワンス トワイス スリー タイムズ	une fois / deux fois / trois fois ユヌ フォワ ドゥー フォワ トロワ フォワ
㊶ 1ダース／2ダース *ichi dāsu ni dāsu*	one dozen / two dozen ワン ダズン トゥー ダズン	une douzaine / deux douzaines ユヌ ドゥーゼーヌ ドゥー ドゥーゼーヌ
時刻，日，週 *Jikoku Hi Shū*	TIME, DAY, WEEK タイム デイ ウィーク	HEURE, JOUR, SEMAINE ウール ジュール スメーヌ
❶ 1時間／3時間 *ichi jikan san jikan*	one hour / three hours ワン アワー スリー アワーズ	une heure / trois heures ユヌ ウール トロワ ズール
❷ 半時間 *han jikan*	half an hour ハーフ アン アワー	une demi-heure ユヌ ドゥミ ウール
❸ 5分 *go fun*	five minutes ファイヴ ミニッツ	cinq minutes サンク ミニュート
❹ 5秒 *go byō*	five seconds ファイヴ セカンヅ	cinq secondes サンク スゴンド
❺ 今朝 *kesa*	this morning ズィス モーニング	ce matin ス マタン

ドイツ語 DEUTSCH	イタリア語 ITALIANO	スペイン語 ESPAÑOL
doppelt / zweifach ドッペルト　ツヴァイファッハ	**il doppio** イル ドッピオ	**el doble** エル ドーブレ
dreifach ドゥライファッハ	**il triplo** イル トゥリープロ	**el triple** エル トリプレ
halb ハルプ	**una metà** ウナ メタ	**la mitad** ラ ミタ—
ein Viertel アイン フィーアテル	**un quarto** ウン クアルト	**un cuarto** ウン クアルト
einmal / zweimal / dreimal アインマール　ツヴァイマール　ドゥライマール	**una volta / due volte /** ウナ ヴォルタ　ドゥーエ ヴォルテ **tre volte** トゥレ ヴォルテ	**una vez / dos veces /** ウナ ベス　ドス ベセス **tres veces** トゥレス ベセス
ein Dutzend / zwei Dutzend アイン ドゥッツェント　ツヴァイ ドゥッツェント	**una dozzina / due dozzine** ウナ ドッズィーナ　ドゥーエ ドッズィーネ	**una docena / dos docenas** ウナ ドセーナ　ドス ドセーナス
ZEIT, TAG, WOCHE ツァイト　ターク　ヴォッヘ	**ORA, GIORNO, SETTIMANA** オーラ　ジョルノ　セッティマーナ	**TIEMPO, DÍA, SEMANA** ティエンポ　ディア　セマーナ
eine Stunde / drei Stunden アイネ シュトゥンデ　ドライ シュトゥンデン	**una ora / tre ore** ウナ オーラ　トゥレ オーレ	**una hora / tres horas** ウナ オーラ　トゥレス オーラス
eine halbe Stunde アイネ ハルベ シュトゥンデ	**mezz'ora** メッゾーラ	**media hora** メディア オーラ
fünf Minuten フュンフ ミヌーテン	**cinque minuti** チンクェ ミヌーティ	**cinco minutos** シンコ ミヌートス
fünf Sekunden フュンフ ゼクンデン	**cinque secondi** チンクェ セコンディ	**cinco segundos** シンコ セグンドス
heute morgen ホイテ　モルゲン	**sta mattina** スタ マッティーナ	**esta mañana** エスタ マニャーナ

日本語 JAPANESE	英 語 ENGLISH	フランス語 FRANÇAIS
❻午前 *gozen*	morning / A.M. モーニング エイエム	la matinée / le matin ラ マティネ ル マタン
❼正午 *shōgo*	noon ヌーン	le midi ル ミディ
❽午後 *gogo*	afternoon / P.M. アフタヌーン ピーエム	l'après-midi ラプレ ミディ
❾夕方 *yūgata*	evening イーヴニング	le soir ル ソワール
❿今晩 *konban*	tonight / this evening トゥナイト ズィス イーヴニング	ce soir ス ソワール
⓫今日 *kyō*	today トゥディ	aujourd'hui オージュルデュイ
⓬昨日 *kinō*	yesterday イエスタディ	hier イエール
⓭一昨日 *ototoi*	the day before yesterday ザ ディ ビフォー イエスタディ	avant-hier アヴァン ティエール
⓮明日 *ashita*	tomorrow タマロウ	demain ドゥマン
⓯明朝 *myōchō*	tomorrow morning タマロウ モーニング	demain matin ドゥマン マタン
⓰明後日 *asatte*	the day after tomorrow ザ ディ アフター タマロウ	après-demain アプレ ドゥマン
⓱今週〔月，年〕 *konshū〔getsu, toshi〕*	this *week* [month, year] ズィス ウィーク [マンス イア]	*cette semaine* [ce mois-ci, cette セット スメーヌ [ス モワ シ セット **année**] アネ]

ドイツ語 DEUTSCH	イタリア語 ITALIANO	スペイン語 ESPAÑOL
der Morgen デア モルゲン	il mattino イル マッティーノ	la mañana ラ マニャーナ
der Mittag デア ミッターク	il mezzogiorno イル メッゾジョルノ	el mediodía エル メディオディア
der Nachmittag デア ナッハミターク	il pomeriggio イル ポメリッジョ	la tarde ラ タルデ
der Abend デア アーベント	la sera ラ セーラ	la noche ラ ノチェ
heute abend ホイテ アーベント	stasera スタセーラ	esta noche エスタ ノチェ
heute ホイテ	oggi オッジ	hoy オイ
gestern ゲステルン	ieri イエリ	ayer アエール
vorgestern フォアゲステルン	l'altro ieri ラルトロ イエリ	anteayer アンテアエール
morgen モルゲン	domani ドマーニ	mañana マニャーナ
morgen früh モルゲン フリュー	domattina ドマッティーナ	mañana por la mañana マニャーナ ポール ラ マニャーナ
übermorgen ユーバーモルゲン	dopodomani ドーポドマーニ	pasado mañana パサード マニャーナ
diese Woche [diesen Monat, ディーゼ ヴォッヘ [ティーゼン モーナト dieses Jahr] ディーゼス ヤール]	*questa settimana* [questo クエスタ セッティマーナ [クエスト mese, quest'anno] メーゼ クエスタンノ]	*esta semana* [este mes, エスタ セマーナ [エステ メス este año] エステ アニョ]

311

基本用語

日本語 JAPANESE°	英　語 ENGLISH	フランス語 FRANÇAIS
⑱先週〔月〕，昨年 *senshū* 〔*getsu*〕, *sakunen*	last *week* [month, year] ラスト ウィーク［マンス　イア］	*la semaine dernière* [le mois de- ラ スメーヌ デルニエール［ル モワ デ rnier, l'année dernière] ルニエ　ラネ　デルニエール
⑲来週〔月，年〕 *raishu* 〔*getsu, nen*〕	next *week* [month, year] ネクスト ウィーク［マンス　イア］	*la semaine prochaine* [le mois ラ スメーヌ プロシェーヌ　［ル モワ prochain, l'année prochaine] プロシャン　ラネ　プロシェーヌ］
⑳週日／週末 *shūjitsu* ／ *shūmatsu*	weekday ／ weekend ウィークデイ　　ウィークエンド	le jour de semaine ／ le week-end ル ジュールドゥ スメーヌ　　ル ウィーク エンド
㉑日曜 *nichiyō*	Sunday サンデイ	dimanche ディマンシュ
㉒月曜／火曜 *getsuyō kayō*	Monday ／ Tuesday マンデイ　　テューズデイ	lundi ／ mardi ランディ　マルディ
㉓水曜／木曜 *suiyō mokuyō*	Wednesday ／ Thursday ウェンズデイ　　サーズデイ	mercredi ／ jeudi メルクルディ　　ジュディ
㉔金曜／土曜 *kin'yō doyō*	Friday ／ Saturday フライデイ　サタデイ	vendredi ／ samedi ヴァンドルディ　サムディ
㉕祝日 *shukujitsu*	holiday ハラデイ	le jour férié ル ジュール フェリエ
㉖誕生日 *tanjōbi*	birthday バースデイ	l'anniversaire ラニヴェルセール
㉗記念日 *kinenbi*	anniversary アナヴァーサリー	le jour commémoratif ル ジュール コメモラティフ

ドイツ語 DEUTSCH	イタリア語 ITALIANO	スペイン語 ESPAÑOL
letzte Woche [letzten Monat, letztes Jahr] レッツテ ヴォッヘ [レッツテン モーナト レッツテス ヤール]	*la settimana scorsa* [il mese scorso, l'anno scorso] ラ セッティマーナ スコルサ [イルメーセ スコルソ ランノ スコルソ]	*la semana pasada* [el mes pasado] el año pasado ラ セマーナ パサーダ [エル メス パサード] エル アニョ パサード
nächste Woche [nächsten Monat, nächstes Jahr] ネークステ ヴォッヘ [ネークステン モーナト ネークステス ヤール]	*la settimana prossima* [il mese prossimo, l'anno prossimo] ラ セッティマーナ プロッシマ [イル メーセ プロッシモ ランノ プロッシモ]	*la semana que viene* [el mes que viene, el año que viene] ラ セマーナ ケ ビエネ [エル メス ケ ビエネ エル アニョ ケ ビエネ]
der Wochentag / デア ヴォッヘンターク	il giorno feriale / イル ジョルノ フェリアーレ	los días de la semana / ロス ディーアスデ ラ セマーナ
das Wochenende ダス ヴォッヘンエンデ	la fine-settimana ラ フィーネ セッティマーナ	fines de la semana フィーネス デ ラ セマーナ
Sonntag ゾンターク	domenica ドメニカ	el domingo エル ドミンゴ
Montag / Dienstag モンターク ディーンスターク	lunedì / martedì ルネディ マルテディ	el lunes / el martes エル ルーネス エル マルテス
Mittwoch / Donnerstag ミットヴォッホ ドナースターク	mercoledì / giovedì メルコレディ ジョヴェディ	el miércoles / el jueves エル ミエルコレス エル フエベス
Freitag / Samstag フライターク ザムスターク	venerdì / sabato ヴェネルディ サバト	el viernes / el sábado エル ビエルネス エルサバド
der Feiertag デア ファイアーターク	la feria ラ フェーリア	los días festivos ロス ディーアス フェスティーボス
der Geburtstag デア ゲブルツターク	il compleanno イル コンプレアンノ	el onomástico / el cumpleaños エル オノマースティコ エル クンプレアーニョス
der Gedächtnistag デア ゲデヒトニスターク	l'anniversario ランニヴェルサーリオ	el aniversario エル アニベルサリオ

日本語 JAPANESE	英 語 ENGLISH	フランス語 FRANÇAIS
月, 季節 *Tsuki Kisetsu*	**MONTHS, SEASONS** マンス スィーズンズ	**MOIS, SAISON** モワ セゾン
❶ 1月 ／ 2月 *ichigatsu nigatsu*	**January / February** チャニュエリー フェブルエリー	**janvier / février** ジャンヴィエ フェヴリエ
❷ 3月 ／ 4月 *sangatsu shigatsu*	**March / April** マーチ エイプリル	**mars / avril** マルス アヴリル
❸ 5月 ／ 6月 *gogatsu rokugatsu*	**May / June** メイ チューン	**mai / juin** メ ジュアン
❹ 7月 ／ 8月 *shichigatsu hachigatsu*	**July / August** チュライ オーガスト	**juillet / août** ジュイエ ウー
❺ 9月 ／ 10月 *kugatsu jūgatsu*	**September / October** セプテンバー オクトウバー	**septembre / octobre** セプタンブル オクトーブル
❻ 11月 ／ 12月 *jūichigatsu jūnigatsu*	**November / December** ノヴヴェンバー ディセンバー	**novembre / décembre** ノヴァンブル デサンブル
❼ 春 ／ 夏 *haru natsu*	**spring / summer** スプリング サマー	**le printemps / l'été** ル プランタン レテ
❽ 秋／冬 *aki fuyu*	*fall* [autumn] **/ winter** フォール オータム ウィンター	**l'automne / l'hiver** ロートンヌ リヴェール
職 業 *Shokugyō*	**OCCUPATION** アキュペイシュン	**PROFESSION** プロフェシオン
❶ 会社員 *kaishain*	**company employee** カンパニー エンプロイイー	**l'employé / l'employée** ランプロワイエ ランプロワイエ

314

ドイツ語 DEUTSCH	イタリア語 ITALIANO	スペイン語 ESPAÑOL
MONATE, JAHRESZEITEN モーナテ　ヤーレスツァイテン	**MESI, STAGIONI** メーシ　スタジョーニ	**MESES,** メッセス **ESTACIONES DEL AÑO** エスタシオネス　デル　アニョー
der Januar / der Februar デア ヤヌアール　デア フェブルアール	**il gennaio / il febbraio** イル ジェンナイオ　イル フェブライオ	**el enero / el febrero** エル エネロ　エル フェブレロ
der März / der April デア メルツ　デア アプリル	**il marzo / l'aprile** イル マルツォ　ラプリーレ	**el marzo / el abril** エル マルソ　エル アブリール
der Mai / der Juni デア マイ　デア ユーニ	**il maggio / il giugno** イル マッジョ　イル ジューニョ	**el mayo / el junio** エル マージョ　エル フニオ
der Juli / der August デア ユーリ　デア アウグスト	**il luglio / l'agosto** イル ルッリオ　ラゴスト	**el julio / el agosto** エル フリオ　エル アゴスト
der September / der Oktober デア ゼプテムバー　デア オクトーバー	**lo settembre / l'ottobre** ロ セッテンブレ　ロットーブレ	**el septiembre / el octubre** エル セティエンブレ　エル オクトゥブレ
der November / der Dezember デア ノーヴェムバー　デア デツェムバー	**il novembre / il dicembre** イル ノヴェンブレ　イル ディチェンブレ	**el noviembre / el diciembre** エル ノビエンブレ　エル ディシエンブレ
der Frühling / der Sommer デア フリューリング　デア ゾマー	**la primavera / l'estate** ラ プリマヴェーラ　レスターテ	**la primavera / el verano** ラ プリマベーラ　エル ベラーノ
der Herbst / der Winter デア ヘルプスト　デア ウィンター	**l'autunno / l'inverno** ラウトゥンノ　リンヴェルノ	**el otoño / el invierno** エル オトーニョ　エル インビエルノ
BERUF ベルーフ	**PROFESSIONI** プロフェッシオーニ	**OCUPACIONES** オクパシオネス
der Angestellter / デア アンゲシュテルター **die Angestellte** ディ アンゲシュテルテ	**l'impiegato** リンピエガート	*el empleado* [la empleada] エル エンプレアード　[ラ　エンプレアーダ] **de la compañía** デ ラ コンパニーア

315

日本語 JAPANESE	英　語 ENGLISH	フランス語 FRANÇAIS
❷農業 *nōgyō*	**farmer** ファーマー	**le cultivateur ／ la cultivatrice** ル キュルティヴァトゥール　ラ キュルティヴァトリス
❸漁業 *gyogyō*	**fisherman** フィッシャマン	**le pêcheur ／ la pêcheuse** ル ペシュール　　ラ ペシューズ
❹商店経営者 *shoten keieisha*	**store owner** ストー オゥナー	**le commerçant ／ la commerçante** ル コメルサン　　ラ コメルサント
❺家事手伝い *kaji tetsudai*	**I help out at home.** アイ ヘルプ アウト アト ホゥム	**la femme de ménage** ラ ファム　ドゥ メナージュ
❻銀行員 *ginkōin*	**bank employee** バンク エンプロイイー	***l'employé*** [l'employée] de ランプロワイエ　[ランプロワイエ]　ドゥ **banque** バンク
❼技師 *gishi*	**engineer** エンヂニア	**l'ingénieur** ランジェニウール
❽主婦 *shufu*	**housewife** ハウスワイフ	**la maîtresse de maison** ラ メートレス　ドゥ メゾン
❾学生 *gakusei*	**student** ステューデント	**l'étudiant ／ l'étudiante** レテュディアン　　レテュディアント
❿教師 *kyōshi*	**teacher** ティーチャー	**le professeur** ル プロフェスール

基本用語

316

ドイツ語 DEUTSCH	イタリア語 ITALIANO	スペイン語 ESPAÑOL
der Landwirt デア ラントヴィルト	**l'agricoltore** ラグリコルトーレ	**el agricultor／la agricultora** エル アグリクルトール　ラ アグリクルトーラ
der Fischer ／ die Fischerin デア フィッシャー　ディ フィッシェリン	**il pescatore／la pescatrice** イル ペスカトーレ　ラ ペスカトゥリーチェ	**el pescador／la pescadora** エル ペスカドール　ラ ペスカドーラ
der Geschäftsinhaber ／ デア ゲシェフツインハーバー **die Geschäftsinhaberin** ディ ゲシェフツインハーベリン	**il proprietario di negozio** イル プロプリエターリオ　ディ ネゴーツィオ	*el administrador* [la admini- エル アドゥミニストゥラドール　［ラ　アドゥミニ *stradora*] de tienda ストゥラドーラ］デ ティエンダ
die Haushaltshilfe ディ ハウスハルツヒルフェ	**l'assistente casalingo** ラッシステンテ　カザリンゴ	**la asistenta de quehaceres** ラ アシステンタ　デ ケアセーレス **domésticos** ドメスティコス
der Bankangestellter ／ デア バンクアングシュテルター **die Bankangestellte** ディ バンクアングシュテルテ	**il banchiere** イル バンキエーレ	*el empleado* [la emplada] エル エンプレアード　［ラ　エンプレアーダ］ **de banco** デ バンコ
der Ingenieur デン インジェニエール	**l'ingegnere** リンジェニエーレ	**el ingeniero** エル インヘニエーロ
die Hausfrau ディ ハウスフラウ	**la massaia** ラ マッサイア	**el ama de casa** エル アーマ デ カーサ
der Student／die Studentin デア シュトゥデント ディ シュトゥデンティン	**lo studente／la studentessa** ロ ストゥデンテ　ラ ストゥデンテッサ	**el estudiante／la estudiante** エル エストゥディアンテ ラ エストゥディアンテ
der Lehrer ／ die Lehrerin デア レーラー　ディ レーレリン	**l'insegnante** リンセニャンテ	**el profesor ／ la profesora** エル プロフェソール　ラ プロフェソーラ

317

日本語 JAPANESE	英 語 ENGLISH	フランス語 FRANÇAIS
⑪公務員 kōmuin	government clerk ガヴァメント　クラーク	le fonctionnaire ル フォンクシオネール
⑫無職 mushoku	I don't work. アイ ドウント ワーク	sans profession サン プロフェシオン
家　族 Kazoku	FAMILY ファムリー	FAMILLE ファミーユ
❶男／女 otoko onna	man／woman マン　ウォーマン	l'homme／la femme ロム　ラ ファム
❷少年／少女 shōnen shōjo	boy／girl ボーイ　ガール	le garçon／la fille ル ガルソン　ラ フィーユ
❸赤ん坊 akanbō	baby ベイビー	le bébé ル ベベ
❹子供 kodomo	child チャイルド	l'enfant ランファン
❺父／母 chichi haha	father／mother ファーザー　マザー	le père／la mère ル ペール　ラ メール
❻両親 ryōshin	parents ペアランツ	les parents レ パラン
❼夫／妻 otto tsuma	husband／wife ハズバンド　ワイフ	le mari／la femme ル マリ　ラ ファム
❽婚約者 kon'yakusha	fiancé／fiancée フィアンセイ　フィアンセイ	le fiancé／la fiancée ル フィアンセ　ラ フィアンセ
❾兄弟／姉妹 kyōdai shimai	brother／sister ブラザー　スイスター	le frère／la sœur ル フレール　ラ スゥール

基本用語

318

ドイツ語 DEUTSCH	イタリア語 ITALIANO	スペイン語 ESPAÑOL
der Beamter デア ベアムター	**l'impiegato statale** リンピエガート スタターレ	**el funcionario / la funcionaria** エル フンシオナーリオ ラ フンシオナーリア
der Arbeitslose / die Arbeitslose デア アルバイツローゼ ディ アルバイツローゼ	**il disoccupato** イル ディソックパート	**sin ocupación** シン オクパシオン

FAMILIE ファミーリエ	**FAMIGLIA** ファミッリア	**FAMILIA** ファミリア
der Mann / die Frau デア マン ディ フラウ	**l'uomo / la donna** ルオーモ ラ ドンナ	**el hombre / la mujer** エル オンブレ ラ ムヘール
der Knabe / das Mädchen デア クナーベ ダス メートヒェン	**il ragazzo / la ragazza** イル ラガッツォ ラ ラガッツァ	**el chico / la chica** エル チコ ラ チーカ
der Säugling デア ゾイクリング	**il bimbo** イル ビンボ	**el bebé** エル ベーベ
das Kind ダス キント	**il bambino / la bambina** イル バンビーノ ラ バンビーナ	**el niño / la niña** エル ニーニョ ラ ニーニャ
der Vater / die Mutter デア ファーター デイ ムッター	**il parde / la madre** イル パードゥレ ラ マードゥレ	**el padre / la madre** エル パドレ ラ マドレ
die Eltern ディ エルテルン	**i genitori** イ ジェニトーリ	**los padres** ロス パドゥレス
der Ehemann / die Ehefrau デア エーエマン ディ エーエフラウ	**il marito / la móglie** イル マリート ラ モッリエ	**el esposo / la esposa** エル エスポーソ ラ エスポーサ
der Verlobte / die Verlobte デア フェアローーテ ディ フェアローーテ	**il fidanzato / la fidanzata** イル フィダンツァート ラ フィダンツァータ	**el novio / la novia** エル ノビオ ラ ノビア
der Bruder / die Schwester デア ブルーダー デイ シュヴェスター	**il fratello / la sorella** イル フラテッロ ラ ソレッラ	**el hermano / la hermana** エル エルマーノ ラ エルマーナ

319

日本語 JAPANESE	英 語 ENGLISH	フランス語 FRANÇAIS
⑩友人 *yūjin*	**friend** フレンド	**l'ami / l'amie** ラミ ラミ
⑪息子／娘 *musuko musume*	**son / daughter** サン ドーター	**le fils / la fille** ル フィス ラ フィーユ
⑫おじ／おば *oji oba*	**uncle / aunt** アンクル アント	**l'oncle / la tante** ロンクル ラ タント
⑬甥／姪 *oi mei*	**nephew / niece** ネフュー ニース	**le neveu / la nièce** ル ヌヴー ラ ニエース
国，国民 *Kuni Kokumin*	**NATION, PEOPLE** ネイシュン ピープル	**PAYS, PEUPLE** ペイ プープル
❶フランス *furansu*	**France** フランス	**la France** ラ フランス
❷フランス人 *furansujin*	**French** フレンチ	**français / francaise** フランセ フランセーズ
❸イギリス *igirisu*	**England / Great Britain** イングランド グレイト ブリテン	**l'Angleterre / la Grande-Bret-** ラングルテール ラ グランド ブルター **agne** ニュ
❹イギリス人 *igirisujin*	**English** イングリッシュ	**anglais / anglaise** アングレ アングレーズ
❺イタリア *itaria*	**Italy** イタリー	**l'Italie** リタリー
❻イタリア人 *itariajin*	**Italian** イタリアン	**italien / italienne** イタリアン イタリアンヌ

基本用語

320

ドイツ語 DEUTSCH	イタリア語 ITALIANO	スペイン語 ESPAÑOL
der Freund / **die Freundin** デア フロイント　デイ フロインデイン	**l'amico** ラミーコ	**el amigo** / **la amiga** エル アミーゴ　ラ アミーガ
der Sohn / **die Tochter** デア ゾーン　デイ トホター	**il figlio** / **la figlia** イル フィッリオ　ラ フィッリア	**el hijo** / **la hija** エル イッホ　ラ イッハ
der Onkel / **die Tante** デア オンケル　デイ タンテ	**lo zio** / **la zia** ロ ズィーオ ラ ズィーア	**el tío** / **la tía** エル ティーオ ラ ティーア
der Neffe / **die Nichte** デア ネッフェ　デイ ニヒテ	**il nipote** / **la nipote** イル ニポーテ　ラ ニポーテ	**el sobrino** / **la sobrina** エル ソブリーノ　ラ ソブリーナ
NATION, VOLK ナツィオーン　　フォルク	**NAZIONE, POPOLO** ナツィオーネ　　ポーポロ	**PAÍS, PUEBLO** パイース　プエブロ
das Frankreich ダス フランクライヒ	**la Francia** ラ フランチャ	**Francia** フランシア
Franzose / **Französin** フランツォーゼ　　フランツェーズィン	**francese** フランチェーゼ	**francés** / **francesa** フランセス　　フランセサ
das England / ダス エングラント **das Großbritannien** ダス グロースブリタニエン	**l'Inghilterra** リンギルテルラ	**Inglaterra** イングラテーラ
Engländer / **Engländerin** エングレンダー　　エングレンデリン	**inglese** イングレーゼ	**inglés** / **inglesa** イングレス　　イングレサ
das Italien ダス イターリエン	**l'Italia** リタリーア	**Italia** イタリア
Italiener / **Italienerin** イタリエーナー　　イタリエーネリン	**italiano** / **italiana** イタリアーノ　イタリアーナ	**italiano** / **italiana** イタリアーノ　イタリアーナ

321

日本語 JAPANESE	英　語 ENGLISH	フランス語 FRANÇAIS
❼スペイン *supein*	Spain スペイン	l'Espagne レスパーニュ
❽スペイン人 *supeinjin*	Spanish スパニッシュ	espagnol ／ espagnole エスパニョル　　エスパニョル
❾ドイツ *doitsu*	Germany チャーマニー	l'Allemagne ラルマーニュ
❿ドイツ人 *doitsujin*	German チャーマン	allemand ／ allemande アルマン　　　アルマンドゥ
⓫アメリカ合衆国 *amerika gasshūkoku*	the United States of America ザ　ユナイテッド ステイツ　アヴ アメリカ	les Etats-Unis レ　ゼタ　ズユニ
⓬アメリカ人 *amerikajin*	American アメリカン	américain ／ américaine アメリカン　　　アメリカンヌ
⓭ソ連 *soren*	Russia ／ Soviet Union ラシャ　　　ソウヴィエット ユーニャン	U.R.S.S. ／ l'Union des Républ- ユ エール エス エス リュニオン　デ　レピュブリッ iques Socialistes Soviétiques ク　ソシアリスト　　ソヴィエティック
⓮ロシア人 *roshiajin*	Russian ラシャン	russe リュス
⓯中国 *chūgoku*	China チャイナ	la République populaire de Chine ラ　レピュブリック　ポピュレール　ドゥ シーヌ
⓰中国人 *chūgokujin*	Chinese チャイニーズ	Chinois ／ chinoise シノワ　　　シノワーズ
⓱韓国 *kankoku*	Korea コリーア	la République de Corée ラ　レピュブリック　ドゥ コレ

基本用語

322

ドイツ語 DEUTSCH	イタリア語 ITALIANO	スペイン語 ESPAÑOL
das Spanien ダス シュパーニエン	**la Spagna** ラ スパーニャ	**España** エスパーニャ
Spanier / **Spanierin** シュパーニアー チュパーニエリン	**spagnolo** / **spagnola** スパニョーロ スパニョーラ	**español** / **española** エスパニョール エスパニョーラ
das Deutschland ダス ドイチュラント	**la Germania** ラ ジェルマーニア	**Alemania** アレマニア
Deutsche ドイチェ	**tedesco** / **tedesca** テデスコ テデスカ	**alemán** / **alemana** アレマン アレマナ
die Vereinigten Staaten von ディ フェアアイニヒテン シュターテン フォン **Amerika** アメリカ	**l'America** ラメーリカ	**Los Estados Unidos de** ロス エスタードス ウニードス デ **Norteamérica** ノルテアメリカ
Amerikaner / **Amerikanerin** アメリカーナー アメリカーネリン	**americano** / **americana** アメリカーノ アメリカーナ	**estadounidense** エスタードウニデンセ
das Rußland / ダス ルスラント **die Sowjetunion** ディ ゾビィエトウニオーン	**la Russia** ラ ルッシア	**Rusia** / **Unión de Repúblicas** ルシア ウニオン デ レプーブリカス **Socialistas Soviéticas** ソシアリスタス ソビエーティカス
Russe / **Russin** ルッセ ルッシン	**russo** / **russa** ルッソ ルッサ	**ruso** / **rusa** ルーソ ルーサ
das China ダス ヒーナ	**la Cina** ラ チーナ	**China** チーナ
Chinese / **Chinesin** ヒネーゼ ヒネーズィン	**cinese** チネーゼ	**chino** / **china** チーノ チーナ
das Korea ダス コレーア	**la Corea** ラ コレーア	**Corea** コレーア

323

日本語 JAPANESE	英語 ENGLISH	フランス語 FRANÇAIS
⑱韓国人 *kankokujin*	**Korean** コリーアン	**coréen / coréenne** コレアン　コレアンヌ
⑲タイ *tai*	**Thailand** タイランド	**la Thaïlande** ラ　タイランド
⑳タイ人 *taijin*	**Thai** タイ	**Thaï / thaïe** タイ　タイ
代名詞 *Daimeishi*	**PRONOUNS** プロウナウンズ	**PRONOM** プロノム
❶私／私たち *watashi watashi tachi*	**I / we** アイ　ウィー	**je / nous** ジュ　ヌー
❷あなた／あなたがた *anata　anata gata*	**you / you** ユー　ユー	**vous / vous** ヴー　ヴー
❸彼／彼女 *kare kanojo*	**he / she** ヒー　シー	**il / elle** イル　エル
❹彼等／彼女等 *karera kanojora*	**they / they** ゼイ　ゼイ	**ils / elles** イル　エル
❺これ *kore*	**this** ズィス	**ceci** スシ
❻あれ *are*	**that / it** ザット　イット	**cela** スラ
❼それ *sore*	**that** ザット	**cela** スラ
掲　示 *Keiji*	**SIGNS** サインズ	**PANNEAUX** パノー
❶入口 *iriguchi*	**ENTRANCE** エントランス	**ENTRÉE** アントレ

ドイツ語 DEUTSCH	イタリア語 ITALIANO	スペイン語 ESPAÑOL
Koreaner / Koreanerin コレアーナー　　コレアーネリン	coreano コレアーノ	coreano / coreana コレアーノ　　コレアーナ
das Thailand ダス　タイランド	la Tailandia ラ　タイランディア	Tailandia タイランディア
Thailänder / Thailänderin タイレンダー　　タイレンデリン	tailandese タイランデーゼ	tailandés / tailandesa タイランデス　　タイランデサ

FÜRWORT フュアヴォルト	PRONOMI プロノーミ	PRONOMBRES プロノンブレス
ich / wir イヒ　　ヴィーア	io / noi イオ　　ノーイ	yo / nosotros (nosotras) ジョ　ノソートロス　（ノーソートゥラス）
Sie / Sie スィー　　スィー	lei / voi レーイ　　ヴォーイ	usted / ustedes ウステッ　　ウステデス
er / sie エア　　スィー	lui / lei ルーイ　　レーイ	él / ella エル　エジャ
sie / sie スィー　　スィー	loro / loro ロ─ロ　　ロ─ロ	ellos / ellas エジョス　エジャス
dieser / diese / dieses ディーザー　ディーゼ　ディーゼス	questo / questa クエスト　　クエスタ	éste / ésta / esto エステ　エスタ　エスト
jener / jene / jenes イエーナー　イエーネ　イエーネス	quello / quella クエッロ　　クエッラ	aquél / aquélla / aquello アケール　アケージャ　アケージョ
es エス	codesto / codesta コデスト　　コデスタ	ése / ésa / eso エセ　エサ　エソ

ANSCHLAG アンシュラーク	AVVISO アッヴィーゾ	SEÑALES セニャーレス
EINGANG アインガング	ENTRATA エントゥラータ	ENTRADA エントゥラーダ

325

日本語 JAPANESE	英語 ENGLISH	フランス語 FRANÇAIS
❷出口 *deguchi*	EXIT / WAY OUT エグズィット　ウェイ　アウト	SORTIE ソルティ
❸案内所 *annaijo*	INFORMATION インフォメイシュン	SERVICE DE RENSEIGNEM- セルヴィス　ドゥ　ランセーニュマン ENTS
❹貸切 *kashikiri*	RESERVED リザーヴド	RÉSERVÉ レゼルベ
❺営業中 *eigyōchū*	OPEN オウプン	OUVERT ウーヴェール
❻閉店 *heiten*	CLOSED クロウズド	FERMÉ フェルメ
❼危険 *kiken*	DANGER デインヂャー	DANGER ダンジェ
❽立入禁止 *tachiiri kinshi*	KEEP OUT / OFF LIMITS キープ　アウト　オフ　リミッツ	DÉFENSE D'ENTRER デファンス　ダントレ
❾侵入禁止 *shinnyū kinshi*	NO TRESPASSING ノウ　トレスパスィング	DÉFENSE DE PASSER / PR- デファンス　ドゥ　パッセ　　プロ OPRIÉTÉ PRIVÉE プリエテ　プリヴェ
❿〜禁止 *〜 kinshi*	〜 PROHIBITED / NO 〜 〜 プロヒビテッド　　ノウ 〜	DÉFENSE DE 〜 / 〜 INTE- デファンス　ドゥ 〜　　〜 アンテ RDIT ルディ
⓫警告 *keikoku*	WARNING ウォーニング	ATTENTION アタンシオン

ドイツ語 DEUTSCH	イタリア語 ITALIANO	スペイン語 ESPAÑOL
AUSGANG アウスガング	**USCITA** ウシータ	**SALIDA** サリーダ
AUSKUNFT／INFORMATION アウスクンフト　　インフォルマツィオーン	**INFORMAZIONE** インフォルマツィオーネ	**INFORMACION** インフォルマシオン
RESERVIERT レザヴィールト	**PRENOTATO** プレノタート	**RESERVADO** レセルバード
IM BETRIEB／GEÖFFNET イム　ベトゥリープ　　ゲエフネット	**APERTO** アペルト	**ABIERTO ／ ABIERTA** アビエルト　　　アビエルタ
GESCHLOSSEN ゲシュロッセン	**CHIUSO** キューゾ	**CERRADO／CERRADA** セラード　　　セラーダ
GEFAHR／VORSICHT! ゲファール　　フォアズィヒト	**PERICOLO** ペリーコロ	**PELIGRO** ペリーグロ
EINTRITT VERBOTEN アイントゥリット　フェアボーテン	**DIVIETO D'ACCESSO** ディヴィエート　ダッチェッソ	**SE PROHIBE LA ENTRADA** セ　　プロイーベ　　ラ　エントゥラーダ
ZUTRITT VERBOTEN ツートゥリット　フェアボーテン	**ENTRATA VIETATA** エントゥラータ　　ヴィエタータ	**SE PROHIBE TRASPASAR** セ　　プロイーベ　　トゥラスパサール
～ VERBOTEN ～　フェアボーテン	**PROIBITO** プロイービト	**PROHIBIDO ～** プロイビード　　～
WARNUNG ヴァルヌング	**AVVERTIMENTO** アッヴェルティメント	**ADVERTENCIA／AVISO** アドゥベルテンシア　　アビーソ

日本語 JAPANESE	英 語 ENGLISH	フランス語 FRANÇAIS
⑫注意書 *chūigaki*	NOTICE ノウティス	AVIS アヴィ
⑬ゴミ箱 *gomibako*	TRASH トラッシュ	ORDURES オルデュール
⑭非常口 *hijōguchi*	EMERGENCY EXIT イマーチェンスィ エグズィット	SORTIE DE SECOURS ソルティ ドゥ スクール
⑮階段を利用して下さい *Kaidan o riyō shite kudasai.*	USE STAIRWAYS ユーズ ステアウェイズ	PRENEZ L'ESCALIER プルネ レスカリエ
⑯ペンキ塗りたて *penki nuritate*	WET PAINT / FRESH PAINT ウェット ペイント フレッシュ ペイント	PEINTURE FRAÎCHE パンテュール フレッシュ
⑰故障 *koshō*	OUT OF ORDER アウト アヴ オーダー	HORS SERVICE オール セルヴィス
⑱売りもの *urimono*	FOR SALE フォー セイル	À VENDRE ア ヴァンドル
⑲本日休診 *honjitsu kyūshin*	NO CONSULTING TODAY ノウ カンサルティング トゥデイ	PAS DE CONSULTATION AU- パ ドゥ コンシュルタシオン オー JOURD'HUI ジュルデュイ
⑳工事中 *kōjichū*	UNDER CONSTRUCTION アンダー カンストラクシュン	ATTENTION TRAVAUX アタンシオン トラヴォー
㉑押す／引く *osu hiku*	PUSH / PULL プッシュ プル	POUSSEZ / TIREZ プセ ティレ
㉒割引 *waribiki*	DISCOUNT ディスカウント	RÉDUCTION レデュクシオン

ドイツ語 DEUTSCH	イタリア語 ITALIANO	スペイン語 ESPAÑOL
ZUR BEACHTUNG ツーア ベアハトゥング	**NOTA** ノータ	**NOTA** ノータ
MÜLLKASTEN ミュルカステン	**RIFIUTI** リフューティ	**BASURERO** バスレーロ
NOTAUSGANG ノートアウスガング	**USCITA D'EMERGENZA** ウシータ デメルジェンツァ	**SALIDA DE EMRGENCIA** サリーダ デ エメルヘンシア
BITTE TREPPE BENUTZEN ! ビッテ トゥレッペ ベヌッツェン	**USATE LE SCALE** ウザーテ レ スカーレ	**USE ESCALERA** ウセ エスカレーラ
FRISCH GESTRICHEN フリッシュ ゲシュトリヒェン	**VERNICE FRESCA** ヴェルニーチェ フレスカ	**PINTURA FRESCA** ピントゥーラ フレスカ
NICHT IN ORDNUNG !／ ニヒト イン オルドヌング **AUßER BETRIEB !** アウサー ベトリーフ	**GUASTO** グアスト	**ROTO／DESCOMPUESTO** ロト デスコンプエスト
ZUM VERKAUF ツーム フェアカウフ	**DA VENDERE** ダ ヴェンデレ	**EN VENTA** エン ベンタ
KEINE SPRECHSTUNDE カイネ シュプレヒシュトゥンデ	**OGGI CHIUSO** オッジ キューソ	**CERRADA LA CONSULTA** セラーダ ラ コンスルタ
HEUTE ホイテ		
BAUSTELLE バウシュテレ	**LAVORI IN CORSO** ラヴォーリ イン コルソ	**BAJO CONSTRUCCION** バッホ コンストゥルクシオン
DRÜCKEN ／ ZIEHEN ドゥリュッケン ツィーエン	**SPINGERE／TIRARE** スピンジェレ ティラーレ	**EMPUJE ／ TIRE (HALE)** エンプッヘ ティーレ（アーレ）
DER RABATT デア ラバット	**SCONTO** スコント	**DESCUENTO／REBAJA** デスクエント レバッハ

日本語 JAPANESE	英　語 ENGLISH	フランス語 FRANÇAIS
反意語 *Han'igo*	**ANTONYMS** アンタニムズ	**ANTONYMES** アントニーム
❶ 高い／安い *takai yasui*	**expensive** ／ **inexpensive** エクスペンスィヴ　インクスペンスィヴ	**cher** ／ **bon marché** シェール　ボン　マルシェ
❷ 明るい／暗い *akarui kurai*	**light** ／ **dark** ライト　ダーク	**clair** ／ **sombre** クレール　ソンブル
❸ 厚い／薄い *atsui usui*	**thick** ／ **thin** スィック　スィン	**épais** ／ **mince** エペ　マンス
❹ 良い／悪い *yoi warui*	**good** ／ **bad** グッド　バッド	**bon** ／ **mauvais** ボン　モーヴェ
❺ 大きい／小さい *ōkii chiisai*	**big** ／ **small** ビッグ　スモール	**grand** ／ **petit** グラン　プティ
❻ せまい／広い *semai hiroi*	**narrow** ／ **wide** ナロウ　ワイド	**étroit** ／ **large** エトロワ　ラルジュ
❼ 高い／低い *takai hikui*	**high** ／ **low** ハイ　ロウ	**haut** ／ **bas (basse)** オー　バ　（バス）
❽ (背が)高い／低い *takai hikui*	**tall** ／ **short** トール　ショート	**grand** ／ **petit** グラン　プティ
❾ 長い／短い *nagai mijikai*	**long** ／ **short** ラング　ショート	**long** ／ **court** ロン　クール
❿ 楽しい／悲しい *tanoshii kanashii*	**happy** ／ **sad** ハピー　サッド	**joyeux** ／ **triste** ジョワイユー　トリスト
⓫ 速い／遅い *hayai osoi*	**fast** ／ **slow** ファスト　スロウ	**rapide** ／ **lent** ラピード　ラン
⓬ 正しい／誤った *tadashii ayamatta*	**right** ／ **wrong** ライト　ロング	**correct** ／ **erroné** コレクト　エロネ

330

ドイツ語 DEUTSCH	イタリア語 ITALIANO	スペイン語 ESPAÑOL
GEGENTEIL ゲーゲンタイル	**ANTONIMO** アントーニモ	**ANTÓNIMO** アントーニモ
teuer / **billig** トイアー　ビリヒ	**caro** / **a buon mercato** カーロ　ア ブオン メルカート	**caro** / **barato** カロ　バラト
hell / **dunkel** ヘル　ドゥンケル	**chiaro** / **buio** キアーロ　ブーイオ	**claro** / **oscuro** クラロ　オスクーロ
dick / **dünn** ディック　デュン	**fitto** / **sottile** フィット　ソッティーレ	**grueso** / **delgado** グルエソ　デルガード
gut / **schlecht** グート　シュレヒト	**buono** / **cattivo** ブオーノ　カッティーヴォ	**bueno** / **malo** ブエノ　マロ
groß / **klein** グロース　クライン	**grande** / **piccolo** グランデ　ピッコロ	**grande** / **pequeño** グランデ　ペケーニョ
eng / **weit** エンク　ヴァイト	**stretto** / **largo** ストゥレット　ラルゴ	**estrecho** / **ancho** エストレッチョ　アンチョ
hoch / **niedrig** ホーホ　ニートリヒ	**alto** / **basso** アルト　バッソ	**alto** / **bajo** アルト　バッホ
lang / **kurz** ラング　クルツ	**alto** / **basso** アルト　バッソ	**alto** / **bajo** アルト　バッホ
lang / **kurz** ラング　クルツ	**lungo** / **corto** ルンゴ　コルト	**largo** / **corto** ラルゴ　コルト
lustig / **traurig** ルスティヒ　トゥラウリヒ	**piacevole** / **triste** ピアチェーヴォレ　トゥリステ	**agradable** / **triste** アグラダーブレ　トゥリステ
schnell / **langsam** シュネル　ラングザーム	**presto** / **lento** プレスト　レント	**rápido** / **lento** ラーピド　レント
richtig / **falsch** リヒティヒ　ファルシュ	**corretto** / **sbagliato** コルレット　ズバッリアート	**correcto** / **equivocado** コルレクト　エキボカード

基本用語

日本語 JAPANESE	英 語 ENGLISH	フランス語 FRANÇAIS
⓭便利な／不便な *benri na fuben na*	**convenient** / **inconvenient** カンヴィニエント　インカンヴィニュント	**commode** / **incommode** コモード　　アンコモード
⓮静かな／うるさい *shizuka na urusai*	**quiet** / **noisy** クワイエット　ノイズィー	**calme** / **bruyant** カルム　　ブリュイヤン
⓯ひま／忙しい *hima isogashii*	**free** / **busy** フリー　　ビズィー	**libre** / **occupé** リーブル　オキュペ
⓰やさしい／難しい *yasashii muzukashii*	**easy** / **difficult** イーズィー　ディフィカルト	**facile** / **difficile** ファシル　ディフィシル
⓱新しい／古い *atarashii furui*	**new** / **old** ニュー　オウルド	**neuf** / **vieux** ヌフ　ヴィユー
⓲固い／やわらかい *katai yawarakai*	**hard** / **soft** ハード　ソフト	**dur** / **mou** デュール　ムー
⓳太い／細い *futoi hosoi*	**fat** / **thin** ファット　スィン	**gros** / **fin** グロ　　ファン
⓴ゆるい／きつい *yurui kitsui*	**loose** / **tight** ルース　タイト	**ample** / **serré** アンプル　セレ
㉑おいしい／まずい *oishii mazui*	*delicious* [**good**] / **not very good** ディリシャス　［グッド］　ナット ヴェリー グッド	**bon** / **mauvais** ボン　　モーヴェ
㉒深い／浅い *fukai asai*	**deep** / **shallow** ディープ　シャロウ	**profond** / **peu profond** プロフォン　プー プロフォン
㉓重い／軽い *omoi karui*	**heavy** / **light** ヘヴィー　ライト	**lourd** / **léger** ルール　レジェ

ドイツ語 DEUTSCH	イタリア語 ITALIANO	スペイン語 ESPAÑOL
bequem / **unbequem** ベクヴェーム　ウンベクヴェーム	**conveniente** / **inconveniente** コンヴェニエンテ　インコンヴェニエンテ	**cómodo** / **incómodo** コーモド　インコーモド
ruhig / **laut** ルーイヒ　ラウト	**calmo** / **rumoroso** カルモ　ルモローソ	**tranquilo** / **ruidoso** トランキーロ　ルイドーソ
Zeit haben / **beschäftigt sein** ツァイトハーベン　ベシェフティヒト　ザイン	**disoccupato** / **occupato** ディゾックパート　オックパート	**desocupado** / **ocupado** デソクパード　オクパード
einfach / **schwierig** アインファッハ　シュヴィーリヒ	**facile** / **difficile** ファーチレ　ディッフィーチレ	**fácil** / **defícil** ファッシル　ディフィーシル
neu / **alt** ノイ　アルト	**nuovo** / **vecchio** ヌオーヴォ　ヴェッキオ	**nuevo** / **antiguo** ヌエボ　アンティグオ
hart / **weich** ハルト　ヴァイヒ	**solido** / **morbido** ソリド　モルビド	**duro** / **blando** ドゥーロ　ブランド
dick / **dünn** ディック　デュン	**grosso** / **sottile** グロッソ　ソッティーレ	**grueso** / **delgado** グルエソ　デルガード
lose / **eng** ローゼ　エンク	**largo** / **stretto** ラルゴ　ストゥレット	**flojo** / **apretado** フロッホ　アプレタード
schmeckt gut/**schmeckt nicht** シュメックト　グート　シュメックト　ニヒト **gut** グート	**buono** / **schifoso** ブオーノ　スキフォーソ	**sabroso** / **no sabroso** サブローソ　ノー　サブローソ
tief / **seicht** ティーフ　ザイヒト	**profondo** / **poco profondo** プロフォンド　ポーコ　プロフォンド	**profundo** / **poco profundo** プロフンド　ポコ　プロフンド
schwer / **leicht** シュヴェーア　ライヒト	**pesante** / **leggero** ペザンテ　レッジェーロ	**pesado** / **ligero** ペサード　リヘーロ

度量衡換算表

温　度

華 氏 (°F)	摂氏 (℃)	華 氏 (°F)	摂氏 (℃)
104.0	40	53.6	12
100.4	38	50.0	10
96.8	36	46.4	8
93.2	34	42.8	6
89.6	32	39.2	4
86.0	30	35.6	2
82.4	28	32.0	0
78.8	26	28.4	− 2
75.2	24	24.8	− 4
71.6	22	21.2	− 6
68.0	20	17.6	− 8
64.4	18	14.0	−10
60.8	16	10.4	−12
57.2	14	6.8	−14

重　さ

キログラム　kg	1	0.4536	0.0283
ポンド　pound	2.2046	1	0.0623
オンス　ounce	35.270	15.998	1

容　量

リットル　liter	1	4.5459	3.7853
英ガロン　English gallon	0.2202	1	0.8327
米ガロン　American gallon	0.2642	1.2010	1
立方メートル　m³	1	0.0283	0.7645
立方フィート　cubic feet	35.316	1	27.000
立方ヤード　cubic yard	1.3080	0.3703	1

長 さ

センチメートル **cm**	1	100.00	——	2.5399	30.479	91.440	——
メートル **m**	0.0100	1	1000.0	0.0254	0.3047	0.9144	1609.3
キロメートル **km**	——	0.0001	1	——	——	——	1.6093
インチ **inch**	0.3937	39.370	39370	1	12.000	36.000	——
フィート **feet**	0.0328	3.2808	3280.8	0.0833	1	3.0000	5280.0
ヤード **yard**	0.0109	1.0936	1093.6	0.0277	0.3333	1	1760.0
マイル **mile**	——	0.0006	0.6214	——	——	——	1

広 さ

平方メートル **m²**	1	——	0.0922	0.8360	10000	——
平方キロメートル **km²**	——	1	——	——	0.0100	0.0047
平方フィート **square feet**	10.764	——	1	9.0000	——	——
平方ヤード **square yard**	1.1960	——	0.1111	1	——	——
ヘクタール **hectare**	0.0001	100.00	108460	976139	1	0.4047
エーカー **acre**	——	247.11	——	——	2.4711	1

フランス語について

フランス語は，フランス本国及び海外フランス領以外にベルギー，スイス，ルクセンブルク，カナダ並びに旧植民地のアフリカ諸国の一部で国語の一つとして使用されています。その洗練された明晰性と優美な発音で知られ，現在でも外交用語，国際会議の公用語としてよく用いられています。

フランス語の構造は英語とほぼ等しく，主語＋述語＋目的語（補語）の語順に配列されます。英語と特に違う点は，すべての名詞に男性形と女性形の区別があることで，このために文中における単語の相互関係が一層明確になります。ことばの法則ですから，理屈ぬきに，対応する冠詞(un と une，または le と la)と一緒に覚えてゆくとよいでしょう。

フランス語の発音には，フランス語特有の鼻にかかった母音や連続した母音などいくつか特殊なものがありますが，音声的にはきわめて明快であり，また日本語に似た発音も多く，英語に比べた場合むしろ日本人にとって容易であるといえます。本書では片カナで発音を表記してありますが，そのとおりに発音してよく通じることを発見されるでしょう。アクセントは普通，語の末尾音節にありますが，英語ほど強いものではなく，強調や抑揚をつけず，ごく普通に日本語を話すほどの調子で発音すれば充分です。以上のほかに注意すべき点をいくつかあげてみます。●単語の語尾に d, p, s, t, x, z がくる場合この子音字はほとんど発音されない。●アクサン記号の付いた e (é, è, ê)は〔エ〕と発音し，付かない e はほとんど発音しない程度に軽く〔ウ〕と発音する。●リエゾンといって，前の単語の語尾の子音と次の単語の頭の母音とを組み合せて発音することがある。例えば，**mon ami**〔モ ナミ〕（私の友人），**petit enfant**〔プティ タンファン〕（小さな子供）。● s が母音にはさまれたときは，〔ズ〕と濁る。例えば，**chaise**〔シェーズ〕（椅子）。

ドイツ語について

ドイツ語は英語，北欧語などと同じゲルマン語系の言語で，主として東西ドイツ，オーストリア，それにスイスの大部分の地域で話されています。また歴史的関係もあって，東欧諸国（ハンガリー，チェコスロバキア，ポーランドなど）でも，ドイツ語は比較的よく通じます。

標準ドイツ語は，いちおう北部ドイツを中心に使われている高地ドイツ語とされ，本書もそれに従っていますが，各地のドイツ語にそれぞれの地方的特色があり，発音にも差異があることは留意しておく必要があります。

ドイツ語のアルファベットには英語と同じ26文字のほかに，独特のものとしてウムラウト（¨）のついた3文字 ä, ö, ü と ß があります。ä は a と e，ö は o と e，ü は u と e を組み合わせたもので，発音もそれぞれの2文字を同時に発音したものと考えてよいのですが，カナ表記は困難ですので，それぞれエ，エ，ユで代用

しました。例えば，**Äpfeel**〔エップフェル〕（リンゴ（複）），**Öl**〔エール〕（石油），**über**〔ユーバー〕（上に）。ß は s と z を組み合わせたもので発音は「ス」。

発音は上記のウムラウト付き文字のほかはだいたい綴り字どおりローマ字式に発音すると考えてよいでしょう。例外的なものに **ei**〔アイ〕（例：**Ei**〔アイ〕タマゴ），**eu, äu**〔オイ〕（例：**euch**〔オイヒ〕君たちに，**äußer**〔オイサー〕外に），それに t と p のまえにくる s〔シュ〕（例：**stehen**〔シュテーエン〕立つ，**sprechen**〔シュプレッヘン〕話す）などがあります。

ドイツ語の文法は複雑，難解だとされていますが，基本的には規則性の高いものです。特に英語と異なる点は，名詞が性（男性，中性，女性），数（単数，複数），格（主格，所有格，目的格，補格）の組み合わせに応じて，語尾や語形が変化すること。また，文中に助動詞が使われたり，完了形の文章では動詞が文の最後にくること，などがあります。

337

イタリア語について

　イタリア語の通用圏は，イタリア本国，スイスのティチーノ県と旧植民地であったアフリカの一部に限られますが，その明瞭な発音と流麗な抑揚とで声楽家，美術史家をはじめ一般の若い人にも人気があります。

　イタリア語の構造は基本的に英語や他のヨーロッパ語と何ら変るところがありません。すなわち，主語＋動詞＋補語（目的語）が基本文型です。英語と違って少し厄介なのは，すべての名詞に性別があることでしょう。例えば，**il sole**（太陽－男性），**la luna**（月－女性）という具合ですが，これは理屈ぬきで覚えてしまうしかありません。性別によって冠詞が異なりますので一緒に覚えてしまえばよいでしょう。また複数形は語尾変化します。例えば，**il libro**（本），**i libri**（数冊の本），**la donna**（女），**le donne**（女達）となります。原則は語尾の母音が，o→i, a→e, e→i のように変化しますが，**città**（都市），**università**（大学）などは単複同型です。スペイン語でもそうですが，動詞の活用をみれば主語が分ってしまうので，会話などではしばしば主語が省略されます。例えば，**Vado.**（私は）行きます。**È andata via.**（彼女は）行ってしまった。

　発音のことですが，あいまいな母音があまり無いうえ，ほとんどの単語が母音で終るので，ローマ字を読む感じで発音すればよいのです。アクセントは80％が終りから2番目の音節にあります。ムッソリーニとかトスカニーニなど人名にもよくあるランランラのリズムです。もちろん例外もありますので，本書の太字で示したアクセントの位置を参考にして下さい。なお，発音上ローマ字どおりとならない次のような単語に注意してください。

　la famiglia〔ラ ファミッリア〕（家族）

　la moglie〔ラ モッリエ〕（妻）

また R の音はイタリア語特有の巻き舌で発音します。

スペイン語について

スペイン語は，スペイン本国，ブラジルを除く中南米諸国，西インド諸島で使用されており，その使用地域，人口とも英語について広く多いことばです。そのため，同じスペイン語でも，地方によって多少用法や意味あいが違う単語がありますが，本書では，おおよそどの地域でも通じるよう一般的なスペイン語を基準にしてあります。旅行者に関係の深いことばで地方によって用法の異なるものをいくつかあげてみます。

① 切符　　スペインでは **billete** 〔ビジェーテ〕，中南米では **boleto** 〔ボレート〕

② 便所　　スペインでは一般に **servicio** 〔セルビシオ〕，中南米では **baño** 〔バーニョ〕。また，**lavabo** 〔ラバーボ〕，**retrete** 〔レトゥレーテ〕，**excusado** 〔エスクサード〕といったことばもあり，いずれの国でも通用します。

③ バス　　通常 **autobús** 〔アウトブス〕ですが，メキシコだけは **camión** 〔カミオン〕を用います。

④ ジャガイモ　　スペインでは **patata** 〔パタータ〕ですが，中南米ではほとんどの国が **papa** 〔パーパ〕と言います。

文の基本構造は英語とほぼ同じですが，語順はかなり柔軟です。また，動詞の活用で主語が分るので，会話の場合 **yo**（私は）を使用しないのが通例です。

発音は比較的簡単で，ローマ字読みで充分通じますが，次にあげる子音はちょっと特殊な発音となります。

ca, que, qui, co, cu 〔カ，ケ，キ，コ，ク〕

ja, je(ge), ji(gi), jo, ju 〔ハ，ヘ，ヒ，ホ，フ〕

lla(ya), lle(ye), lli(yi), llo(yo), llu(yu) 〔ジャ，ジェ，ジィ，ジョ，ジュ〕

ña, ñe, ñi, ño, ñu 〔ニャ，ニェ，ニィ，ニョ，ニュ〕

ll はラ行，y はヤ行の音で発音する国もありますが，本書のふりがなは上記の発音に統一しました。そのほか，h は無音，b と v は発音の区別しない，などに注意してください。

この索引は、本文中に使われているおもな単語（名詞と形容詞）を、アイウエオ順に収録してあります。ただし、使用頻度が少ないことは省略してあります。

12

343

344

346

六ヵ国語会話1　POCKET INTERPRETER

編集人	斉藤　晃雄	初版発行　1960年 8 月 5 日
発行人	木下　幸雄	改訂64版　1988年 2 月10日
		(Feb. 10, 1988 64th edition)

発行所　**日本交通公社出版事業局**

　〒101　東京都千代田区神田鍛冶町3-3　大木ビル 8 階
　　　　　海外ガイドブック編集部　☎03-257-8391

〈図書のご注文〉　日本交通公社出版販売センター
　〒101　東京都千代田区神田須田町1-12　山萬ビル 8 階
　振替　東京7-99201　送料(実費共)225円　☎03-257-8337

| 写真植字 | 株式会社　電算プロセス | 表紙・本文デザイン | 飯島　保良 |
| 印刷所 | 凸版印刷株式会社 | カット　与口　隆夫・宮部　千里 |

Published by Japan Travel Bureau, Inc. Publishing Division,
℅ Oki Bldg. 3, Kanda Kaji-cho, 3-chome, Chiyodaku, Tokyo Japan
(Tel. 03-257-8391)

定価 880円

Intended primarily to aid Japanese travelers abroad, this booklet of common words and phrases in six languages is also useful for foreign visitors to Japan. Since a romanized transcription is printed below each Japanese expression, a speaker of any of the other five languages can readily produce the Japanese equivalent of a given word or phrase.

Pronunciation of Japanese is relatively simple, even for a beginner. There is no strong stress or distinct intonation in declarative sentences. Questions (which usually end with ka) should be pronounced with a rising intonation at the end, much as in English.

The Hepburn System of romanization is used throughout this booklet. Japanese is made up of short syllables consisting of one vowel or a consonant sound and a vowel. There are only five vowels: a (as in car), e (as in pen), i (as in pink), o (as in go), and u (as in put). Double vowels have a bar printed over them (ā, ō, ū, etc.), and should be enunciated for twice as long as single vowels.

We hope you will enjoy your stay in Japan and that this booklet will help to make your visit all the more memorable.

Editor

世界のおもな通貨とことば

※各国・地域の公用語の中から、日本人旅行者に比較的なじみのあるものをあげてあります。

区分	国・地域名	通 貨	こ と ば*	持っていくと便利な六カ国語会話集 1	2	3	4	5
ヨーロッパ	デンマーク	クローネ D. kr.	デンマーク語				●	
	スウェーデン	アウストラル S. kr.	スウェーデン語				●	
	オ ラ ン ダ	ギルダー f., Dfl.	オ ラ ン ダ 語				●	
	イ ギ リ ス	ポンド £Stg.	英　　　　語	●	●		●	
	西 ド イ ツ	マルク DM	ド イ ツ 語	●	●		●	
	オーストリア	シリング OS.	ド イ ツ 語	●	●		●	
	ベ ル ギ ー	フラン B. Fr.	フ ラ ン ス 語	●	●			
	フ ラ ン ス	フラン F. Fr.	フ ラ ン ス 語	●	●			●
	ス イ ス	フラン S. Fr.	ドイツ・フランス・英語	●	●			
	イ タ リ ア	リ ラ Lit	イ タ リ ア 語	●	●			●
	ス ペ イ ン	ペセタ Pta	ス ペ イ ン 語	●				●
	ポ ル ト ガ ル	エスクード Esc	ポ ル ト ガ ル 語					●
	ギ リ シ ャ	ドラクマ Dr.	ギ リ シ ャ 語	●				
	ソビエト連邦	ルーブル Rbl.	ロ シ ア 語		●			
アメリカ	アメリカ合衆国	ド ル US$	英　　　　語	●	●			
	カ ナ ダ	ド ル C$	英・フランス語	●	●			
	メ キ シ コ	ペ ソ P, Mex. $	ス ペ イ ン 語					●
	ベ ネ ズ エ ラ	ボリーバル B	ス ペ イ ン 語					●
	ブ ラ ジ ル	クルザード CZ$	ポ ル ト ガ ル 語					●
	チ リ	ペ ソ P	ス ペ イ ン 語					●

区分	国・地域名	通　貨	こ　と　ば*	持っていくと便利な 六ヵ国語会話集				
				1	2	3	4	5
アメリカ	ペ ル ー	インティ　I.	ス ペ イ ン 語					●
	アルゼンチン	アウストラル　ARU	ス ペ イ ン 語					●
	コロンビア	ペ ソ　Col. $	ス ペ イ ン 語					●
アジア・オセアニア	韓　　　国	ウォン　W	韓　国　語			●		
	台　　　湾	ド ル　NT$	中　国　語			●		
	中　　　国	元　RMB	中　国　語			●		
	香　　　港	ド ル　HK$	中国（広東）語			●		
	フィリピン	ペ ソ　P	英　　語			●		
	イ ン ド	ルピー　I. Re.	英・ヒンディー語	●				
	タ　　イ	バーツ　B	タ　イ　語			●		
	インドネシア	ルピア　Rp	英・インドネシア語			●		
	シンガポール	ド ル　S$	英・中国・マレー語			●		
	グ ア ム	ド ル　US$	英　　語	●				
	サ イ パ ン	ド ル　US$	英　　語	●				
	フィジー	ド ル　F$	英　　語	●				
	ニューカレドニア	フラン　CEP	フランス・英語	●				
	オーストラリア	ド ル　A$	英　　語	●				
	ニュージーランド	ド ル　NZ$	英　　語	●				
アフリカ・中近東・	南アフリカ	ランド　R	英　　語	●				
	エ ジ プ ト	ポンド　&E	アラビア・英語	●				
	モ ロ ッ コ	ディルハム　DH	アラビア・フランス語	●				
	アルジェリア	ディナール　DA	アラビア・フランス語	●				

Japan Travel Bureau